Deixe

o

grande

mundo

girar

COLUM McCANN

Deixe o grande mundo girar

Tradução de
Maria José Silveira

EDITORA RECORD
RIO DE JANEIRO • SÃO PAULO
2010

CIP-Brasil. Catalogação-na-fonte
Sindicato Nacional dos Editores de Livros, RJ

M115d McCann, Colum, 1965-
   Deixe o grande mundo girar / Colum McCann ; tradução Maria José Silveira.
   — Rio de Janeiro : Record, 2010.

   Tradução de: Let the great world spin
   ISBN 978-85-01-08996-0

   1. Romance irlandês. I. Silveira, Maria José. II. Título.

10-1491   CDD – 828.99153
             CDU – 821.111(415)-3

Título original em inglês:
LET THE GREAT WORLD SPIN

Copyright © 2009, Colum McCann

Editoração eletrônica: FA Editoração

Texto revisado segundo o novo Acordo Ortográfico da Língua Portuguesa.

Todos os direitos reservados. Proibida a reprodução, no todo ou em parte, através de quaisquer meios.

Direitos exclusivos de publicação em língua portuguesa para o Brasil adquiridos pela
EDITORA RECORD LTDA.
Rua Argentina, 171 — Rio de Janeiro, RJ — 20921-380 — Tel.: 2585-2000, que se reserva a propriedade literária desta tradução.

Impresso no Brasil

ISBN 978-85-01-08996-0

Seja um leitor preferencial Record
Cadastre-se e receba informações sobre nossos lançamentos e nossas promoções.

Atendimento e venda direta ao leitor
mdireto@record.com.br ou (21) 2585-2002

*Para John, Fran e Jim.
E, claro, Alisson.*

"Todas as vidas que poderíamos viver, todas as pessoas que jamais conheceremos, jamais seremos, elas estão em todo lugar. É assim que o mundo é."

Aleksandar Hemon,
O PROJETO LAZARUS

SUMÁRIO

AQUELES QUE O VIRAM SILENCIARAM 11

LIVRO UM
Com todo respeito ao paraíso, eu gosto mesmo é daqui 19
Miró, meu Miró 85
Um medo de amar 129
DEIXE O GRANDE MUNDO GIRAR PARA SEMPRE LÁ EMBAIXO 171

LIVRO DOIS
Marcas de pichação 181
Eteroeste 189
Esta é a casa que o cavalo montou 213
AS TRILHAS RUIDOSAS DA MUDANÇA 255

LIVRO TRÊS
Parte das partes 265
Centavos 295
Tudo glória e aleluia 305

LIVRO QUATRO
Bramindo em direção ao mar, lá vou eu 347

NOTA DO AUTOR 373
AGRADECIMENTOS 375

Aqueles que o viram silenciaram. Na Church Street. Liberty. Cortlandt. West Street. Fulton. Vesey. Era um silêncio que escutava a si mesmo, solene e bonito. Alguns pensaram a princípio que devia ser um truque de luz, algo a ver com o clima, algum jogo de sombras. Outros imaginaram que talvez fosse a pegadinha urbana perfeita — fique parado e aponte para cima, até as pessoas se juntarem, inclinarem a cabeça, assentirem, afirmarem, até todos estarem olhando para cima para absolutamente nada, como se esperando pelo final de um esquete de Lenny Bruce. Porém, quanto mais olhavam, mais certeza tinham. Ele estava de pé exatamente na beirada do edifício, sua forma escura contra a manhã cinzenta. Talvez um lavador de janelas. Ou um operário da construção. Ou alguém que iria se jogar.

Lá em cima, a 110 andares de altura, absolutamente parado, um boneco escuro contra o céu nublado.

Ele podia ser visto apenas de certos ângulos, de modo que os observadores tinham que parar nas esquinas das ruas, encontrar uma brecha entre os prédios ou serpear pelas sombras para conseguir uma visão desobstruída pelas cornijas, gárgulas, balaustradas, pontas dos telhados. Nenhum deles tinha ainda conseguido compreender a linha esticada a seus pés de uma torre a outra. Sem dúvida, era a forma humana que os segurava ali, pescoços esticados, dilacerados entre a promessa do destino e o desapontamento do ordinário.

Era o dilema dos observadores: eles não queriam ficar esperando por nada, algum idiota de pé no precipício das torres, mas tampouco queriam perder o momento, caso ele escorregasse, ou fosse preso, ou mergulhasse, braços estendidos.

Ao redor dos observadores, a cidade ainda fazia seus barulhos cotidianos. Buzinas de carro. Caminhões de lixo. Apitos das barcas. O zumbido do metrô. O ônibus M22 avançou contra a calçada, freou, murchou em um buraco. Uma embalagem de chocolate jogada fora bateu em um hidrante. Portas de táxis batiam. Pedaços de lixo se enfiavam nos cantos mais escuros das passagens. Tênis se acomodavam. O couro das pastas roçava nas pernas das calças. Algumas pontas de guarda-chuvas tiniam no calçamento. Portas giratórias empurravam conversas entrecortadas para a rua.

Mas, mesmo que os observadores tivessem conseguido captar todos os sons e os compactado em um único ruído, ainda assim não teriam escutado quase nada; mesmo quando praguejavam, faziam-no em voz baixa, com reverência.

Viram-se aglomerados em pequenos grupos ao lado dos semáforos na esquina da Church com a Dey; reunidos sob o toldo da barbearia do Sam; no vão da porta do Charlie's Audio; um apertado pequeno teatro de homens e mulheres contra as grades da St. Paul's Chapel; disputando espaço a cotoveladas nas janelas do Woolworth. Advogados. Ascensoristas. Médicos. Faxineiros. Chefs. Joalheiros. Peixeiros. Prostitutas patéticas. Todos reconfortados pela presença um do outro. Estenógrafos. Comerciantes. Entregadores. Homens que carregam anúncios no corpo. Vigaristas. Eletricitários. Telefônicos. Financistas. Um serralheiro em sua van na esquina da Dey com a Broadway. Um entregador com a bicicleta apoiada em um poste de luz na West. Um bêbado com o rosto vermelho em busca de um trago matinal.

Da estação de barcas de Staten Island, eles o vislumbraram. Dos armazéns de carne do West Side. Dos novos arranha-céus do Battery Park. Dos quiosques de café da manhã na Broadway. Da praça abaixo. Das próprias torres.

Claro, havia alguns que ignoraram o rebuliço, que não queriam ser incomodados. Eram 7h47 e eles não ansiavam senão por uma escrivaninha, uma caneta, um telefone. Vinham das estações de metrô, das limusines, dos ônibus, atravessando a rua rapidamente, rejeitando mesmo a possibilidade de uma espiada. Outro dia, outra pena. Mas, ao passarem pelos pequenos blocos de comoção, eles começavam a diminuir o ritmo. Alguns paravam completamente, davam de ombros, viravam indiferentes, caminhavam até a esquina, esbarravam nos que observavam, caminhavam nas pontas dos pés, olhavam por sobre a multidão e então se apresentavam com um *uau* ou um *Nossa* ou um *Jesus Cristo*.

O homem lá no alto permanecia rígido, e, no entanto, seu mistério era móvel. Estava parado um pouco além da grade da plataforma de observação da torre sul — a qualquer momento ele poderia simplesmente decolar.

Abaixo dele, um pombo solitário arremeteu, descendo desde o andar mais alto do edifício do Federal Office, como se antecipasse a queda. O movimento atraiu os olhares de alguns observadores, que acompanharam o mergulho cinza contra a silhueta do homem de pé. O pássaro foi de um beiral ao outro, e só então os observadores repararam que outros, nas janelas dos escritórios, onde as persianas estavam sendo levantadas e alguns painéis de vidro empurrados para cima, haviam se juntado a eles. Tudo que podiam ver era um par de cotovelos ou a ponta da manga de uma camisa, ou parte de um braço, mas então aparecia uma cabeça, ou um estranho par de mãos acima dela, erguendo ainda mais o vidro. Nas janelas dos arranha-céus ao redor apareciam vultos olhando para fora — homens em mangas de camisa e mulheres com blusas reluzentes, ondulando nas janelas como aparições em parques de diversões.

Ainda mais alto, um helicóptero do serviço de meteorologia executou um mergulho sobre o Hudson — um reconhecimento ao fato de que aquele dia de verão ia ser nublado e frio de qualquer maneira —, e seus rotores marcaram o ritmo sobre os armazéns do West Side. A princípio o helicóptero pareceu torto ao avançar, e uma pequena janela lateral foi aberta como se a máquina precisasse de ar. Uma lente apareceu na janela. Captou um breve lampejo de luz. Depois de um momento, o helicóptero se endireitou lindamente e rodopiou pelo espaço.

Alguns policiais da West Side Highway ligaram suas sirenes e rumaram rapidamente pela rampa de saída, tornando a manhã ainda mais magnética.

Uma excitação percorreu todo o ar em torno dos observadores e, agora que as sirenes tinham oficialmente inaugurado o dia, houve uma tagarelice entre eles, o equilíbrio estava por um triz, a calma se desfazendo, e eles se viraram um para o outro e começaram a especular, será que ele vai se jogar, será que vai cair, será que vai andar na ponta dos pés pela beirada, será que trabalha ali, será que é um solitário, será uma farsa, será que está usando algum uniforme, ninguém aqui tem binóculos? Completos estranhos tocavam no ombro um do outro. Praguejavam entre si, passavam adiante rumores de que um roubo fora interrompido, de que ele era um tipo de ladrão acrobata, que havia feito reféns, era um árabe, um judeu, um cipriota, um homem do IRA, que na verdade era um golpe publicitário, um jogada corporativa, *Beba mais Coca-Cola, Coma mais Fritos, Fume mais Parliaments, Use mais Lysol, Ame mais Jesus.* Ou que era um protesto e ele fixaria um cartaz, que o deslizaria pela beira da torre e o deixaria lá para flutuar na brisa, como uma peça gigantesca de roupa secando ao céu — FORA NIXON! AGORA! LEMBRE-SE DO VIETNÃ, TIO SAM! INDEPENDÊNCIA PARA A INDOCHINA! — e então alguém disse que talvez ele fosse voar de asa-delta ou fosse um paraquedista, e todos os outros riram, mas estavam perplexos com o cabo aos pés dele, e os rumores começaram outra vez, uma colisão de resmungos e sussurros, aumentados por um acréscimo de sirenes que faziam os corações baterem ainda mais, e o helicóptero encontrou um ponto de apoio próximo ao lado oeste das torres, enquanto embaixo, no saguão do World Trade Center, os policiais corriam pelo piso de mármore, e os agentes à paisana sacavam seus distintivos para fora das camisas, e os caminhões de bombeiros entravam na praça, e a sinaleira ofuscava os vidros, e um caminhão cesto chegava, os pneus gordos quicando no meio-fio, e alguém riu quando o cesto se inclinou para o lado, o motorista olhando para cima, como se o elevador pudesse se alçar por todo aquele enorme caminho cinza, e os seguranças gritavam em seus walkie-talkies, e toda a manhã de agosto explodiu completamente, e os observadores permaneceram enraizados, nem pensar em ir para outro lugar por um tempo, as vozes se levantaram em um crescendo, todo tipo de sotaques, uma babel, até que um homenzinho ruivo no Home Title Guarantee Company na Church Street levantou a janela de guilhotina de seu escritório, colocou os cotovelos no parapeito, respirou fundo, inclinou-se, e bramiu a distância: Vai logo, bundão!

Houve um vacilo antes da gargalhada, um segundo antes que ela mergulhasse entre os observadores, uma reverência para a irreverência do homem, porque secretamente era assim que muitos deles se sentiam — "Vai logo, pelamordedeus! Vai logo!" — e então uma torrente de conversa se soltou, um chamar-e-responder, e pareceu ondular por toda parte, dos parapeitos para as calçadas e por todo o pavimento rachado até a esquina da Fulton, seguindo o quarteirão ao longo da Broadway, onde ziguezagueou até a John, dobrou-se para a Nassau e continuou, uma linha de dominó de gargalhada, mas com uma aresta, uma ânsia, um espanto, e muitos dos observadores compreenderam com um estremecimento que não importava o que dissessem, eles realmente queriam testemunhar uma grande queda, ver alguém fazer um arco para baixo em toda aquela distância, para desaparecer da linha de visão, bater os braços, despedaçar-se no chão e dar à quarta-feira uma eletricidade, um significado; e tudo de que eles precisavam para se tornar uma família era um milissegundo de vacilação, enquanto os outros — os que queriam que ele ficasse, mantivesse a posição, permanecesse na beirada, porém não mais que isso — sentiam agora que aquilo era viável, desprezando os que gritavam: eles queriam que o homem se salvasse, desse um passo para trás, para os braços dos guardas e não para o céu.

Eles agora estavam animados.

Agitados.

Estava traçado.

Vai, bundão!

Não faça isso!

Bem lá em cima houve um movimento. Na roupa escura, cada uma das contrações contava. Ele se dobrou, curvou-se para a frente, como se examinasse os sapatos, como um rabisco cuja parte maior fora apagada. A postura de um mergulhador. E então eles viram. Os observadores pararam, silenciados. Mesmo os que tinham desejado que o homem pulasse ficaram sem ar. Eles se encolheram e gemeram.

Um corpo estava deslizando no meio do ar.

Ele zarpou. Finalmente o fez. Alguns se benzeram. Fecharam os olhos. Esperaram o baque. O corpo girou e se contraiu e se arremessou no ar, levado pelo vento.

Então um grito soou entre os observadores, a voz de uma mulher; Deus, oh Deus, é uma camisa, é apenas uma camisa.

Estava caindo, caindo, caindo, sim, uma camiseta, flutuando, e então os olhos deles se desviaram da roupa no meio do ar, porque lá no alto o homem se esticou, já não estava mais agachado, e houve um novo silêncio entre os policiais no alto e os observadores embaixo, uma onda de emoção passando entre eles, porque o homem tinha se levantado de sua curvatura e segurava uma comprida barra fina nas mãos, mexendo-a, testando seu peso, meneando-a para cima e para baixo no ar, uma comprida barra escura, tão flexível que as pontas balançavam. O olhar dele estava fixo na torre ao longe, ainda envolvida em andaimes, como uma coisa ferida esperando ser alcançada, e então o cabo a seus pés finalmente fez sentido para todos ali, e não importava o que fosse não havia nada capaz de tirá-los de lá agora, nada de café da manhã, nada de encontros na área de fumantes, nada do arrastar indiferente de pés pelo carpete; a espera tinha sido mágica, e todos viram quando ele ergueu um pé com sapatilha preta, como um homem prestes a entrar na morna água cinzenta.

Os observadores embaixo prenderam a respiração ao mesmo tempo. O ar de repente parecia compartilhado. O homem no alto era uma palavra que eles pareciam conhecer, embora jamais a tivessem escutado antes.

E ele foi.

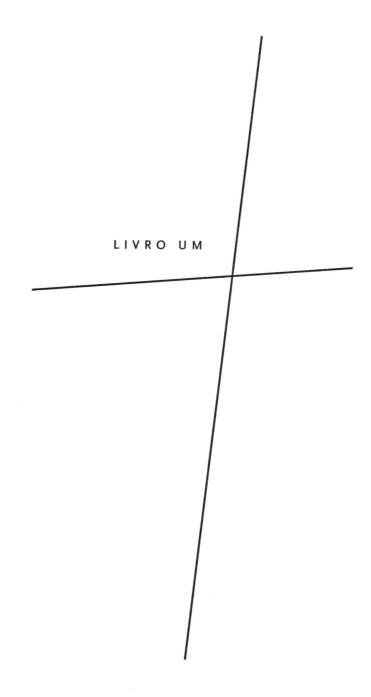

LIVRO UM

COM TODO RESPEITO AO PARAÍSO, EU GOSTO MESMO É DAQUI

Uma das muitas coisas que meu irmão, Corrigan, e eu amávamos em nossa mãe era que ela era uma ótima musicista. Ela guardava um pequeno rádio sobre o Steinway na sala de estar de nossa casa em Dublin e nas tardes de domingo, depois de passar por quaisquer estações que pudéssemos achar, Eireann ou BBC, levantava a tampa laqueada do piano, ajeitava o vestido em volta do banco de madeira e tentava reproduzir a peça toda de memória: riffs de jazz e baladas irlandesas e, se tivéssemos encontrado a estação certa, as melodias de Hoagy Carmichael. Nossa mãe tocava com um dedilhado natural, ainda que sofresse com uma das mãos que quebrara muitas vezes. Nunca soubemos a origem da fratura: era algo que foi deixado no silêncio. Quando terminava de tocar, ela massageava levemente o dorso do pulso. Eu costumava pensar que as notas continuavam a vibrar pelos seus ossos, como se pudessem saltar de um para outro, sobre a parte quebrada. Ainda posso, depois de todos esses anos, sentar-me no museu daquelas tardes e recordar a luz derramando-se sobre o tapete. Às vezes nossa mãe punha os braços em volta de nós dois, e então guiava nossas mãos para que pudéssemos bater forte nas teclas.

Já não está mais na moda, suponho, ter pela própria mãe um carinho semelhante ao que meu irmão e eu tínhamos na época, no meio dos anos

1950, quando o ruído do lado de fora das janelas era sobretudo vento e marulho. Pode-se procurar a fissura na armadura, uma perna do banco do piano mais curta que a outra, a tristeza que nos separaria dela, mas a verdade é que curtíamos um ao outro, todos os três, e nunca tão explicitamente quanto naqueles domingos em que a chuva caía cinza sobre a baía de Dublin e as rajadas batiam doces contra a vidraça.

Nossa casa em Sandymount tinha vista para a baía. Tínhamos uma pequena entrada para carros cheia de ervas daninhas, um quadrado de grama, uma cerca escura de ferro. Se atravessássemos a estrada podíamos parar no quebra-mar inclinado e ter uma visão bem ampla da baía. Um punhado de palmeiras crescia no final da estrada. Elas se erguiam, menores e mais mirradas do que as palmeiras de outros lugares, porém, de qualquer forma, exóticas, como se convidadas a observar a chuva de Dublin. Corrigan sentava-se no muro, batendo os calcanhares e olhando para a água sobre a praia plana. Eu deveria saber mesmo então que o mar estava inscrito nele, que haveria algum tipo de partida. A maré vinha arrastando e a água avolumava-se a seus pés. No final da tarde, ele caminhava pela estrada passando pela Martello Tower até os banhos públicos abandonados, onde se equilibrava no topo do quebra-mar, os braços completamente abertos.

Nas manhãs dos fins de semana passeávamos com nossa mãe, os tornozelos mergulhados na maré baixa, e olhávamos para trás a fim de ver a fileira das casas, o litoral e as pequenas cortinas de fumaça subindo das chaminés. Duas chaminés enormes — uma vermelha, a outra branca — da usina de energia elétrica irrompiam no horizonte ao leste, mas o resto era uma curva suave, com gaivotas no ar, os barcos do correio saindo de Dun Laoghaire, fileiras de nuvens no horizonte. Quando a maré baixava, o pedaço de areia ficava corrugado e algumas vezes era possível caminhar quase quinhentos metros entre poças isoladas e pedaços de refugo velho, lascas afiadas de conchas, pedaços de armação de camas.

A baía de Dublin ondulava devagar, como a cidade da qual era a ferradura, mas ela podia se transformar sem avisos. De vez em quando a água chocava-se contra o muro em uma tempestade. O mar, tendo chegado, ficava. O sal incrustava-se na janela de nossa casa. A aldrava na porta tinha uma ferrugem vermelha.

Quando o tempo fechava, sentávamos nas escadas, Corrigan e eu. Nosso pai, um físico, tinha nos abandonado anos antes. Um cheque, com o carimbo do serviço postal de Londres, chegava na caixa do correio uma vez por semana. Jamais um bilhete, apenas o cheque, de um banco em Oxford. Ele girava no ar ao cair. Corríamos para trazê-lo para nossa mãe. Ela enfiava o envelope sob o vaso de flores no parapeito da janela da cozinha e, no dia seguinte, já não estaria lá. E não se tocava mais no assunto.

O único outro sinal de nosso pai era um guarda-roupa lotado com seus ternos e calças velhos no quarto de nossa mãe. Corrigan escancarava as portas. Sentávamos no escuro com as costas apoiadas nas portas duras de madeira e enfiávamos os pés nos sapatos de nosso pai, deixávamos as mangas tocarem nossas orelhas, sentíamos o frio dos botões dos punhos de suas camisas. Nossa mãe nos encontrou uma tarde vestidos com os ternos cinza dele, as mangas dobradas e suspensórios mantendo as calças no lugar. Estávamos marchando em círculos com seus sapatos enormes quando ela entrou e ficou imóvel na soleira da porta, o quarto tão silencioso que podíamos escutar o barulho do aquecedor.

— Bem... — ela disse, enquanto se ajoelhava no chão a nossa frente, seu rosto se espalhando em um sorriso que parecia doer nela. — Venham aqui. — Beijou-nos no rosto, deu tapinhas em nossos bumbuns. — Agora se mandem. — Saímos das roupas do nosso pai, deixando-as como uma poça no chão.

Mais tarde naquela noite escutamos o tinido dos cabides de casaco enquanto ela pendurava e rependurava os ternos.

Com o passar dos anos houve os acessos de fúria habituais e narizes escorrendo sangue e cabeças de cavalos de madeira quebradas, e nossa mãe tinha de lidar com as fofocas dos vizinhos, às vezes até com a atenção de viúvos locais, mas na maior parte do tempo as coisas se estendiam confortavelmente a nossa frente: calmas, desimpedidas, uma extensão de areia cinza.

Corrigan e eu dividíamos um quarto com vista para a água. De repente, sem alarde, ainda não recordo como, aconteceu: ele, dois anos mais novo, se apossou do beliche de cima. Dormia de barriga para baixo, com uma vista da janela para o escuro, recitando suas preces — ele as chamava de seus versos para cochilar — em ritmo rápido, brusco. Eram seu encantamento próprio, na maior parte indecifrável para mim, com estranhos espocar de risadinhas e longos suspiros. Quanto mais perto chegava do sono, mais rítmicas ficavam as preces, era quase um jazz, embora algumas vezes no meio de tudo eu o escutasse praguejar, palavras nem um pouco sagradas. Eu sabia o *hit parade* católico — o pai-nosso, a ave-maria —, mas nada além disso. Eu era uma criança seca, quieta, e Deus já era uma chateação para mim. Dava um pontapé embaixo do estrado de Corrigan e ele ficava quieto por um momento, mas depois começava de novo. Às vezes eu acordava de manhã e ele estava deitado ao meu lado, o braço sobre meu ombro, seu peito subindo e descendo enquanto murmurava as preces.

Eu me virava para ele.

— Caramba, Corr, cala a boca.

Meu irmão tinha a pele clara, cabelos escuros, olhos azuis. Era o tipo de criança para quem todos sorriam. Ele podia olhar para você e imediatamente conquistá-lo. As pessoas ficavam doidas por ele. Na rua, mulheres desordenavam seu cabelo. Trabalhadores davam murros gentis em seu ombro. Ele não tinha ideia de que sua presença confortava as pessoas, fazia com que ficassem felizes, alimentava seus desejos improváveis — ele apenas continuava seguindo, distraído.

Acordei uma noite, quando tinha 11 anos, com uma rajada fria de ar movendo-se sobre mim. Fui trôpego até a janela, mas ela estava fechada. Acendi a luz e o quarto rapidamente ardeu amarelado. Uma figura estava curvada no meio do quarto.

— Corr?

O clima ainda emanava de seu corpo. Suas bochechas estavam vermelhas. Uma leve neblina úmida continuava em seu cabelo. Ele fedia a cigarros. Colocou um dedo nos lábios pedindo silêncio e subiu de novo a escada de madeira.

— Vá dormir — ele sussurrou de cima. O cheiro do tabaco ainda se prolongava no ar.

De manhã ele pulou da cama, vestindo seu pesado anoraque sobre o pijama. Tremendo, abriu a janela e bateu a areia de seus sapatos para fora do parapeito, no jardim embaixo.

— Aonde você foi?

— Estava na praia — ele disse.

— Você fumou?

Ele desviou os olhos, esfregou os braços para esquentar.

— Não.

— Não é para você fumar, você sabe.

— Eu não fumei — ele disse.

Mais tarde naquela manhã, nossa mãe foi caminhando conosco até a escola, nossas mochilas de couro penduradas nos ombros. Uma brisa gelada cortava as ruas. Perto dos portões da escola ela se ajoelhou, pôs os braços ao nosso redor, ajustou nossos cachecóis e nos beijou, primeiro um, depois o outro. Quando se levantou para ir embora, seus olhos foram atraídos por algo do outro lado da rua, perto do corrimão da igreja: uma figura escura embrulhada em um grande cobertor vermelho. O homem levantou uma das mãos para saudar. Corrigan acenou de volta.

Havia muitos bêbados velhos em torno de Ringsend, mas minha mãe parecia tomada pela visão, e, por um momento, pensei se não haveria algum segredo ali.

— Quem é, mãe? — perguntei.
— Entre — disse ela. — Veremos isso depois da aula.
Meu irmão caminhou a meu lado, quieto.
— Quem é ele, Corrie? — Dei um soco nele. — Quem é?
Ele desapareceu em direção a sua sala de aula.

O dia inteiro fiquei sentado na minha cadeira, mordendo meu lápis, pensando — visões de um tio esquecido, ou que nosso pai tinha de alguma maneira voltado, falido. Nada, naqueles dias, estava além do reino das possibilidades. O relógio estava no fundo da sala, mas havia um velho espelho manchado sobre a pia da sala de aula e, no ângulo certo, dava para ver os ponteiros andando para trás. Quando o sino bateu, eu já estava do lado de fora do portão, mas Corrigan pegou o caminho mais longo de volta, passos curtos, miúdos, atravessando os terrenos das casas, passando pelas palmeiras, ao longo do quebra-mar.

Havia um embrulho mole de papel marrom esperando por Corrigan em cima do beliche. Eu o joguei para ele. Ele encolheu os ombros e passou o dedo sobre o barbante, tentou puxá-lo. Dentro havia outro cobertor, um Foxford macio azul. Ele o desdobrou, deixou cair até esticar-se, ergueu os olhos para nossa mãe e assentiu.

Ela tocou o rosto dele com as costas de seus dedos e disse:
— Nunca mais, entendeu?

Não se falou mais disso até que, dois anos mais tarde, ele deu também aquele cobertor para outro bêbado sem-teto, em outra noite gelada, na ponta do canal em uma de suas caminhadas tarde da noite, quando desceu as escadas nas pontas dos pés e saiu no escuro. Era uma equação simples para ele — os outros precisavam mais dos cobertores e ele estava preparado para sofrer a punição se ela chegasse. Foi meu primeiro vislumbre do que meu irmão se tornaria, e do que eu mais tarde veria entre os rejeitados de Nova York — as prostitutas, os malandros, os desesperançados —, todos aqueles que se apoiavam nele como se ele fosse alguma gloriosa aleluia na privada que o mundo realmente era.

CORRIGAN COMEÇOU A BEBER muito jovem — aos 12 ou 13 anos —, uma vez por semana, nas tardes de sexta depois da escola. Ele saía correndo dos portões de Blackrock em direção ao ponto de ônibus, a gravata escolar tirada, o blazer como uma trouxa, enquanto eu ficava para trás nos campos da escola, jogando rúgbi. Eu podia vê-lo subir no 45A ou no 7A, sua silhueta dirigindo-se para os assentos do fundo enquanto o ônibus seguia.

Corrigan gostava dos lugares onde a luz se escoava. A região das docas. Os albergues. Os cantos onde o asfalto estava destruído. Com frequência ele se sentava com os bêbados em Frenchman's Lane e Spencer Row. Levava junto uma garrafa, passava-a para todos. Se voltasse para ele, ele bebia com um floreio, limpando a boca com as costas da mão como um bêbado experiente. Qualquer um podia ver que ele não era um bêbado de verdade — não ia atrás da garrafa, e só bebia quando ela vinha para seu lado. Acho que pensava que estava se adaptando. Os bêbados mais viciados riam dele, mas ele não se importava. Eles se aproveitavam dele, é claro. Ele era apenas outro esnobe experimentando o modo de vida dos pobres, mas tinha alguns trocados nos bolsos e sempre estava disposto a passá-los adiante — eles o mandavam buscar garrafas nas lojas de bebida, ou ir atrás de cigarros na loja da esquina.

Alguns dias ele voltava para casa sem meias. Outras vezes, sem camisa, e subia correndo as escadas, antes que nossa mãe o visse. Escovava os dentes e lavava o rosto e descia, todo vestido, com olhar um pouco arregalado, não bêbado o suficiente para ser pego.

— Onde você estava?
— Trabalhando para Deus.
— E é um trabalho para Deus não cuidar de sua mãe?

Ela ajustava o colarinho de sua camisa e ele se sentava para o jantar.

Depois de um tempo com os vagabundos ele começou a se ajustar, encaixava-se no ambiente, misturava-se a eles. Ia com eles até o albergue na Rutland Street e se sentava com os ombros curvados, apoiado na parede. Corrigan escutava suas histórias: casos compridos, cheios de divagações, que pareciam enraizados em uma Irlanda completamente diferente. Era um aprendizado para ele: infiltrava-se na pobreza deles como se quisesse possuí-la. Bebia. Fumava. Nunca mencionava nosso pai, nem para mim nem qualquer outra pessoa. Mas ele estava lá, nosso pai que se fora, eu sabia. Corrigan ou o afogaria no xerez ou o cuspiria como uma partícula de tabaco em sua língua.

Na semana em que completou 14 anos, minha mãe me mandou buscá-lo: ele tinha ficado fora o dia inteiro e ela havia feito um bolo para ele. Uma geada noturna caiu sobre Dublin. Uma carroça passou, a luz de seu dínamo brilhando. Observei-a trotar pela rua, a ponta da luz se espalhando. Eu odiava a cidade em tempos como esse — ela não tinha nenhum desejo de sair de seu cinza. Caminhei passando pelas casas que funcionavam como pensão, lojas de antiguidades, fabricantes de velas, fornecedores de medalhas litúrgicas. O albergue estava selado por um portão preto, as pontas de ferro afiadas. Fui até o fundo, onde ficavam os depósitos. A chuva pingava de um cano quebrado. Passei por cima de uma pilha de caixotes e caixas de papelão, gritando o nome dele. Quando o encontrei, ele estava tão bêbado que não conseguia se erguer. Agarrei-o pelo braço. "Oi", ele disse, sorrindo. Caiu contra a parede e fez um corte na cabeça. Ficou olhando para a palma de sua mão. O sangue corria pelos pulsos. Um dos bêbados mais jovens — um transviado de camiseta vermelha — cuspiu nele. Foi a primeira e única vez que vi Corrigan dar um soco. Errou completamente o alvo mas o sangue voou de sua mão, e eu soube — mesmo enquanto ainda observava — que esse era um momento que eu jamais esqueceria, Corrigan girando no meio do ar, gotas de seu sangue se espalhando pela parede.

— Sou um pacifista — ele disse, pronunciando mal as palavras.

Levei-o por todo o caminho ao longo do Liffey, passando pelos navios de carvão e entrando em Ringsend, onde o lavei com a água da velha bomba de mão da Irishtown Road. Ele pegou meu rosto em suas mãos. "Obrigado, obrigado." Começou a chorar quando chegamos à Beach Road, que levava a nossa casa. Uma escuridão profunda havia caído sobre o mar. A chuva pingava das palmeiras ao longo da rua. Eu o puxei da areia. "Estou mole", ele disse. Limpou os olhos com a manga da camisa, acendeu um cigarro, tossiu até vomitar.

No portão de casa, ergueu os olhos para a luz no quarto de nossa mãe.

— Ela está acordada?

Ele diminuiu os passos na entrada, mas, uma vez dentro, subiu correndo as escadas e caiu nos braços dela. Ela sentiu o cheiro da bebida e do cigarro que vinham dele, claro, mas não disse nada. Preparou um banho para ele, sentou-se do lado de fora da porta. Quieta a princípio, ela esticou os pés pelo descanso da escada, depois apoiou a cabeça na soleira da porta e suspirou: era como se também estivesse em um banho, esticando-se para dias ainda a serem lembrados.

Ele vestiu as roupas, saiu e ela esfregou a toalha em seu cabelo seco.

— Você não vai beber outra vez, vai, meu querido?

Ele fez que não com a cabeça.

— Toque de recolher às sextas-feiras. Em casa às 17 horas. Está me ouvindo?

— Está certo.

— Prometa-me agora.

— Juro por Deus.

Seus olhos estavam injetados de sangue.

Ela beijou-lhe os cabelos e abraçou-o apertado.

— Tem um bolo para você lá embaixo, querido.

Corrigan tirou duas semanas de folga de suas excursões às sextas, mas logo começou a se encontrar novamente com os bêbados. Era um ritual que não conseguia deixar. Os vagabundos precisavam dele, ou pelo menos o queriam — ele era, para eles, um anjo louco, impossível. Continuou bebendo com eles, mas só em dias especiais. Na maior parte, ficava sóbrio. Tinha essa ideia de que os homens realmente estavam procurando algum tipo de Éden e que quando bebiam retornavam a ele mas que, chegando lá, não eram capazes de ficar. Não tentava convencê-los a parar. Esse não era o seu estilo.

Devia ter sido fácil para mim não gostar de Corrigan, meu irmão mais novo que iluminava de vida as pessoas, mas havia alguma coisa que tornava difícil não gostar dele. Seu lema era a alegria — o que ela é e o que poderia não ter sido, onde ele poderia encontrá-la e onde ela podia desaparecer.

Eu tinha 19 anos, e Corrigan, 17, quando nossa mãe morreu. Uma luta curta e rápida contra o câncer no rim. A última coisa que ela nos pediu foi que não esquecêssemos de fechar as cortinas, para que a luz não desbotasse o tapete da sala de estar.

Ela foi levada para o hospital St.Vincent no primeiro dia do verão. A ambulância deixou rastros molhados pela estrada do mar. Corrigan pedalou furiosamente atrás dela. Ela foi colocada em uma enfermaria comprida cheia de pacientes doentes. Conseguimos um quarto particular e o enchemos de flores. Nos revezamos sentados ao lado de sua cama, penteando seu cabelo comprido e quebradiço ao simples toque. Punhados dele saíam no pente.

Pela primeira vez na vida um ar desleixado a envolvia: seu corpo a traíra. O cinzeiro ao lado da cama cheio de cabelo. Me agarrei à ideia de que se conservássemos seus longos cachos grisalhos poderíamos voltar ao que éramos antes. Era tudo que eu conseguia pensar. Ela resistiu três meses, depois faleceu num dia de setembro quando tudo parecia explodir de tanta luz.

Ficamos sentados no quarto, esperando as enfermeiras aparecerem e levarem seu corpo. Corrigan estava no meio de uma longa prece quando uma sombra apareceu na porta do hospital.

— Olá, rapazes.

Nosso pai tinha um sotaque inglês em seu luto. Eu não o via desde meus 3 anos. Uma faixa de luz caiu sobre ele. Estava pálido e curvado. Havia um cabelo superficial em seu couro cabeludo, mas os olhos eram de um azul transparente. Tirou o chapéu e o apoiou no peito.

— Lamento, meninos.

Avancei para apertar sua mão. Fiquei espantado ao ver que eu era mais alto do que ele. Ele agarrou meu ombro e apertou.

Corrigan permaneceu em silêncio, em um canto.

— Me dê um aperto de mão, filho — disse nosso pai.

— Como soube que ela estava doente?

— Vamos, aperte minha mão como um homem.

— Me diga como ficou sabendo.

— Você vai apertar minha mão ou não?

— Quem lhe contou?

Ele se balançava para a frente e para trás nos calcanhares.

— Isto lá é modo de tratar seu pai?

Corrigan virou de costas e deu um beijo na testa fria de nossa mãe, saindo sem dizer uma palavra. A porta se fechou com um estalo. Uma sombra atravessou a cama. Fui até a janela e o vi puxar sua bicicleta que estava presa a um cano. Passou pelos canteiros de flores e sua camisa esvoaçava enquanto ele se misturava com o tráfego da Merrion Road.

Meu pai puxou uma cadeira e se sentou ao lado dela, tocando seu antebraço sob os lençóis.

— Quando ela não descontou os cheques — ele me disse.

— Como é?

— Foi quando eu soube que ela estava doente — disse ele. — Quando ela não descontou os cheques.

Uma sensação de frio cruzou meu peito.

— Só estou lhe dizendo a verdade — disse ele. — Se não pode suportar a verdade, não a peça.

Nosso pai foi dormir em nossa casa aquela noite. Carregava uma mala pequena com um terno preto de luto e um par de sapatos engraxados. Corrigan o parou quando ele se dirigiu às escadas.

— Aonde você pensa que vai?

Nosso pai apertou o corrimão. Suas mãos tinham manchas amareladas e eu podia ver que ele tremia em sua pausa.

— Aquele não é seu quarto — disse Corrigan.

Nosso pai vacilou na escada. Subiu outro degrau.

— Não — disse meu irmão. Sua voz era clara, cheia, confiante. Nosso pai estava atordoado. Subiu outro degrau e depois se virou, descendo, olhando em volta, perdido.

— Meus próprios filhos — disse.

Nós fizemos uma cama para ele no sofá da sala de estar, mas, mesmo assim, Corrigan se recusou a ficar sob o mesmo teto: saiu caminhando em direção ao centro da cidade, e eu me perguntei em que viela ele poderia ser encontrado mais tarde naquela noite, em que briga poderia se meter, em que garrafa poderia se afundar.

Na manhã do enterro, escutei nosso pai gritando o primeiro nome de Corrigan.

— John, John Andrew.

Uma porta bateu. Outra. E então um longo silêncio. Deitei de costas sobre o travesseiro, deixei o silêncio me rodear. Passos nas escadas. O rangido do degrau de cima. Os barulhos estavam cheios de mistério. Corrigan passou com estrondo pelo guarda-louça e bateu a porta da frente.

Quando fui até a janela vi uma fila de homens bem-vestidos na praia, bem em frente à nossa casa. Eles estavam usando os velhos ternos e chapéus e cachecóis de nosso pai. Um tinha enfiado um lenço vermelho no bolso do peito de um terno preto. Outro levava um par de sapatos engraxados na mão. Corrigan estava entre eles, um pouco inclinado, sua mão enfiada no bolso de trás da calça, onde segurava uma garrafa. Estava sem camisa e com um olhar selvagem. Uma cabeça de cabelos despenteados. Seus braços e pescoço estavam bronzeados, mas o resto de seu corpo estava descorado. Ele riu e acenou para meu pai, que agora estava de pé na porta da frente, sem sapatos, atônito, olhando para uma dúzia de cópias de si mesmo, lá fora, andando nas areias da maré.

Um par de mulheres que reconheci das filas de caridade dos albergues passeava pela areia cheia de imundícies com os antigos vestidos de verão de minha mãe, celebrando suas novas roupas.

CORRIGAN ME DISSE certa vez que Cristo era muito fácil de entender. Ele ia aonde devia ir. Ficava onde precisavam Dele. Não levava nada com Ele ou muito pouco, um par de sandálias, um trapo de camisa, algumas bugigangas para espantar a solidão. Jamais rejeitava o mundo. Se Ele o rejeitasse, estaria rejeitando o mistério. E se Ele rejeitasse o mistério, estaria rejeitando a fé.

O que Corrigan desejava era um Deus completamente crível, um que você pudesse encontrar na poeira do cotidiano. O conforto que ele encontrava na verdade dura e fria — a sujeira, a guerra, a pobreza — era que a vida podia ser capaz de belezas miúdas. Ele não estava interessado nas histórias gloriosas da vida após a morte nem nas ideias de um céu mergulhado em mel. Para ele, isso era o vestiário para o inferno. Ao contrário, ele se consolava com o fato de que, no mundo real, quando olhava de perto a escuridão, podia encontrar a presença de uma luz, avariada e contundida, mas uma pequena luz de qualquer forma. Ele desejava, muito simplesmente, que o mundo fosse um lugar melhor e tinha o hábito de esperar por isso. Daí vinha um tipo de triunfo que ia além da prova teológica, uma causa para o otimismo contra todas as evidências.

— Um dia os humildes podem verdadeiramente querê-la — ele dizia.

Depois que nossa mãe morreu, vendemos a casa. Nosso pai ficou com a metade do dinheiro. Corrigan doou sua parte. Ele vivia da caridade dos outros e começou a estudar a obra de Francisco de Assis. Por horas a fio caminhava pela cidade, lendo. Fazia suas próprias sandálias de retalhos de couro e usava meias extravagantemente coloridas por baixo. Tornou-se uma figurinha carimbada das ruas de Dublin do meio dos anos 1960, com cabelos trançados e calças de carpinteiro, livros enfiados sob o braço. Tinha um passo comprido, trôpego. Saía por aí sem dinheiro, sem casaco, sem camisa. Todo agosto, no aniversário de Hiroshima, ele se amarrava nos portões do Parlamento na Kildare Street, uma vigília silenciosa de uma noite, sem fotos, sem jornalistas, só ele e sua caixa de papelão estendida no chão.

Quando tinha 19 anos, começou a estudar com os jesuítas no Emo College. Missa na madrugada. Horas de estudo teológico. Caminhadas vespertinas pelos campos. Caminhadas noturnas ao longo do Barrow River, implorando a seu Deus sob as estrelas. Orações matutinas, orações do meio-dia, orações vespertinas, as completas. As glórias, os salmos, as leituras dos evangelhos. Deram um rigor a sua fé, fincaram-no em um propósito. Mesmo assim, as montanhas de Laois não podiam segurá-lo. Ele não poderia ser um padre comum — não era a vida para ele: estava mal definido para isso, precisava de mais espaço para sua dúvida. Deixou o noviciado e foi para Bruxelas, onde se juntou a um grupo de jovens monges que fizeram votos de castidade, pobreza e obediência. Vivia em um pequeno apartamento no centro da cidade. Deixou o cabelo crescer. Focou-se nos livros: Agostinho, Eckhart, Massignon, Charles de Foucauld. Era uma vida de trabalho comum, amizade, solidariedade. Ele dirigia um caminhão de frutas para uma cooperativa local e organizou um sindicato para um pequeno grupo de trabalhadores. Em seu trabalho não usava vestimentas religiosas, nem colarinhos, não levava nenhuma Bíblia, e preferia ficar quieto, mesmo em torno dos irmãos de sua própria Ordem.

Poucas pessoas que cruzavam com ele ficavam sabendo de seus laços religiosos e, mesmo nos lugares onde ficou mais tempo, raramente era conhecido por suas crenças — em vez disso, as pessoas o viam com um apego por outra era, quando o tempo parecia mais devagar, menos complicado. Mesmo o pior que os homens faziam uns aos outros não amortecia as crenças de Corrigan. Ele podia ser ingênuo, mas não se importava; dizia que preferia morrer de coração aberto do que acabar como outro cínico.

Os únicos móveis que possuía eram seu genuflexório de carvalho e suas estantes. As prateleiras estavam lotadas de poetas religiosos, a maioria radical, e alguns teólogos da libertação. Por muito tempo ficou inclinado em conseguir um posto em algum lugar do Terceiro Mundo, mas não conseguiu. Bruxelas era comum demais para ele. Queria um lugar com uma trama mais dura. Passou um tempo nas favelas de Nápoles, trabalhando com os pobres do Bairro Espanhol, mas então foi despachado para Nova York no começo dos anos 1970. Não gostou da ideia, resistiu muito a ela, pensava que Nova York era afetada, antisséptica demais, mas não tinha controle sobre os que estavam mais acima em sua Ordem — ele tinha que ir para onde fosse enviado.

Embarcou em um avião com uma mala cheia de livros, seu genuflexório e uma Bíblia.

EU TINHA ABANDONADO a universidade e passado a maior parte do final dos meus 20 e poucos anos em um apartamento de subsolo na Raglan Road, pegando o fim da era hippie. Como quase tudo que é irlandês, eu tinha chegado um pouco atrasado. Fui levando até os 30, encontrei um emprego burocrático, mas ainda queria a antiga vida sem preocupações.

Eu realmente jamais estive a par do que acontecia lá em cima, no norte. Às vezes parecia até ser uma terra totalmente estrangeira, mas na primavera de 1974 a violência chegou ao sul.

Fui ao Dandelion Market uma noite de sexta-feira comprar um pouco de maconha, um hábito ocasional. Era um dos poucos lugares onde Dublin vibrava: contas africanas, lâmpadas de lava, incenso. Comprei 15 gramas de haxixe marroquino em uma banca de discos usados. Estava indo pela South Leinster Street para pegar a Kildare Street quando o ar tremeu. Tudo ficou amarelo por um instante, um flash perfeito, depois branco. Fui lançado pelo ar, contra uma grade. Acordei, pânico por todo lado. Cacos de vidro. Um cano de descarga. Um pneu rodando pela rua. O pneu caiu, exausto, e tudo ficou estranhamente quieto até que as sirenes soaram, como se lamentassem. Uma mulher passou com seu vestido rasgado do pescoço à bainha, como se decidida a mostrar a ferida no peito. Um homem se abaixou para me ajudar a levantar. Corremos juntos por alguns metros, depois nos separamos. Eu estava tropeçando por uma esquina em direção à Molesworth Street quando um guarda me parou e apontou para algumas manchas de sangue em minha camisa. Desmaiei. Quando acordei no hospital me disseram que eu havia perdido um pouco da carne do lóbulo da minha orelha direita ao ser jogado contra a lança da grade. Uma flor-de-lis. Que ironia fina. A ponta da minha orelha deixada para trás na rua. O resto de mim estava intacto, inclusive minha audição.

No hospital, a polícia examinou meu bolso à procura de minha identidade. Fui preso por posse de drogas e levado a uma corte, onde o juiz se condoeu e decidiu que fora uma busca ilegítima, me passou um sermão e deixou que eu seguisse o meu caminho. Fui direto para uma agência de viagem na Dawson Street e comprei minha passagem só de ida.

Entrei pelo aeroporto John F. Kennedy com um colar comprido e um casaco afegão, carregando um exemplar surrado de *Uivo*. O pessoal da alfândega deu uma risadinha. O fecho de pano da minha mochila rompeu quando tentei fechá-la.

Fiquei procurando Corrigan — ele tinha prometido, em um cartão-postal, que iria me buscar. Fazia 30 graus à sombra. O calor me atingia com a força de um machado. O saguão de espera pulsava. Famílias passavam ao redor, empurrando uns aos outros em busca de informação de voo. Motoristas de táxi pareciam uma ameaça reluzente. Nenhum sinal de meu irmão em lugar algum. Fiquei sentado na minha mochila por uma hora até um policial com um cassetete me cutucar e derrubar o livro das minhas mãos.

Peguei um ônibus entre o calor sufocante e o barulho. Mais tarde no metrô passei um tempo embaixo do ventilador. Uma negra ficou de pé ao meu lado, abanando-se com uma revista. Manchas ovais de suor sob suas axilas. Eu nunca tinha visto uma negra tão de perto, pele tão escura que era quase azul. Queria tocá-la, apenas pressionar sua testa com meu dedo. Ela viu que eu olhava e puxou a blusa.

— Tá olhando o quê?

— Irlanda — deixei escapar. — Sou irlandês.

Um momento mais tarde ela me olhou de novo.

— Fala sério — disse. Ela desceu na 125th Street, onde o trem chiou e parou.

A noite caía quando cheguei ao Bronx. Saí da estação para o calor noturno. Tijolo cinza e cartazes. Um som ritmado vindo de um rádio. Um moleque de camiseta sem mangas rodopiava sobre um pedaço de papelão, seu ombro de algum modo o apoio de todo o seu corpo. Uma ausência de contornos. Sem limites. Mãos no chão, seus pés chicoteavam em um longo círculo estendido. Ele se abaixou e subitamente rodopiou sobre a cabeça, depois fez um arco para trás, desenrolou-se e saltou no ar, movimento puro.

Alguns táxis clandestinos passavam vazios pela Concourse. Brancos idosos com seus largos chapéus. Joguei minha mochila no porta-malas de um carro preto gigante.

— O cara tem fogo no rabo, meu chapa — disse o motorista enquanto se inclinava sobre o assento. — Você acha que aquele garoto vai dar em alguma coisa? Depois de girar sobre a porra da sua maldita cabeça?

Eu dei a ele o endereço de Corrigan em um pedaço de papel. Ele resmungou alguma coisa sobre direção hidráulica, disse que não tinha nada disso no Vietnã.

Depois de meia hora entramos bruscamente em uma curva. Estivéramos vagando em círculos elaborados.

— Doze paus, cara.

Não valia a pena discutir. Deixei o dinheiro sobre o banco, saí, peguei minha mochila. O motorista do táxi deu partida antes que eu tivesse a chance de fechar o porta-malas. Apertei meu exemplar de *Uivo* no peito. *Eu vi as melhores mentes de minha geração*. A tampa do porta-malas balançou e bateu se fechando quando o motorista virou bruscamente perto do semáforo e seguiu em frente.

De um lado, havia uma fileira de prédios baixos atrás de grades. Partes das grades eram cobertas de arame farpado. Do outro lado, a via expressa: a risca dos faróis dos carros passando rapidamente. Abaixo, na passagem subterrânea, uma fila comprida de mulheres. Carros e caminhões estacionavam nas sombras. As mulheres faziam poses. Vestiam shortinhos e tops de biquíni e maiôs, uma bizarra cidade praiana. Um braço em ângulo, na contraluz, se estendeu até o topo da rodovia. Um salto agulha alcançou o alto de uma cerca de arame farpado. Uma perna se esticou até o meio do comprimento do quarteirão.

Pássaros noturnos voaram saindo de baixo das vigas mestras da rodovia, momentaneamente buscando o céu, e então girando de volta e se escondendo.

Uma mulher emergiu de sob as vigas. Usava um casaco de couro apertado nos ombros e abriu bem as pernas vestidas com botas até a altura do joelho. Um carro passou e ela abriu completamente o casaco. Por baixo, não usava nada. O carro buzinou e seguiu. Ela gritou atrás dele, começou a caminhar em minha direção, levando o que parecia uma sombrinha.

Sondei as varandas dos andares superiores procurando algum sinal de Corrigan. As luzes da rua bruxuleavam. Uma sacola de plástico rolou. Sapatos estavam pendurados no fio alto do poste.

— Olá, docinho.

— Estou duro — eu disse, sem me virar. A puta cuspiu grosso no meu pé e ergueu a sombrinha cor-de-rosa sobre a cabeça.

— Babaca — disse, ao passar.

Ela ficou parada no lado iluminado da rua e esperou embaixo da sombrinha. Toda vez que um carro passava, ela a abaixava e erguia, fazendo de si mesma um pequeno planeta de luz e escuridão.

Carreguei minha mochila em direção aos conjuntos populares com o máximo de indiferença que consegui. Agulhas de heroína jaziam do lado de dentro das grades, entre as ervas plantadas. Alguém tinha pichado o cartaz perto da entrada dos apartamentos. Alguns velhos estavam sentados do lado de fora do saguão, abanando-se no calor. Pareciam exaustos e decrépitos, o tipo de homens que logo se tornariam cadeiras vazias. Um deles estendeu a mão para o pedaço de papel onde estava escrito o endereço do meu irmão, balançou a cabeça, encolheu-se de novo.

Um menino passou correndo, um som metálico vindo dele, um tinido de lata. Desapareceu no escuro do vão da escada. O cheiro de tinta fresca se desprendeu dele.

Virei a esquina para outra esquina: era tudo esquina.

Corrigan morava em um bloco de apartamentos cinza. O quinto andar entre vinte. Um pequeno adesivo perto da campainha: PAZ E JUSTIÇA em uma coroa de espinhos. Cinco cadeados na porta. Nenhum deles funcionava. Empurrei a porta para abri-la. Ela deslizou e bateu. Um pouco de gesso branco caiu da parede. Chamei o nome dele. O lugar estava vazio exceto por um sofá rasgado, uma mesa baixa, um crucifixo simples de madeira sobre a única cama de madeira. Seu genuflexório estava de frente para a parede. Livros espalhavam-se pelo chão, abertos, como se falassem um com o outro: Thomas Merton, Rubem Alves, Dorothy Day.

Fui para o sofá, exausto.

Acordei mais tarde com a puta da sombrinha batendo a porta. Ela ficou parada na soleira, enxugando a testa, depois jogou a bolsa no sofá ao meu lado.

— Opa, desculpa, docinho — disse.

Virei meu rosto para que ela não me reconhecesse. Ela andou pela sala, tirando ao mesmo tempo o casaco de couro, nua exceto pelas botas. Parou um momento, olhou-se em um comprido pedaço de espelho quebrado pendurado na parede. Os músculos de sua panturrilha eram lisos e curvos. Ela ergueu a carne da bunda, suspirou, depois esticou e friccionou seus mamilos.

— Maldição — disse. Um som de água correndo veio do banheiro.

A puta emergiu de batom reluzente e um novo estalido ao pisar. O cheiro picante de perfume encheu o ar. Ela me jogou um beijo, balançou a sombrinha e se foi.

Isso aconteceu cinco ou seis vezes em sequência. O virar da maçaneta da porta. O estalar dos saltos na madeira do piso sem cobertura. Uma puta diferente a cada vez. Uma chegou a se inclinar, os compridos seios murchos pendendo sobre meu rosto.

— Estudante — disse ela, como uma oferta. Balancei minha cabeça e ela disse, lacônica: — Foi o que pensei. — Na porta, ela se virou e sorriu. — Advogados irão para o céu antes que você veja coisa tão boa outra vez.

Saiu pelo corredor, rindo.

No banheiro havia uma pequena lata de lixo. Absorventes e tentáculos tristes restos de camisinhas usadas, embrulhados em lenços de papel.

Corrigan me acordou mais tarde naquela noite. Eu não tinha ideia de que horas eram. Vestia o mesmo tipo de camisa fina que usava havia anos: preta, sem colarinho, de manga comprida, com botões de madeira. Estava magro, como se a diáfana extensão da pobreza o tivesse gasto teimosamente até seu velho eu. Seu cabelo batia no ombro e ele deixara crescer costeletas, que já apresentavam um pequeno volume de cabelo grisalho na altura das têmporas. Seu rosto tinha um corte leve e seu olho direito estava roxo. Parecia ter mais de 31 anos.

— Belo mundo este em que você está vivendo, Corrigan.

— Você trouxe chá?

— O que aconteceu com você? Seu rosto? Tem um corte aí.

— Não vai me dizer que não trouxe pelo menos alguns saquinhos de chá, irmão?

Abri a mochila. Cinco caixas do tipo de que ele mais gostava. Ele beijou minha testa. Seus lábios estavam secos. Sua barba mal cortada espetava.

— Quem bateu em você, Corr?

— Não se preocupe comigo, deixa eu ver você.

Estendeu a mão e tocou minha orelha direita, onde o pedaço de lóbulo se fora.

— Você está bem?

— É um memento, suponho. Você ainda é pacifista?

— Ainda — ele disse com um sorriso.

— Você tem umas amigas legais.

— Elas só precisam usar o banheiro. Não podem aprontar por aqui. Não estavam aprontando, estavam?

— Estavam peladas, Corrigan.

— Não, não estavam.

— Estou dizendo, cara, elas estavam peladas.

— Elas não gostam de roupas incômodas — disse ele com uma risadinha. Apoiou uma das mãos sobre o meu ombro e me empurrou de volta para o sofá. — Seja como for, elas deviam estar calçadas. É Nova York. Você tem que ter bons sapatos.

Ele pôs a chaleira no fogão, enfileirou as xícaras.

— Meu irmão todo sério — disse, mas sua risadinha morreu quando ele aumentou a chama. — Olha, cara, elas estão desesperadas. Eu só quero lhes dar um pequeno lugar que elas possam chamar de seu. Saírem do calor. Jogar um pouco de água no rosto.

Ele estava de costas. Eu me lembrei de como, anos antes, em um de nossos passeios vespertinos, ele havia se desviado e ficou cercado pela maré — Corrigan, isolado em um banco de areia, emaranhado em luzes, vozes da praia passando sobre ele, chamando seu nome. A chaleira apitou, mais alto e estridente agora. Mesmo de costas, ele parecia ter sido surrado. Eu disse o nome dele, uma, duas vezes. Na terceira, ele se ligou, virou-se, sorriu. Foi quase igual a quando era criança — ergueu os olhos, fez um gesto e retornou com a água até a cintura.

— Está sozinho aqui, Corr?
— Só por um tempo.
— Nenhum irmão? Ninguém com você?
— Ah, estou começando a conhecer as sensações imemoriais — disse ele. — A fome, a sede, estar cansado no final do dia. Comecei a me perguntar se Deus está por perto quando acordo no meio da noite.

Ele parecia estar falando com um ponto sobre meu ombro. Seus olhos estavam profundos e inchados.

— É isso que gosto em Deus. Você O conhece por Sua ausência ocasional.
— Você está bem, Corr?
— Nunca estive melhor.
— Então quem bateu em você?

Ele desviou os olhos.

— Tive uma briga com um dos cafetões.
— Por quê?
— Porque sim.
— Porque sim o quê, cara?
— Porque ele reclamou que eu estava atrapalhando elas. O cara chama a si mesmo de Gaiola. É caolho. Imagine. Ele veio aqui, bateu na porta, disse Oi, me chamou de irmão isso, irmão aquilo, muito gentil e polido, até pendurou o chapéu na maçaneta. Sentou-se no sofá e olhou para o crucifixo. Disse que tinha um verdadeiro apreço pela vida santa. Então mostrou um cano de chumbo que havia arrancado do vaso sanitário. Imagine só. Ele ficou sentado ali todo esse tempo, deixando meu banheiro inundar.

Corrigan deu de ombros.

— Mas elas ainda vêm — disse. — As garotas. Eu não as encorajo, sério. Mas afinal, o que elas vão fazer? Mijar na rua? Não custa nada. Só uma pequena gentileza. Um lugar que elas podem usar. Uma loja de miudezas.

Ele serviu o chá e um prato de biscoitos, foi até seu genuflexório — uma peça simples de madeira que ele colocou atrás para apoiar seu corpo enquanto se ajoelhava — e deu graças a Deus pelos biscoitos, pelo chá e pela chegada do irmão.

Ainda estava rezando quando a porta se abriu com força e entraram três putas.

— Uui! Que gelo isto aqui! — arrulhou a puta da sombrinha enquanto parava debaixo do ventilador. — Oi, meu nome é Tillie. — O calor exsudava dela: gotinhas de suor em sua testa. Ela deixou a sombrinha na mesa, olhou para mim com um meio sorriso. Estava arrumada para ser vista a distância: usava óculos de sol com hastes cor-de-rosa e maquiagem cintilante nos olhos. Outra garota beijou Corrigan na bochecha, depois começou a se enfeitar no pedaço quebrado de espelho. A mais alta, com um minivestido branco, sentou-se à minha frente. Parecia meio mexicana, meio negra. Era esbelta e ágil: poderia estar andando por uma passarela.

— Oi — disse ela, sorrindo. — Sou a Jazzlyn. Pode me chamar de Jazz.

Era muito jovem — 17 ou 18 anos —, um olho verde, o outro castanho. As maçãs do rosto estavam puxadas ainda mais para cima por uma linha de maquiagem. Estendeu a mão, levantou a xícara de chá de Corrigan, soprou, manchando a beirada com batom.

— Não sei por que você não põe gelo nessa bosta, Corrie — disse ela.

— Eu não gosto — disse Corrigan.

— Se você quer ser americano, precisa pôr gelo.

A puta da sombrinha então deu uma risadinha, como se Jazzlyn tivesse acabado de dizer alguma coisa fabulosamente rude. Era como se elas tivessem um código entre si. Eu fiquei na minha, mas Jazzlyn se inclinou e tirou um fiapo de tecido do meu ombro. Seu hálito era doce. Me virei para Corrigan outra vez.

— Você fez com que ele fosse preso?

Meu irmão pareceu confuso.

— Quem? — disse.

— O cara que bateu em você.

— E por quê?

— Tá falando sério?

— Por que eu ia querer que ele fosse preso?

— Alguém bateu em você de novo, docinho? — disse a puta da sombrinha. Ela fitava os próprios dedos. Arrancou um belo naco da unha do polegar, examinando a pequena fatia. Raspou o esmalte do dedo com os dentes e sacudiu o pedaço de unha em minha direção. Dei uma encarada nela. Ela me deu um rápido sorriso brilhante.

— Eu não suporto quando alguém me bate — disse.

— Céus — eu murmurei para a janela.

— Chega — disse Corrigan.

— Eles sempre deixam marcas, não deixam? — disse Jazzlyn.

— Ok, Jazz, já chega, ok?

— Uma vez, esse cara, esse cuzão, esse filho da mãe ao quadrado, bateu com uma lista telefônica em mim. Quer saber uma coisa sobre a lista telefônica? Tem uma porrada de nomes e nenhum deles deixa marca.

Jazzlyn se levantou e tirou sua blusa solta. Usava um top amarelo-neon por baixo.

— Ele me bateu aqui e aqui e aqui.

— Certo, Jazz, hora de se mandar.

— Aposto que você pode achar seu nome aqui.

— Jazzlyn!

Ela parou e suspirou.

— Seu irmão é uma gracinha — ela disse para mim. Abotoou a blusa. — A gente gosta dele que nem gosta de chocolate. Que nem nicotina. Não é verdade, Corrie? A gente gosta dele tanto quanto de nicotina. Tillie tem uma paixonite por ele. Não tem, Tillie? Tillie, está me ouvindo?

A puta da sombrinha se afastou do espelho. Tocou a beirada de sua boca que o batom tinha manchado.

— Velha demais para ser uma acrobata, jovem demais para morrer — ela disse.

Jazzlyn estava remexendo num pequeno estojo de vidro por baixo da mesa. Corrigan se inclinou e tocou a mão dela.

— Aqui não, você sabe que não pode fazer isso aqui.

Ela revirou os olhos, suspirou e deixou uma agulha cair na bolsa.

A porta quicou nas dobradiças. Todas elas jogaram beijos, até Jazzlyn, de costas para nós. Ela parecia um girassol caído, seu braço curvado para trás enquanto saía.

— Coitada da Jazz.
— Que traste.
— Bom, pelo menos ela está tentando.
— Tentando? Ela é um traste. Todas são.
— Ah, não, elas são gente boa — disse Corrigan. — Só não sabem o que é que estão fazendo. Ou o que está sendo feito com elas. É uma coisa de medo. Entende? Todas elas estão tremendo de medo. Todos nós.

Ele tomou o chá sem limpar o batom da beirada.

— Pedaços de medo flutuam no ar — disse. — É como pó. Você caminha e não o vê, não o nota, mas ele está lá e está cobrindo tudo. Você o respira. Você o toca. Você o bebe. Você o come. Mas é tão fino que você não nota. Mas está coberto por ele. Está em todo lugar. O que quero dizer é: nós temos medo. Fique parado quieto só por um instante e ali está ele, esse medo, cobrindo nossos rostos e línguas. Se pararmos para notá-lo, caímos em desespero. Mas não podemos parar. Temos de continuar seguindo em frente.

— Por quê?
— Não sei, esse é o meu problema.
— O que você está fazendo aqui, Corr?
— Acho que preciso de um discurso mais convincente, sei disso. Mas às vezes esse também é meu dilema, cara. Eu sou um homem de Deus mas quase nunca menciono o nome Dele para ninguém. Nem mesmo para as garotas. Guardo esses pensamentos para mim mesmo. Para minha própria paz de espírito. Conforto para minha consciência. Se eu começasse a pensar em voz alta o tempo todo, acho que ficaria louco. Mas Deus me escuta. A maior parte do tempo. Ele escuta.

Esvaziou a xícara e limpou a beirada com a ponta da camisa.

— Mas essas garotas, cara. Às vezes eu acho que elas têm mais fé do que eu. Pelo menos elas estão abertas para a fé dos que andam com a janela do carro aberta.

Corrigan virou a xícara de cabeça para baixo em sua palma, equilibrando-a ali.

— Você não foi ao enterro — disse eu.

Um pingo de chá se alojou em sua palma. Ele levou a mão até a boca e a lambeu.

Nosso pai tinha morrido alguns meses antes. No meio de sua aula na universidade sobre quarks. Partículas elementares. Tinha insistido em ir até o fim com a aula mesmo com a dor que atravessava seu braço esquerdo. *Três quarks para Muster Mark.* Obrigado, turma. Cheguem bem em casa. Boa-noite. Tchau-tchau. Não cheguei nem perto de ficar inconsolável, mas deixei um bocado de mensagens para Corrigan, e até procurei a polícia do Bronx, mas eles disseram que não havia nada que pudessem fazer.

No cemitério fiquei procurando, esperando vê-lo chegar pela alameda estreita, talvez mesmo com um dos antigos ternos de nosso pai, mas ele nunca apareceu.

— Não tinha muita gente — eu disse. — Pequeno pátio de uma igreja anglicana. Um homem estava cortando grama. Não desligou a máquina durante o serviço.

Ele ficou virando a xícara na mão, como se tentasse tirar as últimas gotas.

— Que passagem da Bíblia eles leram? — disse por fim.

— Não consigo lembrar. Lamento. Por quê?

— Não importa.

— Qual você teria lido, Corr?

— Ah, não sei, realmente. Alguma coisa do Velho Testamento, talvez. Alguma coisa emotiva.

— Como o quê, Corr?

— Não tenho muita certeza.

— Vamos, diga.

— Eu não sei! — gritou. — Tá bom? Eu não sei de porra nenhuma!

O palavrão me espantou. A vergonha fez com que ele enrubescesse intensamente. Baixou o olhar, esfregou a xícara com a ponta da camisa. Esse som fez um rangido alto, pouco usual, e eu soube então que o assunto *pai* estava encerrado para sempre. Ele havia fechado o caminho, rápido e com força, estabelecido um limite: proibido ultrapassar. Me deu um certo prazer pensar que ele tinha uma falha e que ela ia tão fundo que ele não conseguia lidar com ela. Corrigan desejava as dores das outras pessoas. Não queria lidar com a sua. Eu também senti uma pulsação de vergonha por pensar desse jeito.

O silêncio dos irmãos.

Ele enfiou seu genuflexório na dobra dos joelhos, como uma almofada de madeira, e começou seu murmúrio.

Quando se levantou, disse:

— Desculpe o palavrão.

— Sim, me desculpe também.

Na janela, ele puxou distraidamente a corda das persianas, abrindo e fechando. Lá embaixo, uma mulher perto da passagem subterrânea gritou. Ele abriu outra vez a persiana, com dois dedos.

— Parece a voz de Jazz — disse.

A luz laranja da lâmpada da rua que vinha pela janela projetou nele as treliças enquanto cruzava rapidamente o cômodo.

HORAS E HORAS de insanidade e fuga. Os conjuntos habitacionais eram vítimas de roubo e vento. As correntes de ar descendentes faziam seu próprio clima. Sacolas de plástico nas lufadas do vento de verão. Velhos jogadores de dominó sentados nos pátios, jogando sob o lixo voador. O som das sacolas de plástico soava como estampidos de um rifle. Se a sujeira fosse reservada por um tempo, dava para visualizar a forma exata do vento. Talvez de certa maneira fosse atraente, como pouca coisa a seu redor: arabescos completos e reluzentes percutindo, grandes oitos, volutas e espirais e saca-rolhas. Às vezes um pedaço de plástico agarrava em um cano ou tocava o topo da cerca de aramado e era graciosamente jogado de volta. As alças se juntavam e a sacola desabava. Não havia galhos de árvores onde se enganchar. Um garoto de um apartamento vizinho enfiou uma vara de pescar sem linha para fora da janela mas não pegou nada. As sacolas quase sempre estacionavam em algum lugar no alto, como se estivessem contemplando toda a cena sombria, e de repente davam um mergulho, uma pequena cortesia, e lá se iam.

Me iludi pensando que tinha alguns poemas dentro de mim enquanto estava em Dublin. Era como pendurar roupas velhas para secar. Todo mundo em Dublin era poeta, talvez até os que jogavam bombas e nos regalavam com suas tardes de delícias.

Eu estava em South Bronx fazia uma semana. Era tão úmido que algumas noites tínhamos de manter a porta fechada. Garotos do décimo andar jogaram um aparelho de televisão nos vigias que patrulhavam lá embaixo. Correio aéreo. A polícia invadiu, dando cacetadas. Tiros soaram no telhado. No rádio tocava uma música sobre a revolução nos guetos. Incêndios nas ruas. Era uma cidade com seus dedos no lixo, uma cidade que comia em pratos sujos. Eu tinha que dar o fora. O plano era procurar um emprego, conseguir um lugarzinho próprio, talvez trabalhar em uma peça, ou conseguir trabalho em um jornal em algum lugar. Havia anúncios para garçons e bartenders, mas eu não queria seguir dessa maneira, todos de chapéu e irlandeses com camisas de mangas curtas. Descolei um serviço de vendedor por telefone, mas precisava de uma linha exclusiva no apartamento de Corrigan, e era impossível conseguir um técnico que fosse até o conjunto habitacional: esta não era a América que eu havia esperado.

Corrigan fez uma lista de coisas para eu ver, o bar Chumley's no Village, a ponte do Brooklyn, o Central Park de dia. Mas, para início de conversa, eu tinha pouco dinheiro. Ia para a janela e observava a trama dos dias se desdobrar. O lixo me acusava. O cheiro já se erguia até as janelas do quinto piso.

Corrigan trabalhava como mandava a ética de sua Ordem, fazia alguma grana dirigindo uma van para os idosos da clínica de repouso local. O para-choque estava preso com arame enferrujado. As janelas estavam cobertas com adesivos pela paz. Os faróis da frente ficavam soltos na grade. Ele ficava fora a maior parte do dia, encarregado dos que estavam enfermos. O que seria um sofrimento para outros, era uma dádiva para ele. Ele os pegava no final da manhã na clínica de repouso na Cypress Avenue — a maioria irlandesa, italiana, um velho judeu, de apelido Albee, de terno cinza e solidéu.

— Abreviação de Albert — ele disse —, mas se você me chamar de Albert dou-lhe um chute no traseiro.

Algumas tardes, eu ia sentado com eles, homens e mulheres — a maioria branca — que poderiam ser dobrados tal como suas cadeiras de rodas. Corrigan dirigia a passo de lesma para não sacudir muito.

— Você dirige como uma bichinha — disse Albee do banco de trás. Corrigan deitou a cabeça na direção e riu, mas manteve o pé no freio.

Os carros atrás buzinavam. Um barulho infernal. O ar estava sufocado de decadência.

— Anda, cara, anda! — Albee gritava. — Sai do lugar com esta maldita van!

Corrigan tirou o pé do freio e vagarosamente dirigiu a van até o parque em St. Mary's, onde empurrou as cadeiras de rodas dos velhos para os trechos de sombra que conseguia encontrar.

— Ar fresco — disse.

Os homens sentavam-se enraizados como poemas de Larkin. As velhas pareciam agitadas, as cabeças assentindo na brisa, observando o parquinho. Eram na maioria crianças negras ou hispânicas, zunindo nas pistas de tobogã ou balançando nas barras.

Albee conseguiu rodar sua cadeira até um canto, onde tirou algumas folhas de papel. Curvou-se sobre elas e não disse mais palavra alguma, rabiscando no papel com um lápis. Eu me agachei ao lado dele.

— O que você está fazendo aí, amigo?

— Nada que seja da sua conta.

— Xadrez, é?

— Você joga?

— Jogo.

— Nível?

— Ah, se manda, você também é uma bichinha.

Corrigan piscou para mim da beirada do parquinho. Este era seu mundo, e ele claramente o amava.

Tinham preparado almoço para eles na casa dos idosos, mas Corrigan atravessou a rua até a bodega local para comprar mais batatas fritas, cigarros, uma cerveja gelada para Albee. Um toldo amarelo. Uma máquina de chicletes estava acorrentada com três cadeados na portinhola. Uma lata de lixo virada de cabeça para baixo na esquina. Houve uma greve de lixeiros no começo daquela primavera e o serviço de limpeza ainda não tinha se restabelecido. Ratos corriam pelos esgotos das ruas. Jovens com camisetas sem mangas estavam parados na porta, cheios de más intenções. Eles conheciam Corrigan, parecia, e, enquanto ele desaparecia lá dentro, ia cumprimentando-os com uma série de elaborados apertos de mão. Ele passou um longo tempo por lá e saiu carregando grandes sacolas de papel marrom. Um dos vagabundos deu um tapinha em suas costas, agarrou sua mão, puxou-o para perto.

— Como você faz isso? — perguntei. — Como consegue que eles falem com você?

— Por que não falariam?

— É que parece, não sei, que eles são barra-pesada, você sabe.

— No entendimento deles, sou só um cara quadrado.

— Você não fica preocupado? Sabe, uma arma, ou alguma coisa, uma navalha?

— Por que ficaria?

Juntos, levamos os velhos para dentro da van. Ele ligou o motor e dirigiu para a igreja. Os velhos haviam votado: igreja ou sinagoga. Ela estava borrada de grafites — brancos, amarelos, vermelhos, prateados. *Tags 173. Graco 76.* Os vitrais coloridos tinham sido quebrados com pedrinhas. Até a cruz no topo estava pichada

— O templo vivo — disse Corrigan. O velho judeu se recusou a sair. Ficou sentado, cabeça abaixada, sem dizer nada, folheando as anotações em seu livro. Corrigan abriu o fundo da van e lhe deixou uma cerveja extra sobre o banco.

— Ele está bem, o nosso Albee — disse Corrigan enquanto se afastava do fundo da van. — Tudo que ele faz é trabalhar naqueles problemas de xadrez o dia todo. Era um grande mestre ou coisa assim. Veio da Hungria, viu-se no Bronx. Envia seus jogos pelo correio para algum lugar. Joga cerca de vinte jogos de uma vez. Consegue jogar com vendas nos olhos. É a única coisa que o faz continuar.

Ajudou os outros a saírem da van e nós os conduzimos, um por um, até a entrada.

— Vamos pela rampa.

Tinha uns degraus quebrados na entrada, mas Corrigan havia escondido duas tábuas compridas na lateral, perto da sacristia. Estendeu as pranchas em paralelo e empurrou as cadeiras. A tábua se erguia no ar com o peso das cadeiras de rodas e, por um momento, pareciam estar dirigidas para o céu. Corrigan empurrou-as para a frente e as pranchas bateram de volta ao lugar. Ele parecia um homem à vontade. Um brilho nos cantos dos olhos. Você podia ver nele o garoto que se fora, o menino de 9 anos de volta a Sandymount.

Deixou os velhos esperando perto da pia de água benta, até todos ficarem alinhados, prontos para ir.

— Este é o meu momento favorito do dia — disse. Atravessou o escuro gelado da igreja, empurrando-os para qualquer lugar que quisessem, alguns para os bancos dos fundos, outros para as laterais.

Uma velha irlandesa foi levada bem para a frente, onde enrolou e desenrolou seu rosário de contas. Tinha uma cabeleira branca, sangue nos cantos dos olhos, um olhar de outro mundo.

— Esta é Sheila — disse Corrigan.

Ela mal podia falar, quase incapaz de emitir um som. Cantora de cabaré, tinha perdido a maior parte de sua voz para um câncer de garganta. Nasceu em Galway, mas emigrou logo depois da Primeira Guerra Mundial. Era a favorita de Corrigan e ele ficou perto dela, dizendo as preces formais a seu lado: as dez ave-marias do rosário. Ela não tinha ideia, tenho certeza, dos vínculos religiosos dele, mas mostrava uma energia dentro daquela igreja que não tinha em outro lugar. Ela e Corrigan, era como se estivessem rezando juntos por uma boa chuva.

Quando saímos outra vez para a rua, Albee estava cochilando na van, com um pouco de baba no queixo.

— Maldição — murmurou quando o motor roncou. — Dois bichinhas, vocês.

Corrigan aportou na casa de repouso no final da tarde, depois me deixou na frente do conjunto habitacional. Tinha outro trabalho a fazer, disse; precisava ver alguém.

— É um pequeno projeto em que estou trabalhando — disse, por cima do ombro. — Nada para se preocupar. Vejo você mais tarde.

Entrou na van e tocou alguma coisa no porta-luvas antes de dar a partida.

— Não espere por mim — avisou. Eu o vi partir, mão para fora da janela, acenando. Ele estava escondendo algo, eu sabia.

Estava escuro como breu quando finalmente o vi voltar, entre as prostitutas ao longo da Major Deegan. Distribuiu café gelado de um grande recipiente prateado que ficava no fundo da van. As garotas se juntaram em volta enquanto ele colocava gelo nos copos delas. Jazzlyn usava um maiô neon de uma única peça. Ela empinou o traseiro, estalou o elástico, chegou mais perto, insinuou uma dança do ventre contra os quadris dele. Era alta, exótica, tão jovem que parecia esvoaçar. Brincalhona, ela o empurrou para trás. Corrigan correu em círculo em volta dela, dando passadas fortes. Uma risada aguda. Ela saiu correndo quando ouviu a buzina de um carro. Em volta dos pés de Corrigan ficou um amontoado de copos de café de papel vazios.

Depois ele subiu, magro, olhos escuros, exausto.

— Como foi seu encontro?

— Ah, ótimo, claro. Sem problema.

— Dança fantástica lá fora.

— Ah, claro, o Copacabana, você me conhece.

Ele desabou na cama, mas acordou de manhã cedo para uma rápida caneca de chá. Nenhuma comida na casa. Somente chá, açúcar e leite. Rezou suas orações e depois tocou o crucifixo antes de se dirigir outra vez para a porta.

— Vai ver as garotas de novo?

Ele olhou para os pés.

— Suponho que sim.

— Você acha que elas precisam mesmo de você, Corr?

— Não sei — ele disse. — Espero que sim.

A porta balançou nas dobradiças.

Nunca fui de convocar a brigada moral. Não era a minha casa. Não era o meu trabalho. Cada um na sua. Você colhe o que planta. Corrigan tinha suas razões. Mas essas mulheres me perturbavam. Estavam a anos-luz de distância de qualquer coisa que eu conhecia. A viagem nos olhos delas. O balanço da heroína. Seus maiôs. Algumas tinham marcas de agulha na dobra dos joelhos. Elas eram mais do que estranhas para mim.

Embaixo no pátio, eu fazia o caminho mais longo, contornando o conjunto habitacional, seguindo as linhas quebradas do concreto, apenas para evitá-las.

Alguns dias mais tarde, uma batida suave soou na porta. Um homem mais velho, com apenas uma mala. Outro monge da Ordem. Corrigan correu para abraçá-lo.

— Irmão Norbert.

Ele tinha vindo da Suíça. Os tristes olhos castanhos de Norbert me alegraram. Passou os olhos pelo apartamento, engoliu fundo, disse alguma coisa sobre Senhor Jesus e um lugar de pleno abrigo. Em seu segundo dia, Norbert foi roubado no elevador, sob a mira de um revólver. Disse que entregou tudo, de bom grado, até o passaporte. Havia um brilho de orgulho em seus olhos. O suíço ficou rezando profundamente nos dois dias seguintes, sem sair do apartamento. Corrigan ficou fora nas ruas a maior parte do tempo. Norbert era demasiado formal e correto para ele.

— É como se ele tivesse uma dor de dente e quisesse que Deus a curasse — disse Corrigan.

Norbert recusou o sofá, deitava-se no chão. Encolhia-se toda vez que a porta abria e as putas entravam. Jazzlyn sentava-se em seu colo, passava os dedos na ponta de sua orelha, bagunçava seus sapatos ortopédicos, escondendo-os atrás do sofá. Ela disse que podia ser sua princesa. Ele corou tanto que quase chorou. Mais tarde, quando ela saiu, suas preces ficaram mais agudas e frenéticas.

— A Vida Amada foi poupada, mas não a dor, a Vida Amada foi poupada, mas não a dor.

Irrompeu em lágrimas. Corrigan conseguiu recuperar o passaporte de Norbert e o levou até o aeroporto na van marrom para que ele pegasse um voo para Genebra. Rezaram juntos e depois Corrigan o despachou. Olhou para mim como se esperasse que eu também fosse embora.

— Eu não sei quem são essas pessoas — disse. — São meus irmãos, mas realmente não sei quem são. Eu fracassei com eles.

— Você precisa sair deste buraco, Corr.

— Por que deveria sair? Minha vida é aqui.

— Encontre algum lugar com um pouco de sol. Você e eu juntos. Estive pensando na Califórnia ou algum lugar parecido.

— Fui chamado para cá.

— Você poderia ser chamado para qualquer lugar.

— É aqui que eu estou.

— Como conseguiu recuperar o passaporte dele?

— Ah, perguntei por aí.

— Ele foi roubado com uma arma, Corr.

— Eu sei.

— Você vai acabar machucado.

— Ah, me deixe em paz.

Fui até a cadeira perto da janela e observei os grandes trailers com tração própria passando por baixo da rodovia. As garotas empurravam-se para chegar até eles. Um único cartaz de neon piscava à distância: propaganda de uma farinha de aveia.

— Isto aqui é a margem do mundo — disse Corrigan.

— Você podia fazer alguma coisa de volta no nosso país. Na Irlanda. No norte. Belfast. Alguma coisa por nós. Seu próprio povo.

— Eu podia, claro.

— Ou agitar uns trabalhadores rurais no Brasil ou algo assim.

— Claro.

— Então, por que ficar aqui?

Ele sorriu. Alguma coisa tinha enlouquecido em seus olhos. Eu não sabia o que era. Ele ergueu as mãos até perto do ventilador do teto, como se estivesse prestes a enfiá-las ali, no meio das lâminas giratórias, deixar as mãos ali, vê-las se reduzir a tiras.

DE MANHÃ CEDINHO AS garotas se punham em fila em frente ao conjunto, embora a luz do dia afastasse a maioria delas. Após sua rotina matinal, Corrigan desceu até a mercearia da esquina para comprar o *Catholic Worker*. Passou pela passagem subterrânea, do outro lado da rua, debaixo do toldo. Velhos de camisetas sentavam-se na porta, pombos bicando migalhas de pão a seus pés. Corrigan voltou trazendo o jornal enfiado debaixo do braço. Eu podia vê-lo atravessar de volta, enquadrado pelo olho de concreto da passagem. Emergindo das sombras, ele passou pelas putas, que o chamaram com seus trinados. Atingiam a escala em três notas diferentes. Corr-i-gan. Cor-rig-gan. Coo-rig-gun.

Ele passou pelo corredor polonês. Jazzlyn ficou papeando com ele, o polegar enfiado sob a tira do maiô. Ela parecia uma policial de antigamente no corpo errado, estalando as tiras finas cor de limão sobre os peitos. Ela se inclinou de novo para ele, sua pele nua quase tocando a lapela dele. Ele não recuou. Ela estava ficando excitada com tudo aquilo, eu podia ver. A inclinação de seu jovem corpo. O estalido duro de suas tiras. Seu mamilo contra o tecido. Sua cabeça se inclinando cada vez mais e mais perto dele.

Enquanto os carros passavam, ela virou para olhá-los, e sua sombra matinal se alongou. Era como se ela quisesse estar em todo lugar, tudo de uma vez. Inclinou-se ainda mais e sussurrou na orelha do meu irmão. Ele assentiu, virou-se, foi outra vez para a mercearia e voltou com uma lata de Coca. Jazzlyn aplaudiu, deliciada, tomou a lata dele, arrancou o anel de abertura, saiu caminhando. Uma fileira de caminhões de 18 rodas estava parada ao longo da rodovia. Ela apoiou a perna na grade prateada e deu um gole na lata, depois subitamente jogou-a no chão e subiu no caminhão.

Mal entrou pela porta, ela já tirava o maiô. Corrigan virou-se para o outro lado. A Coca-Cola descansava em uma poça preta no esgoto abaixo dela.

Isso acontecia com frequência, Jazzlyn pedindo-lhe uma lata de Coca, depois a jogando no chão quando encontrava um alvo.

Achei que devia descer até ela, negociar um preço e me regalar fosse qual fosse a sacanagem que ela fazia, agarrar seus cabelos por trás, aproximar seu rosto do meu, aquele hálito doce, amaldiçoá-la, cuspir nela por extorquir a caridade do meu irmão.

— Ei, deixa a porta aberta para elas, está bem? — ele disse para mim depois que voltou para casa. Eu andava trancando a fechadura de tarde, mesmo quando elas esmurravam a porta.

— Por que elas não mijam em suas próprias casas, Corrigan?
— Porque elas não têm casas. Elas têm apartamentos.
— Então por que não mijam em seus próprios apartamentos?
— Porque elas têm famílias. Mães e pais e irmãos e filhos e filhas. Elas não querem que as famílias as vejam vestidas desse jeito.

— Elas têm filhos?
— Claro.
— Jazz, ela tem filhos?
— Dois — ele disse.
— Ah, cara.
— Tillie é a mãe dela.

Voltei-me para ele. Sei como isso soava. Entre nesse rio e não vai conseguir sair — sem retorno. Veio em uma torrente, como elas eram nojentas, chupando o sangue dele, todas elas, deixando-o magro, seco, impotente, sugando a vida dele, sanguessugas, piores que sanguessugas, percevejos que se arrastavam do papel da parede; ele era um tolo — toda a religiosidade dele, toda essa merda piedosa dava em nada, o mundo é corrupto e é a isso que se reduz, e esperança não é nada, nem menos nem mais do que o que você pode ver com seus próprios olhos.

Ele puxou um pequeno fio da manga de sua camisa, mas eu agarrei seu cotovelo.

— Não me venha com essa merda sobre o Senhor apoiando todos os que caem e erguendo todos os que são humilhados. O Senhor é grande demais para entrar nas minissaias delas. Quer saber, irmão? Olhe para elas. Olhe pela janela. Não há simpatia que vá um dia conseguir mudar isso. Por que não desiste? Você está apenas apaziguando sua consciência, é só isso. Deus vem junto e santifica sua culpa.

Seus lábios se abriram um pouco. Esperei mas ele não falou. Estávamos tão próximos que eu podia ver a língua dele se mover atrás dos dentes, mexendo rápido para cima e para baixo como alguma coisa nervosa. Seus olhos estavam fixos e determinados.

— Cresça, irmão. Pegue suas sacolas, vá para algum lugar que importe. Elas não merecem nada. Não são Madalenas. Você não passa de um nada no meio delas. Você está procurando o pobre homem interior? Por que não se humilha aos pés dos ricos, pra variar? Ou seu Deus ama apenas as pessoas inúteis?

Eu podia ver o reflexo pequeno, oblongo, da porta branca em suas pupilas, e fiquei pensando que uma de suas putas, um de seus fracassos sagrados, ia entrar e eu veria o reflexo dela na luz bruxuleante.

— Por que você não vai constranger os ricos com um pouco da sua caridade? Vá se sentar no degrau da escada de uma mulher rica e a traga para o Senhor. Me diga uma coisa: se os pobres são realmente a imagem viva de Jesus, por que são tão fodidos e miseráveis? Me diga isso, Corrigan. Por que eles estão ali, exibindo suas misérias para o resto do mundo? Eu quero saber. É só vaidade, não é? Ame o próximo como a si mesmo. É um disparate. Está escutando? Por que você não pega todas essas suas putas e as põe para cantar em um coro? A Igreja da Visão Excelsa. Por que não as põe sentadas lá nos bancos da frente? Quer dizer, você vai de joelhos atrás de todos os vagabundos e os leprosos e os aleijados e os malucos. Por que elas não fazem alguma coisa? Porque não querem nada a não ser sugar você até ficar seco, é por isso.

Exausto, apoiei minha cabeça no peitoril.

Continuei esperando que ele me desse algum tipo de bênção amarga — alguma coisa sobre ser fraco com os sem força, forte contra os poderosos, não há paz senão em Jesus, a liberdade é dada, não recebida, algum placebo para me acalmar, mas em vez disso ele deixou tudo passar por ele. Seu rosto não traiu nada. Ele coçou a parte de dentro do braço e balançou a cabeça.

— Deixe a porta aberta — ele disse.

Desceu as escadas, passos ecoando, foi até a beira do pátio, desapareceu no cinza.

Desci correndo os degraus escorregadios do prédio de apartamentos. Redemoinhos enormes de grafite nas paredes. Fumaça de maconha pairando no ar. Vidros quebrados nos degraus de baixo. Cheiros de mijo e vômito. Por todo o pátio. Um homem segurava um pit bull com uma corda de treinamento. Estava ensinando o bicho a morder. O cachorro abocanhava o braço dele: havia grandes braceletes de metal presos como tiras em seus pulsos. Os rosnados atravessavam o pátio. Corrigan estava dando a ré na sua van marrom que estava estacionada na lateral da rua. Bati no vidro. Ele não se virou. Suponho que pensei que poderia enfiar um pouco de bom-senso em sua cabeça, mas depois de um momento a van estava fora de visão.

Por cima do meu ombro o cachorro abocanhava outra vez o braço do homem, que olhava para mim, como se fosse eu quem estivesse tentando morder seus pulsos. Um meio sorriso se arrastou por seu rosto, malévolo e puro. Eu pensei: *Preto*. Não consegui evitar, mas foi isso que pensei: *Preto*.

Este lugar ia acabar comigo: como é que Corrigan aguentava?

Mãos enfiadas nos bolsos, perambulei pela vizinhança, não na calçada, mas na beira dos carros estacionados, uma perspectiva alterada. Táxis passavam rente, perto do meu quadril. O vento soprava o cheiro dos metrôs pelas ruas. Uma brisa áspera, rançosa.

Fui até a igreja St. Ann. Subindo os degraus quebrados, entrando no vestíbulo, passando a pia de água benta, até o escuro. Estava meio que esperando vê-lo ali, cabeça baixa, rezando, mas não.

Pequenas velas elétricas vermelhas podiam ser acesas nos fundos da igreja. Enfiei uma moeda e escutei o estrépito grave contra o vazio. A voz antiga do meu pai em meu ouvido: *Se você não quer a verdade, não a peça.*

Corrigan voltou para o apartamento muito tarde aquela noite. Deixei a porta destrancada mas de qualquer maneira ele veio com uma chave de parafuso, começou a tirar todos os parafusos das correntes e trancas.

— Trabalho a fazer.

Estava letárgico e seus olhos reviravam em sua cabeça e eu devia ter percebido então, mas não reconheci. Ele ajoelhou no piso, com os olhos ao nível da maçaneta. A parte de baixo de suas sandálias estava gasta. A sola havia desaparecido, uma pequena película de borracha achatada. Suas calças de carpinteiro estavam amarradas em volta da cintura com um cordão comprido. Não fosse por isto e elas não se sustentariam nos quadris. A camisa de mangas compridas que usava era apertada em seu corpo e os ossos de suas costelas pareciam um estranho instrumento musical.

Ele trabalhou com dedicação, mas estava usando uma chave de parafuso que não se encaixava bem e tinha de ajeitar a ferramenta de lado e enfiá-la em ângulo nas ranhuras.

Eu já tinha arrumado minha mochila e estava pronto para ir embora, achar um quarto, conseguir um trabalho como bartender, qualquer coisa, só para me mandar dali. Empurrei o sofá para o meio do quarto sob o ventilador de teto, cruzei meus braços, esperei. As lâminas não conseguiam cortar o calor. Pela primeira vez na vida reparei que Corrigan tinha uma careca começando a se formar no cocuruto. Quis fazer uma gozação sobre isso ser uma coisa de monges mas já não havia mais nada entre a gente, nem palavras nem olhares. Ele trabalhava nas fechaduras. Um par de parafusos caiu no chão. Observei as gotas de suor a descer por sua nuca.

Ele enrolou distraído as mangas da camisa, e então eu soube.

SE VOCÊ ACHA QUE sabe todos os segredos, você acha que sabe todas as curas. Creio que não foi nenhum tipo de surpresa para mim que Corrigan estivesse usando heroína: ele sempre fez o que o pior deles fazia. Era o mantra perverso no qual ele acreditava. Queria escutar seus próprios passos para provar que calcava o chão. Não havia saída para isso. Foi o que ele fez em Dublin também, embora cavasse um tipo diferente de imprudência. Ele estava apoiado na pequena saliência da realidade que havia deixado, mas me parecia que não estava ficando alto, apenas permanecendo na base. Ele tinha uma afinidade com a dor. Se não podia curá-la, ele a tomava. Estava se drogando porque não suportava o pensamento de outros sendo abandonados sozinhos com o mesmo terror.

Ele ficou com a manga da camisa levantada por uma hora ou mais enquanto cuidava das fechaduras. As marcas do lado de dentro de seu braço eram de um azul profundo. Quando terminou, a porta sequer fechava, só balançava nas dobradiças.

— Pronto — disse.

Entrou no banheiro, onde tive certeza de escutá-lo amarrando uma faixa de elástico no braço. Saiu, as mangas abaixadas outra vez.

— Agora vê se deixa a porta aberta em paz — disse.

Caiu sem som na cama. Tinha certeza de que eu não dormiria, mas acordei com o burburinho da Deegan. Podia-se contar com o mundo lá fora. Barulho de motor e cantar de pneus. Enormes folhas de metal tinham sido colocadas em cima de uns buracos. Elas ribombavam profundamente quando um caminhão passava por cima.

Era uma escolha bastante fácil ficar: não era como se Corrigan alguma vez fosse me pedir para ir embora. Eu estava de pé e barba feita logo no começo da manhã, para acompanhá-lo em seus passeios. O sacudi debaixo dos cobertores. Ele estava com um leve sangramento no nariz e o sangue estava escuro na sua barba. Virou-se para o outro lado.

— Prepare o chá, está bem?

Ao se espreguiçar, ele tocou o crucifixo de madeira da parede, que oscilou de um lado para o outro no prego. Havia um pedaço claro onde a pintura não estava descolorida. A tênue marca da cruz. Ele estendeu a mão para firmá-lo, murmurou alguma coisa sobre Deus estar pronto para ficar ao seu lado.

— Partindo hoje? — perguntou.

A mochila estava arrumada no chão.

— Eu estava pensando em ficar mais alguns dias.

— Sem problema, irmão.

Ele penteou o cabelo no fragmento do espelho quebrado, passou desodorante. Pelo menos mantinha as aparências. Tomamos o elevador em vez das escadas.

— Um milagre — disse Corrigan quando as portas chiaram se abrindo e as pequenas luas de luzes brilharam no painel de dentro. — Está funcionando.

Lá fora, atravessamos os pequenos trechos de grama na frente dos conjuntos, entre garrafas quebradas. Subitamente, estar ao lado dele pareceu certo pela primeira vez em anos. Aquele velho sonho de objetivo. Eu sabia o que tinha de fazer — trazê-lo de volta a uma vida sensata; um longo caminho.

Entre as putas madrugadoras senti-me estranhamente fascinado. Corrgan. Corr-i-gun. Corry-gan. Era, afinal, também meu sobrenome. Foi uma estranha relaxada. O corpo delas não me embaraçava tanto quanto quando eu as observava de longe. Timidamente, elas cobriram os seios com os braços. Uma delas havia pintado o cabelo de um vermelho forte. Outra brilhava com a sombra dos olhos. Jazzlyn, com seu maiô neon, posicionou as tiras sobre os mamilos. Deu uma tragada profunda no cigarro e exalou fumaça em ondas pelo nariz e pela boca como uma especialista. Sua pele brilhava. Em outra vida ela podia ter sido aristocrática. Seus olhos fitaram o chão como se procurassem alguma coisa que deixara cair. Senti um enternecimento por ela, um desejo.

Elas mantiveram um oscilante grau de farra. Meu irmão olhou para mim e sorriu. Era como se Corrigan sussurrasse em meu ouvido dando sua aprovação a tudo que eu não conseguia entender.

Alguns carros passavam.

— Saiam daqui — disse Tillie. — Temos negócios a fazer.

Ela falou como se fosse uma transação trivial na bolsa de valores. Fez um sinal para Jazzlyn. Corrigan me puxou para a sombra.

— Todas elas usam heroína? — perguntei.

— Algumas, sim.

— Barra-pesada.

— O mundo as põe à prova, depois lhes dá um pouco de alegria.

— Quem consegue para elas? A heroína?

— Não tenho ideia — ele disse enquanto tirava um pequeno relógio de bolso prateado de suas calças de carpinteiro. — Por quê?

— Curiosidade.

Os carros roncavam acima de nós. Ele bateu em meu ombro. Fomos de carro até a clínica de repouso. Uma jovem enfermeira estava esperando na escada. Ela se levantou e acenou alegremente enquanto a van chegava. Parecia sul-americana: pequena e bonita com um maço de cabelos negros e olhos escuros. Alguma coisa ardente relampejou no ar entre eles. Ele se soltava perto dela, o corpo mais dócil. Ele pôs a mão nas costas dela e ambos desapareceram pela porta eletrônica.

No porta-luvas da van procurei evidências: agulhas, trouxinhas, a parafernália da droga, qualquer coisa. Estava vazio exceto por uma Bíblia muito surrada. Na parte de dentro da aba, Corrigan havia escrito notas dispersas para si mesmo: *A vontade de anular o desejo. Apenas aproveitar a natureza. Ir atrás deles e implorar perdão. Resistência é o ponto central da paz.* Quando era menino, ele muito raramente marcava com dobras as páginas de sua Bíblia, mantendo-a sempre imaculada. Agora o tempo corria contra ele. A letra era sinuosa e ele sublinhara passagens com tinta preta escura. Recordei o mito que escutei quando era estudante universitário — 36 santos secretos no mundo, todos eles trabalhando como homens humildes, carpinteiros, sapateiros, pastores. Eles carregavam os sofrimentos do mundo e tinham uma linha de comunicação com Deus, todos exceto um, o santo oculto, que fora esquecido. O esquecido era deixado a lutar por sua conta, sem nenhuma linha de comunicação com o que necessitava tão desesperadamente. Corrigan tinha perdido sua linha com Deus: carregava sozinho os sofrimentos do mundo, a história das histórias.

Vi a enfermeira baixinha se esforçando com as cadeiras de rodas pela rampa. Tinha uma tatuagem na base do tornozelo. Passou pela minha cabeça que poderia ser quem lhe fornecia heroína, mas ela parecia tão alegre sob os raios do sol quente.

— Adelita — disse ela, estendendo-me a mão pela janela da van. — Corrigan me contou tudo sobre você.

— Ei, tire sua carcaça daí e nos ajude — disse meu irmão ao lado da van.

Ele estava tentando passar a velha Galway pela porta. As veias de seu pescoço latejavam. Sheila parecia uma boneca de pano. Tive uma súbita lembrança de nossa mãe ao piano. Corrigan respirava pesadamente enquanto a erguia para dentro e passava uma série de faixas ao redor do corpo da mulher.

— Precisamos conversar — eu disse a ele.

— Sim, tudo bem, mas vamos antes colocar esse pessoal na van.

Ele e a enfermeira olharam um para o outro sobre os assentos. Havia uma pequena gota de suor sobre o lábio dela e ela a enxugou com a manga curta de seu uniforme. Enquanto ele dava partida no motor, ela se apoiou na rampa e acendeu um cigarro.

— A adorável Adelita — ele disse, ao virar a esquina.

— Não é sobre isso que quero falar com você.

— Bom, é só sobre isso que eu quero falar — ele disse. Deu uma olhadela pelo retrovisor e falou: — Certo, Sheila? — Deu umas batidinhas na direção como em um tambor imaginário.

Ele tinha voltado a seu antigo *eu* musical. Perguntei-me se por acaso teria injetado na clínica: do pouco que eu sabia sobre o vício, qualquer coisa podia acontecer. Mas ele estava alegre e animado e não tinha muitos dos sinais de heroína, ou pelo menos os que eu imaginava. Dirigiu com um braço para fora na janela, a brisa jogando seu cabelo para trás.

— Você é um mistério para mim, é mesmo.

— Nada de mistério, irmão, nenhum.

Albee lançou do banco de trás:

— Bichinha.

— Feche a matraca — disse Corrigan, sorrindo, seu sotaque com um toque do Bronx. Tudo com que ele se importava era o momento em que estava, o agora absoluto. Às vezes, em nossas brigas quando crianças, ele costumava ficar parado e receber os golpes — nossas brigas duravam enquanto eu batia. Seria fácil dar um soco nele agora, atirá-lo contra a porta da van, esvaziar seus bolsos, tomar dele os papelotes de veneno que o estava destruindo.

— Deveríamos voltar para fazer uma visita, Corr.

— Sim — ele disse, distraído.

— Quero dizer, a Sandymount. Só uma ou duas semanas.

— A casa não foi vendida?

— Foi, mas podemos achar outro lugar pra ficar.

— As palmeiras — ele disse, meio sorrindo. — A paisagem mais estranha de Dublin. Tento falar delas com as pessoas mas elas não acreditam em mim.

— Você voltaria?

— Algum dia, talvez. Poderia levar umas pessoas comigo — disse.

— Claro.

Deu uma olhadela pelo retrovisor. Não podia imaginar que ele quisesse levar a velha de volta para a Irlanda, mas eu estava pronto para deixar Corrigan ter o espaço que desejasse.

No parque ele empurrou as cadeiras para a sombra perto do muro. Era um dia claro, ensolarado e sufocante. Albee pegou suas folhas de papel, murmurando os movimentos para si mesmo enquanto trabalhava em seus problemas de xadrez. Toda vez que fazia uma boa jogada, puxava o freio da cadeira de rodas e se balançava para a frente e para trás com alegria. Sheila usava um chapéu de palha de abas largas sobre o cabelo branco comprido. Corrigan passou seu lenço na testa dela. Ela arrancou uns sons arranhados da garganta. Tinha a tristeza do imigrante — ela jamais voltaria a seu país, perdera-o em mais de um sentido —, mas de qualquer maneira estava sempre com o olhar voltado para casa.

Alguns garotos ali perto tinham aberto um hidrante e dançavam sob o jorro de água. Um deles tinha uma bandeja de cozinha que usava como prancha de surfe. A água o fazia deslizar até o trepa-trepa, onde ele caiu de ponta-cabeça na cerca, rindo. Os outros suplicaram para usar a bandeja. Corrigan foi até a cerca e apertou o aramado com as mãos. À sua frente, mais longe, uns jogadores de basquete, molhados de suor, arremessavam para a cesta sem rede.

Pareceu por um momento que Corrigan estava certo, que havia alguma coisa aqui, algo a ser reconhecido e resgatado, alguma alegria. Eu quis lhe dizer que estava começando a entender, ou pelo menos tendo uma suspeita, mas ele gritou meu nome e disse que ia até a mercearia.

— Cuide da Sheila um momento, por favor — disse. — O chapéu dela está torto. Não deixe que o sol a queime.

Uma gangue de jovens com bandanas e jeans justos estava parada em frente à mercearia. Acendiam os cigarros um do outro com ares de importância. Cumprimentaram Corrigan com os tapinhas usuais, depois desapareceram entrando com ele. Eu sabia. Podia sentir que jorrava em mim. Atravessei correndo, o coração batendo em minha camisa barata de algodão. Passei pelo lixo empilhado na frente da loja, garrafas de bebida alcoólica, embalagens rasgadas. Vidros com peixinhos dourados estavam enfileirados na vitrine, os finos corpos alaranjados girando em círculos sem propósitos. Uma campainha tocou. Dentro, Motown vinha do estéreo. Alguns garotos, encharcados do hidrante, estavam parados perto do freezer de sorvetes. Os mais velhos, com suas bandanas vermelhas, estavam perto das geladeiras de cerveja. Corrigan estava em um canto, uma garrafa de leite na mão. Ele me olhou, nem um pouco perturbado.

— Pensei que você estivesse cuidando da Sheila.

— Foi isso que pensou?

Eu esperava um tipo de encontrão, um papelote de heroína em seu bolso, alguma transação clandestina no balcão, outra troca de tapinhas com a gangue, mas não havia nada.

— Coloque na minha conta — disse Corrigan para o dono da loja, e deu um soquinho em um dos aquários de peixes na saída.

A campainha tocou.

— Eles vendem heroína aqui também? — perguntei quando atravessamos pelo trânsito até o parque.

— Você e sua heroína — disse.

— Tem certeza, Cor?

— Certeza de quê?

— Diga você, irmão. Você está um trapo. Dê uma olhada no espelho.

— Você está me zoando, certo? — Ele deu um passo atrás e riu. — Eu? — disse. — Injetando heroína?

Chegamos à cerca.

— Eu não tocaria nesse negócio nem com o remo de um barqueiro — ele disse. Suas mãos apertaram o arame, a ponta dos nós de seus dedos branca. — Com todo respeito ao paraíso, eu gosto mesmo é daqui.

Ele se virou para olhar a pequena fileira de cadeiras de rodas colocadas ao longo da cerca. Algo nele conservava certo frescor, jovem, equilibrado. Aos 16, Corrigan escreveu no lado de dentro de um pacote de cigarros que todo o evangelho apropriado ao mundo podia ser escrito em um pacote de cigarros — era simples assim, você deveria fazer com os outros o que gostaria que fizessem com você, mas naquela época ele não havia imaginado outras complicações.

— Você nunca teve a sensação de que há alguma coisa perdida dentro de você? — ele disse. — Você não sabe o que é, como uma bola, ou uma pedra, talvez ferro ou algodão ou grama ou qualquer coisa, mas está dentro de você. Não é um fogo ou raiva ou algo assim. Só uma grande bola. E você sente que não há como alcançá-la. — Ele se interrompeu, olhou para outro lado, bateu no lado esquerdo do peito. — Bom, ela está aqui. Bem aqui.

Raramente sabemos o que estamos ouvindo quando escutamos alguma coisa pela primeira vez, mas uma coisa é certa: nós a escutamos como jamais a escutaremos outra vez. Voltamos ao momento em que vivemos, eu suponho, mas nunca podemos realmente revivê-lo, apenas sua memória, a fraca impressão do que realmente se passou, o que significou.

— Você está me zoando, certo?

— Queria estar — ele disse.

— Ora, vamos...

— Não acredita em mim?

— Jazzlyn? — perguntei, confuso. — Você não se apaixonou por aquela puta, se apaixonou?

Ele riu com vontade mas foi uma gargalhada fugidia. Seus olhos dardejaram pelos brinquedos e ele passou os dedos pela cerca.

— Não — disse —, não, não, Jazzlyn, não.

CORRIGAN ME LEVOU pelo South Bronx sob um céu em tons de chamas. O pôr do sol era da cor de um músculo, rosado e estriado de cinza. Incêndio premeditado. Os proprietários do prédio, ele disse, tinham esquemas para fraudar seguros. Ruas inteiras de alojamentos e depósitos abandonados para fumegar.

Gangues de garotos perambulavam pelas esquinas. Os semáforos estavam parados permanentemente no vermelho. Perto dos hidrantes havia grandes poças de água estagnada. Metade de um prédio na Willis tinha desmoronado no meio da rua. Alguns cachorros sem dono passeavam pelas ruínas. Um letreiro de neon todo queimado permanecia no mesmo lugar. Carros de bombeiros passavam e dois carros de polícia seguiam um atrás do outro como apoio. De vez em quando uma figura emergia das sombras, homens desabrigados empurrando carrinhos de compras com pilhas altas de fios de cobre. Pareciam homens em um filme do Velho Oeste, conduzindo suas carroças pelas paragens noturnas dos Estados Unidos.

— Quem são eles?

— Eles saqueiam o prédio, arrancam os fios da parede e depois vendem o fio de cobre — disse. — Conseguem 10 centavos por meio quilo ou coisa que o valha.

Corrigan passou com a van ao longo de uma série de prédios que estavam abandonados mas intocados pelo fogo, e colocou a embreagem em ponto morto no parque.

Uma névoa caiu sobre a rua. Mal dava para ver o topo dos postes de iluminação. Faixas de isolamento estavam presas nos batentes, mas as portas tinham sido arrombadas. Ele enfiou os pés no banco, de tal modo que suas sandálias ficaram acomodadas perto de seu saco. Acendeu um cigarro e o fumou direto, até o toco, jogando a guimba pela janela.

— O negócio é o seguinte, tenho um caso brando de uma coisa chamada PTI ou algo assim — ele disse por fim. — Comecei a ter esses machucados por todo o corpo. Aqui e aqui. É pior na minha perna. São como umas manchas. Cerca de um ano atrás. No começo eu realmente pensei que não fosse nada, honestamente. Tive um pouco de febre. Algumas tonturas.

"E então um dia em fevereiro eu estava lá na clínica de repouso. Ajudando a mudar alguns móveis do primeiro andar para o terceiro. Coisas grandes demais pra caberem no elevador. E estava fazendo um calor infernal. Eles mantinham o aquecedor ligado para os velhos. Você não pode imaginar o quanto ficava quente, especialmente nas escadas, por onde passava a tubulação. Como se Dante tivesse mobiliado o local. Trabalho duro. Então, tirei a camisa. Fiquei só de camiseta sem mangas. Você sabe quantos anos havia que eu não ficava só de camiseta sem mangas? E eu estava no meio das escadas com os rapazes, quando um deles apontou para mim, meus braços e ombros, e disse que eu devia ter estado em algum tipo de luta. A verdade é que eu tinha estado em uma briga. Os cafetões estavam me perseguindo por deixar as garotas usarem o banheiro. Eu tinha levado umas surras. Tinha uns pontos sobre as pálpebras. Um deles usava botas de caubói e me chutou pra valer. Mas não me preocupei muito com isso até levarmos os móveis para o terceiro andar, com Adelita lá, orientando o tráfego. 'Ponha isso aqui. Ponha aquilo ali.' Colocamos a escrivaninha grande em um canto. E os rapazes ainda estavam me chateando por ser o único sujeito branco que ainda se metia em brigas na vizinhança. Como se eu fosse alguma aberração do passado. Como se fosse um Big Jack Doyle, sabe. Estavam todos sacaneando: 'Vamos lá, Corrigan, vamos dançar, cara, vamos sair pro pau.' Diziam que deviam me levar para o Zaire, eu era um lutador e tal. Eles não sabem que sou da Ordem. Ninguém sabe. De qualquer maneira, não na época, eles não sabiam. E Adelita veio e apertou um dedo com força em um dos machucados e disse alguma coisa como 'Você tem PTI'. Acontece que ela está estudando à noite. Quer fazer medicina. Ela era enfermeira na Guatemala em um hospital de luxo. Sempre quis ser médica, foi até para a universidade e tudo, mas a guerra começou e ela ficou toda envolvida. Perdeu o marido. Então, ela cuida do pessoal aqui. Eles não aceitaram o diploma dela. Ela tem dois garotos. Agora eles estão com sotaque americano. Enfim, ela disse alguma coisa sobre contagem baixa de plaquetas e sangramento nos tecidos e que eu devia ver isso. Ela me surpreendeu, irmão.

Corrigan abaixou o vidro da janela da van e espalhou um pouco de tabaco num pedaço fino de papel, acendeu.

— Então, tudo bem, eu fui ver o que era. E ela acertou em cheio. Eu tenho essa coisa sobre a qual eles não sabem muito. É inato, sabe, eles não conhecem qual a causa. Mas dizem que é bastante sério, você pode ficar doente de verdade com isso. Quero dizer, você tem que acabar fazendo o tratamento ou pode morrer. E então quando chego à noite em casa e convoco Deus no escuro, eu digo: "Obrigado, Senhor, outra coisa com que me preocupar." Mas a questão é se Deus está lá desta vez, irmão. Ele está lá. Bem à vista. Seria mais fácil se Ele não estivesse lá. Eu podia fingir que O estava procurando. Mas não, Ele está lá, o filho de uma mãe. Está me dizendo todas as coisas lógicas sobre ter uma doença e superá-la e lidar com ela e ver o mundo de uma nova maneira, a maneira como Ele o vê, a maneira como Ele deve falar com você, o Corpo, a Alma, o sacramento de estar sozinho, ficar furioso com um objetivo, usando-o para o bem maior. Considerando a possibilidade. Mas, veja, esse Deus lógico, eu não gosto tanto assim dEle. Nem de Sua voz, Ele tem uma voz que eu não consigo, não sei, não consigo gostar. Consigo entendê-la, mas não necessariamente gostar. Ele está fora do meu alcance. Mas isso não é problema. Inúmeras vezes eu não gostei dEle. É bom estar transtornado com Deus. Um monte de gente bacana já passou pelo que eu passei, ou por coisa pior.

"Seja como for, creio que estar doente não é novidade para ninguém e que morrer é mais antigo ainda. O que é fatal é o eco do grande vazio cada vez que eu O testei. Sabe, eu sinto somente um vazio sempre que tento falar com Ele. Eu invisto tudo nisso, irmão. Minha confissão completa, sabe, sobre manter a fé e tudo mais. Falei com o padre Marek lá na St. Ann. Um bom padre. Tentamos juntos, ele e eu. Horas sem fim. E com Ele também, com Deus, todas as horas do dia. Mas o resultado é que as discussões com Ele mexiam com as profundezas do meu coração, eu chorava na presença dEle. Mas Ele se dirigia a mim com toda a Sua lógica pura. Ainda assim, eu sabia que ia passar. Sabia que eu ia superar isso. Eu não estava sequer pensando em Adelita então. Ela sequer estava na minha cabeça. Eu estava perdendo Deus. A perspectiva de perder isso. A parte racional em mim sabia que era eu — quer dizer, eu estava apenas falando comigo mesmo. Eu O estava obstruindo. Mas ser racional sobre isso não adianta. Você encontra um Deus racional e você diz: Bem, está certo, essa não é minha praia nesse momento, Pai Celestial, voltarei outra hora.

"Quando a gente é jovem, sabe, Deus nos leva de roldão. Ele segura você lá. O grande desafio é perseverar e saber como cair. Todos aqueles dias quando você não consegue mais aguentar. Quando você desmorona. O teste é ser capaz de se erguer outra vez. É isso que estou procurando. Mas eu não estava conseguindo. Não era capaz.

"Então, seja como for, lá estava eu na clínica de repouso numa tarde de sexta-feira, com Adelita sentada no depósito, conferindo os frascos de xarope para tosse. E eu me sentei na escadinha baixa e fiquei jogando conversa fora com ela. Ela me perguntou se eu estava me tratando no hospital e eu me vi mentindo, mentindo na lata, dizendo: Sim, claro, está tudo bem, nenhum problema. 'Que bom', ela disse, 'porque você realmente precisa se cuidar'. Então ela veio para o meu lado, puxou uma cadeira e começou a massagear o lado de dentro do meu braço. Disse que eu tinha que manter o sangue circulando. Ela apertou os dedos no meu braço, bem aqui. E foi como se ela enfiasse profundamente as mãos na terra. Foi como senti. Fiquei arrepiado, meu sangue se movendo sob os dedos dela. Com a outra mão, pressionei a lateral da escada. E havia uma voz dentro de mim dizendo: 'Fortaleça-se contra isto, isto é uma prova, esteja alerta, esteja alerta.' Mas era a mesma voz de que eu não gosto. Fico olhando por trás do véu disso e tudo que vejo é essa mulher, é a catástrofe, estou descendo, afundando como um nadador sem chances. E fico dizendo: Deus, não permita que isso aconteça. Não deixe. Ela batia de leve na parte de dentro do meu braço com suas unhas, só roçando, eu fechei meus olhos. Por favor, não permita. Por favor. Mas era tão prazeroso. Tão intensamente prazeroso. Eu queria deixar meus olhos fechados e ao mesmo tempo abertos. Não tem palavras para isso, irmão. Eu não consegui suportar. Levantei e saí bruscamente de lá. Entrei na van tropeçando.

"Acho que dirigi a noite toda. Não parava. Fiquei seguindo as faixas brancas. Eu me enredei nas pontes. Não tinha ideia de para onde estava indo. Logo as luzes da cidade começaram a desaparecer. Imaginei que estava em algum lugar bem ao norte, mas era a ilha, cara, Long Island. Pensei que estivesse indo para o oeste, atravessando uma grande extensão de terra aberta, onde eu poderia resolver tudo, mas não estava, na verdade eu estava indo para o leste seguindo essa imensa rodovia. E continuei seguindo. Dirigindo e dirigindo. Os carros zuniam passando por mim. Eu tinha que ficar murmurando para mim mesmo e acendendo fósforos, cheirando o enxofre para ficar acordado. Tentando rezar. Fazer dois mais dois ser igual a cinco. E então a rodovia terminou, no meio de lugar algum, parecia, e eu segui por uma estrada menor. No meio do campo e passando casas isoladas de fazendas, pequenos pontos de luz. Montauk. Nunca tinha estado lá antes. O escuro ficou mais denso, nenhuma luz em lugar algum. E eu virei numa pista pequena de mão única. É isso que o leva até onde este país acaba, cara, uma pequena estrada cheia de buracos que termina em um farol. E eu pensei: 'Está certo, é aqui que vou encontrá-Lo.'

"Desci e caminhei pelas dunas, ao longo da praia. Vaguei por ali e gritei por Ele, sob as nuvens. Nenhuma estrela brilhava em lugar algum. Nenhuma resposta. Era de se esperar pelo menos um pouco de luar. Alguma coisa. Qualquer coisa. Nem mesmo um barco. Era como se tudo tivesse se transformado em um deserto. E eu ainda podia sentir o toque dela ali, na parte interna do meu braço. Como se fosse profundo e alguma coisa estivesse crescendo lá dentro. E estou no meio de uma praia sem fim com um farol girando atrás de mim. Pensando coisas estúpidas. Do jeito que a gente faz. Vou me mudar. Vou desistir de tudo. Vou deixar a Ordem, voltar para a Irlanda, encontrar uma pobreza diferente. Mas nada fazia sentido. No final do país, cara, mas não houve nenhuma revelação.

"Depois de um tempo eu me recobrei naquele silêncio e finalmente me sentei na areia e disse a mim mesmo: 'Bem, talvez isso só me faça melhor para Ele a longo prazo, tenho que lutar contra isso, batalhar, usá-lo em meu próprio benefício, é um sinal.' Eu me resignei. Aquilo que não mata, blá-blá-blá. Eu estava ardendo em febre mas saí da praia, voltei para a van, me acalmei e disse adeus ao farol, à água, ao leste, e disse tudo ficará bem, nada sagrado é de graça, e dirigi todo o caminho de volta ao apartamento, estacionei a van, tombei no elevador, fechei a porta. Na verdade, caí no sono no elevador. Só acordei quando ele começou a se mexer. Dei de cara com uma negra assustada. Ela ficou com medo de mim. Eu me tranquei por dois dias. Esperando a atadura escurecer, sabe, esse tipo de coisa. Esperando a maré baixar. E passei um ferrolho na corrente. Você acredita nisso? Tranquei a porta com a corrente. E veja o esporro que dei em você, irmão, sobre as trancas.

Ele deu uma risadinha e um raio de farol passou por seu rosto vindo do outro lado da avenida.

— As garotas pensaram que eu tinha morrido. Elas esmurravam a porta, querendo usar o banheiro. E eu não respondia. Só fiquei deitado lá, tentando rezar por algum sinal de um pouco de misericórdia. Mas continuava vendo Adelita na minha cabeça. Olhos fechados, olhos abertos, não importava. Coisas nas quais eu não deveria estar pensando. Seu pescoço. Sua nuca. Sua clavícula. Seu rosto de lado, em uma fatia de luz. Ali estava ela, me recebendo. E eu queria gritar com ela Não, não, não, você é só pura luxúria e eu fiz um pacto com Deus para combater a luxúria, por favor, me deixe, por favor, vá embora. Mas Adelita permanecia ali, sorrindo, entendendo. E eu sussurrava para ela, outra vez: Por favor, vá embora. Mas eu sabia que não era só luxúria, era muito, muito mais do que luxúria. Eu estava procurando uma resposta simples, do tipo que damos para as crianças, sabe. E eu ficava pensando que todos fomos crianças um dia, talvez eu pudesse voltar a ser. Era isso que ecoava em minha cabeça. Voltar a ser criança. Disparando lá na praia. Passando pela torre. Correndo pelo muro. Eu queria esse tipo de alegria. Torná-la simples de novo. Eu estava tentando, realmente tentando, orar, me livrar da luxúria, retornar ao que era bom, redescobrir aquela inocência. Círculos de círculos. E quando você caminha em círculos, irmão, o mundo é muito grande, mas se você avança em linha reta é suficientemente pequeno. Eu queria deslizar pelos raios até o centro do círculo, onde não havia movimento. Não consigo explicar, cara. Era como se eu estivesse olhando para o teto, esperando o céu. Toda a barulheira continuava do outro lado da porta. Depois, horas de silêncio.

"Em um momento escutei Jazzlyn, sabe, aquela voz dela, como se tivesse engolido o Bronx, cara, se escorando no buraco da chave e gritando: 'Tá bem! Que se dane você, seu branquelo bundão!' Foi a única vez que eu ri. Se ela soubesse... 'Que se dane você, seu branquelo bundão! Vou mijar noutro lugar.'

"Depois elas na verdade trouxeram a polícia para derrubar a porta. E eles entraram correndo, mostrando os distintivos, pistolas na mão. Pararam e olharam. Olharam para mim, deitado no sofá, a Bíblia sobre meu rosto. E um guarda dizia: 'O que está acontecendo aqui, cara? Que diabo é isso? Ele não está morto. Cheira mal, mas não está morto.' Eu estava apenas jogado lá e tirei a Bíblia do meu rosto e cobri meus olhos com meu antebraço. E Jazz veio avançando atrás dele: 'Tenho que ir, tenho que ir.' Então Tillie veio com sua sombrinha cor-de-rosa. As duas saíram e começaram a gritar. 'Como é que você ficou com a porta trancada, Corrie? Imbecil! É um castigo cruel e injusto. É macumba de branco, cara!' Os policiais estavam lá de pé, de boca aberta. Não podiam acreditar no que estava acontecendo. Um deles estava enrolando um pedaço de elástico em volta do dedo. Fazia isso sem parar, como se quisesse me estrangular. Tenho certeza de que eles estavam pensando que tinham vindo à toa, por um bando de garotas da vida que só queriam mijar. Não estavam nada felizes. Nada mesmo. Queriam me intimar por estar desperdiçando o tempo deles, mas não conseguiram inventar nada. Eu disse que talvez pudessem me intimar por ter perdido a fé e então eles acharam que eu estava era fora de juízo. Um deles disse para mim: 'Olha só para esse pedaço de merda — vê se dá um jeito na sua vida, cara!' E era tão simples, o modo como ele disse, o mais jovem, bem na minha cara: 'Vê se dá um jeito na sua vida, cara.' E chutou o vaso de flor quando saiu pela porta.

"Tillie e Angie e Jazzlyn e as garotas fizeram uma festa de 'não morto' para mim. Até me compraram um bolo. Uma vela. Tive até que soprá-la. Eu ia tomar isso como um sinal. Mas não havia sinais. Voltei para a clínica de repouso e aquela noite perguntei a Adelita se ela não se importava de fazer o sangue circular um pouco — foi assim que eu disse: 'Fazer o sangue circular um pouco, você poderia?' Ela me deu aquele grande sorriso alegre e disse que estava ocupada com suas rondas, talvez conseguisse mais tarde. Fiquei sentado lá, tremendo com Deus, todas as minhas tristezas apertadas dentro de mim. E é claro que ela voltou um pouco mais tarde. Foi tudo muito simples. Eu só olhava para o escuro do cabelo dela. Não conseguia olhar em seus olhos. Ela massageava meu ombro e minhas costas e até os músculos da batata da minha perna. Eu fiquei esperando que alguém entrasse pela porta e nos achasse, fizesse um belo escândalo, mas ninguém apareceu. E eu a beijei. E ela me beijou de volta. Quero dizer, quantos homens podem dizer que não queriam estar em nenhum outro lugar do mundo? Foi assim que me senti. Aquele momento. Que eu não queria nada a não ser o aqui e agora, e nenhum outro lugar. Na terra como no céu. Aquele único momento. E então, depois de alguns dias, eu comecei a ir à casa dela.

— Ela tem três filhos, você disse.

— Dois. E um marido que foi morto na Guatemala. Lutando. Por quem, não sei, Carlos Araña Osório ou outra pessoa. Algum tipo de fascista. Ela o odiava, o marido, foi presa a esse casamento muito jovem e ainda tem o retrato dele na estante de livros. Para as crianças saberem que ele existe, existiu, que eles tiveram um pai. Ficamos lá sentados e ele olhando para nós. Ela não fala dele. Ele tem um olhar duro. Sento na cozinha dela e ela prepara alguma coisa e eu mexo a comida em volta do prato e nós conversamos e então ela massageia meus ombros enquanto as crianças estão no outro quarto, assistindo a desenhos. Ela sabe que eu estou na Ordem, sabe das regras de celibato, tudo. Eu contei. Ela diz que se não importa pra mim, então não importa pra ela. Ela é a pessoa mais adorável que eu já conheci. Não estou aguentando. Não posso lidar com isso. Fico sentado lá e é como se lâminas girassem em meu estômago. A voz para a qual retorno quando vou para casa não é a voz que eu escutava antes. Nem posso me agarrar a antiga. Ele se foi. Eu me pego me esticando à noite, tentando tocá-lo mas Ele não está lá. Tudo que consigo é insônia e desgosto. Chame isso do que quiser. Chame até de alegria. Como posso rezar com isso dentro de mim? Como posso fazer o que devo fazer? Eu nem sequer julgo a mim mesmo por minhas ações. Eu me julgo pelo que está em meu coração. E ele está destruído porque deseja possuir coisas, mas não está destruído porque nunca estive mais contente, e ela também nunca esteve mais contente, sentados lá, juntos. Estamos felizes. E eu fico me perguntando se devemos ser felizes. Eu não dormi com ela, irmão. Pelo menos não... Pensamos sobre isso, sim, mas, quer dizer...

Sua voz foi ficando fraca.

— Você conhece meus votos. Sabe o que eles significam. Eu achava que não havia nenhum outro homem em mim, nenhuma outra pessoa, só eu, o devoto. Que eu era solitário e forte, que meus votos eram tudo e eu não era tentado. E dei voltas e voltas sobre isso em minha cabeça. O que aconteceria se isso? O que aconteceria se aquilo? E talvez não seja nem uma questão de perder a fé. Eu tenho uma confusão dentro de mim mesmo. É contra tudo que sempre fui, e de repente fico só observando tudo desaparecer e, então, também mentindo para ela, até sobre meu tratamento.

— O que essa doença significa? Essa coisa de PTI?

— Significa que tenho que ficar melhor.

— Como?

— Tenho que fazer um tratamento. Substituição de plasma e esse tipo de coisa. Eu vou fazer.

— É doloroso?

— A dor não é nada. A dor é o que você dá, não o que você recebe.

Ele pegou o pacote fino de papéis de enrolar e espalhou o tabaco ao longo da borda curva de um papel.

— E ela? Adelita? O que você vai fazer?

Ele espalhou o fumo, olhou para fora da janela.

— Os filhos dela não têm aula no verão. Ficam zanzando por aí. Têm tempo demais. Eu costumava ir lá com a desculpa de ajudá-los nas tarefas. Mas é verão, então não tem mais tarefas. Adivinhe. Continuo indo lá. Sem nenhuma desculpa a não ser a verdade — eu quero vê-la. E ficamos lá só sentados, Adelita e eu. Tenho que inventar outras desculpas para mim mesmo. Ah, eles precisam de alguém para ajudar a recolher o lixo em frente ao apartamento. Ela realmente precisa consertar a torradeira. Precisa de tempo para estudar seus livros de medicina. Qualquer coisa. Só que eu não posso fingir que posso lhes dar lições de catecismo porque eles são luteranos, cara, luteranos! Da Guatemala. Veja a minha sorte, cara! Encontro a única mulher não católica da América Central. Brilhante. Mas ela é crente. Tem um coração enorme e bondoso. Realmente tem. Ela me conta as histórias sobre onde cresceu. Eu vou à casa dela sempre que tenho uma chance. Quero ir. É para lá que vou quando desapareço todas as tardes. Acho que eu queria manter isso em segredo para todo mundo.

"E durante todo o tempo que estou lá, na casa dela, fico pensando que esse é o único lugar onde eu não deveria estar. E me pergunto o que vai restar quando eu me desvencilhar dessa confusão. Então os filhos dela chegam da rua e pulam no sofá e veem TV e derramam iogurte pelas almofadas. A mais nova, Eliana, 5 anos, aparece puxando um cobertor pelo chão e puxa minha mão e me leva até a sala de estar. Fico balançando-a para cima e para baixo nos meus joelhos, e elas são crianças lindas, os dois. Jacobo acabou de fazer 7. Fico lá sentado pensando como é preciso coragem para viver uma vida comum. No final de *Tom e Jerry*, ou *I Love Lucy*, ou *The Brady Bunch*, seja qual for a dose de ironia que se queira, eu digo a mim mesmo: Está tudo bem — isto é real, isso é uma coisa com que posso lidar, estou apenas ali sentado, não estou fazendo nada de mau. E então eu saio porque não posso aceitar a ruptura.

— Então, deixe a Ordem.

Ele entrelaçou as mãos.

— Ou a deixo.

O branco nos nós de seus dedos.

— Não posso fazer nenhum dos dois — disse. — E não posso fazer os dois.

Ele examinou a ponta acesa do cigarro.

— Sabe o que é engraçado? — disse. — Nos domingos eu ainda sinto as antigas necessidades, os sentimentos residuais. É quando a culpa me atinge mais. Eu caminho com o pai nosso nos pensamentos. Repetidamente e mais uma vez. Para cortar o fio de culpa. Isso não é ridículo?

Um carro se aproximou lentamente de nós por trás e uma luz abrupta brilhou pela janela dos fundos. As luzes vermelhas e azuis passaram rapidamente, mas não a sirene. Esperamos em silêncio que os guardas saíssem do carro, mas eles ligaram o megafone.

— Circulando, seus veados, vamos!

Corrigan fez menção de um sorriso enquanto passava a marcha para a primeira.

— Sabe, toda noite eu sonho que estou passando meus lábios ao longo da espinha dela, como um esquife em um rio.

Ele dirigiu tranquilo a van pela rua e não disse mais nada até estacionar perto do conjunto habitacional onde estavam suas prostitutas. Em vez de caminhar até elas, ele apenas acenou e me levou atravessando a rua até uma luz amarela pulsando na esquina.

— O que eu preciso é ficar bêbado.

Empurrou a porta de um pequeno bar, o braço em volta do meu ombro.

— Firme como uma rocha nos últimos dez anos, agora veja só como estou.

Ele se sentou no balcão, ergueu dois dedos, pediu duas cervejas. Há momentos aos quais nós voltamos, agora e sempre. Família é como água — ela tem a memória do que uma vez a supriu, sempre tentando voltar à corrente original. Eu estava dividindo o beliche com ele outra vez, escutando seus versos ao cochilar. A tampa da nossa caixa de correio da infância se abriu. Abrindo a porta para o borrifo do mar.

— Você me perguntou se eu estava usando heroína, cara? — Ele estava rindo, mas olhando para fora das janelas do bar para as luzes da rodovia. — É pior do que isso, irmão, muito pior.

ERA COMO SE TODOS os relógios tivessem concordado e a geladeira sussurrasse e as sirenes do lado de fora soassem como flautas. Ao falar, ele a liberara. Apenas mencioná-la já foi suficiente: ele se renovou.

Nos dias que se seguiram eles viram um ao outro o máximo que puderam — na clínica de repouso, principalmente, onde ela mudara de turno só para estar com ele. Mas Adelita também veio ao apartamento, bateu na porta, tirou a rolha de uma garrafa de vinho e sentou-se do outro lado da mesa. Ela usava um anel na mão direita, girando-o distraída. Havia uma graça e uma firmeza nela, entrelaçadas. Eles precisavam de mim ali. Mal me permitiam levantar da mesa. "Sente-se, sente-se." Eu ainda era o limite seguro entre eles. Ainda não estavam completamente prontos. Algumas convenções ainda os continham, mas pareciam querer deixar um pouco do bom senso para trás, pelo menos por um tempo.

Ela era o tipo de mulher que fica mais bonita quanto mais você a observa: o cabelo escuro, quase azul na luz, a curva do pescoço, um sinal na pele perto do olho esquerdo, uma mancha perfeita.

Enquanto as noites passavam, suponho que minha presença os fazia sentir que tinham de entreter alguém, que estavam nisso juntos, que estavam adequadamente sozinhos estando juntos.

Ela falava baixo com Corrigan, como se quisesse fazê-lo se inclinar para mais perto. Ele olhava para ela como se fosse completamente possível jamais tornar a vê-la. Às vezes, ela só ficava lá sentada com a cabeça apoiada no ombro dele. Ela passava seu olhar por mim. Lá fora, os incêndios do Bronx. Para eles poderia ser a luz do sol através dos postigos. Arrastei minha cadeira pelo chão.

— Sente-se, sente-se.

Adelita tinha um lado rebelde que Corrigan gostava mas do qual não conseguia rir. Uma noite ela usava uma blusa branca larga mostrando os ombros e o short laranja. A blusa era simples, mas o short era justo nas coxas. Bebemos um pouco de vinho barato e Adelita ficou um pouco alta. Ela juntou a blusa e a amarrou na frente, mostrando o marrom da barriga, ligeiramente distendida pelas crianças. A suave inclinação de seu umbigo. Corrigan ficou embaraçado com o short apertado.

— Veja como você está, Adie — disse, as bochechas ruborizadas. Mas, em vez de lhe pedir para desfazer o nó da blusa e se cobrir, ele fez o teatro de lhe dar uma de suas camisas para usar sobre sua roupa. Como se fosse a coisa mais terna de se fazer. Ele colocou-a sobre os ombros dela, beijou seu rosto. Era uma de suas velhas camisas pretas sem colarinho, abaixo das coxas dela, quase chegando aos joelhos. Ele a fechou sobre os ombros dela, meio temeroso de estar sendo puritano, a outra metade sacudida pela pura imensidão do que estava acontecendo com ele.

Adelita desfilou pelo apartamento, fazendo um leve movimento de bambolê.

— Agora estou pronta para o céu — ela disse, puxando a camisa ainda mais para baixo.

— Acolhe-a, Senhor — Corrigan disse.

Eles riram, mas havia algo ali, como Corrigan querendo que sua vida fizesse sentido outra vez, como se tivesse perdido a graça de Deus, tudo que tinha agora era sua velha imprudência e tentação, e ele não estava certo de poder lidar com isso. Ergueu os olhos como se a resposta pudesse estar escrita no teto. O que poderia acontecer se ela desaparecesse dos sonhos dele? Quanto ele odiaria seu Deus se a deixasse para trás? Quanto detestaria a si mesmo se ficasse preso a seu Senhor?

Ele a acompanhou até a casa dela, os dois segurando as mãos no escuro. Quando voltou ao apartamento, muitas horas depois, pendurou a camisa na beirada do espelho.

— Shortinho laranja — disse. — Dá pra acreditar?

Nós nos sentamos, curvados sobre a garrafa.

— Sabe o que você poderia fazer? — disse Corrigan. — Venha trabalhar na clínica de repouso.

— Precisa de um guarda-costas, é isso?

Ele sorriu, mas eu sabia o que ele estava dizendo. *Venha me ajudar, eu ainda sou aquele nadador sem esperanças.* Ele queria alguém do passado a seu redor para ter certeza de que tudo não era uma ilusão colossal. Ele não poderia ser apenas um observador: ele tinha que transmitir alguma mensagem. Tinha que fazer sentido, mesmo se fosse só para mim. Mas em vez disso, arranjei um trabalho no Queens, em um daqueles bares irlandeses que eu temia. Teto baixo. Oito bancos altos ao longo do balcão de fórmica. Serragem no piso. Tirando chope claro e colocando meus próprios centavos na jukebox para não ter que ouvir as mesmas velhas músicas repetidas vezes. Em vez de Tommy Makem, Clancy Brothers e Donovan, tentei um pouco de Tom Waits. Os clientes bitolados resmungaram.

Imaginei que poderia escrever uma peça que acontecesse em um bar, como se isso nunca tivesse sido feito antes, como se fosse algum tipo de ato revolucionário, então fiquei escutando meus conterrâneos e fazendo anotações. A deles era uma solidão grudada sobre solidão. Entendi que cidades distantes são projetadas precisamente de modo a que seja possível saber de onde se vem. Levamos nossa casa conosco quando partimos. Às vezes ela se torna mais presente por ter sido deixada. Meu sotaque se aprofundou. Adotei ritmos diferentes. Fingia que era de Carlow. A maioria dos fregueses era de Kerry e Limerick. Um era advogado, um homem alto, gordo e de cabelo ruivo. Ele dominava os outros pagando as bebidas. Eles tilintavam copos com ele e o chamavam de "filho da puta de um advogado de porta de cadeia" quando ele ia ao banheiro. Não era uma série de palavras que eles teriam usado antes — filho da puta de um advogado de porta de cadeia não era grande coisa no antigo país —, mas eles as diziam o quanto podiam. Com grande hilaridade a injetavam em canções quando o advogado saía. Uma das canções tinha um advogado perambulando pelas montanhas de Cork e Kerry. Outra tinha um advogado nos campos verdes da França.

O lugar ficava mais cheio à medida que a noite avançava. Eu enchia os copos e esvaziava o vidro de gorjetas.

Eu ainda estava morando com Corrigan. Ele passava algumas noites na casa de Adelita, mas nunca me dizia uma palavra sobre isso. Eu quis saber se finalmente ele dormia com uma mulher mas ele apenas sacudiu a cabeça, não diria, não poderia dizer. Afinal de contas, ainda continuava na Ordem. Seus votos ainda o algemavam.

Houve uma noite no começo de agosto quando me arrastei de volta pelo metrô, mas não consegui pegar um táxi na Concourse. Não gostava da ideia de caminhar de volta para o apartamento de Corrigan àquela hora. Tinham acontecido brigas e assassinatos no Bronx. Ser assaltado era quase um ritual. E ser branco era uma péssima ideia. Era hora de arrumar um quarto para mim em algum outro lugar, talvez no Village ou no East Side de Manhattan. Enfiei minhas mãos nos bolsos dos jeans, senti o chumaço enrolado das notas do dinheiro do bar. Eu mal havia começado a caminhar quando um assobio soou do outro lado da Concourse. Tillie estava puxando as tiras do maiô. Ela havia sido chutada de um carro e seus joelhos estavam esfolados e em carne viva.

— Docinho — ela gritou enquanto tropeçava em minha direção, agitando sua bolsa sobre a cabeça. Havia perdido sua sombrinha. Enganchou-se no meu braço.

— Quem quer que seja que me trouxe aqui terá de me levar para casa.

Era, eu sabia, um verso de Rumi. Parei, surpreso.

— Por que o espanto? — Ela deu de ombros. Puxou-me e prosseguiu. O marido dela, ela disse, havia estudado poesia persa.

— Marido?

Parei na rua e olhei embasbacado para ela. Uma vez, quando era adolescente, eu tinha examinado um pedaço da minha pele em uma lâmina de vidro, olhando-a através de um microscópio: uma amplitude de canais enfileirados se esforçando debaixo do meu olho, tudo pura surpresa.

Meu desgosto intenso — tão notável em outros dias — naquele único momento virou uma admiração pelo fato de Tillie absolutamente não se importar. Ela sacudiu os seios e disse para eu me mancar. De qualquer forma, é seu ex-marido. Sim, ele tinha estudado poesia persa. Grande merda. Ele costumava ficar numa suíte no Sherry-Netherlands, ela disse. Supus que ela estivesse alta. O mundo parecia ficar menor ao lado dela, reduzido ao tamanho de seus olhos, pintados de púrpura e escuros de maquiagem. De repente, eu quis beijá-la. Minha própria selvagem e aquiescente explosão de alegria americana. Eu me inclinei para ela e ela riu, me empurrando.

Um comprido Ford Falcon do cafetão parou no meio-fio e, sem se virar, Tillie disse:

— Ele já pagou, cara.

Continuamos seguindo a rua, de braços dados. Na Deegan ela aconchegou a cabeça em meu peito.

— Não pagou, benzinho? — disse ela. — Você já pagou pelas gostosuras?

Ela esfregava a mão em mim e era gostoso. Não tem outra maneira de dizer isso. Era isso. Gostoso.

— Me chame de SweetCakes — disse ela com um sotaque que se prolongava em torno dela.

— Você é parente da Jazzlyn, não é?

— E se for?

— É a mãe dela, certo?

— Feche a boca e me pague — disse ela, tocando meu rosto. Momentos depois houve o surpreendente pesar de sua respiração morna em minha nuca.

A BATIDA POLICIAL começou de manhã cedo, uma terça-feira de agosto. Ainda escuro. Os policiais enfileiravam os camburões na sombra das lâmpadas das ruas perto do viaduto. As garotas não pareceram se importar nem a metade do que Corrigan. Uma ou duas deixaram as bolsas cair e correram em direção às interseções, braços agitados, mas havia outros camburões bloqueando ali, portas abertas. A polícia apertou as algemas e arrebanhou as garotas para dentro dos veículos pretos. Só então escutamos um pouco de gritaria — elas se inclinavam para fora, procurando seus batons ou seus óculos escuros ou seus sapatos.

— Ei, meu chaveiro caiu! — disse Jazzlyn. Sua mãe estava ajudando-a a subir no carro. Tillie estava calma, como se isso acontecesse o tempo todo, apenas outro sol nascendo. Ela me viu olhando, deu meia piscadela.

Na rua, os policiais tomavam seus cafés, fumavam seus cigarros, davam de ombros. Chamavam as garotas pelos nomes e apelidos. Foxy. Angie. Daisy. SweetCakes. Sugarpie. Eles conheciam bem as garotas e a batida seguia tão letárgica quanto o dia. As garotas deviam ter escutado o boato com antecedência e se livraram das agulhas e qualquer outra parafernália das drogas, jogaram tudo nos bueiros. Houve batidas policiais antes, mas nunca uma varredura tão completa.

— Quero saber o que está acontecendo com elas — disse Corrigan, indo de policial a policial. — Para onde elas estão indo? — Ele girava nos calcanhares. — Por que vocês as estão prendendo?

— Por observar estrelas — disse um deles, dando um golpe no ombro de Corrigan.

Vi um comprido lenço de boá cor-de-rosa ficar preso entre as rodas de um dos carros que as levavam. O lenço envolveu os eixos como se com afeto, pedaços de tufos rosados girando no ar.

Corrigan anotou uma série de números de distintivos. Uma policial alta tirou a caderneta das mãos dele e a rasgou vagarosamente na frente dele.

— Escuta, seu irlandês idiota, elas vão voltar logo, ok?

— Para onde vocês vão levá-las?

— O que você tem com isso, cara?

— Para onde vocês vão levá-las? Para qual delegacia?

— Afaste-se. Para lá. Agora.

— Com base em quê?

— Com base na lei que manda eu chutar seu traseiro se você não se mandar daqui.

— Eu só quero é uma resposta.

— A resposta é sete — disse a policial, olhando firme para Corrigan. — A resposta é sempre sete. Entendeu?

— Não, não entendi.

— Quem é você, cara, algum tipo de veado ou o quê?

Um dos sargentos assumiu ar de superioridade e gritou:

— Alguém cuide desse Sr. Sentimental aqui.

Corrigan foi empurrado para o lado da rua e mandaram que ficasse no meio-fio.

— Vamos prendê-lo se disser outra palavra.

Eu o levei para o lado. Seu rosto estava vermelho e seus punhos apertados. Veias pulsavam em sua têmpora. Uma nova mancha tinha aparecido em seu pescoço.

— Acalme-se, sim, Corr? Vamos ver isso depois. De qualquer maneira, elas estarão melhor em uma delegacia. Não é que você realmente goste que elas fiquem aqui.

— A questão não é essa.

— Ai, céus, vamos — eu disse. — Confie um pouco em mim. Vamos procurá-las depois.

Os camburões saíram zunindo do meio-fio e todos exceto um dos carros do pelotão seguiram atrás. Alguns transeuntes juntaram-se para ver. Alguns garotos rodavam em círculos com suas bicicletas em torno do espaço vazio como se tivessem encontrado um parquinho novinho em folha. Corrigan foi pegar um chaveiro caído na sarjeta. Era um objeto barato de vidro com a foto de uma criança no centro. Na aba de cima, havia a foto de outra criança.

— Era por isso — disse Corrigan, me jogando o chaveiro. — Essas são as filhas de Jazz.

Quem quer que seja que me trouxe aqui terá de me levar para casa. Tillie havia me cobrado 15 dólares pelo nosso pequeno encontro, me dado um tapinha nas costas, depois dito que eu representava os irlandeses muito bem, um bom bocado de ironia em sua voz. *Me chame de SweetCakes.* Ela deu um piparote na nota de dez dólares e disse que conhecia um pouco de Khalil Gibran também — poderia citar uma ou duas coisas se eu quisesse. "Da próxima vez", eu disse. Ela remexeu em sua bolsa. "Você está interessado em heroína?", perguntou enquanto me abotoava. Disse que podia conseguir um pouco com Angie. "Não é meu estilo", eu disse. Ela deu uma risadinha e se inclinou mais para perto de mim. "Seu estilo?", disse. Pôs a mão no meu quadril, riu outra vez. "Seu estilo!" Houve um momento nauseante quando pensei que ela havia furtado toda a gorjeta do meu bolso, mas não; ela apenas apertou meu cinto e me deu um tapa na bunda.

Fiquei feliz de não ter ido com a filha dela. Senti-me quase virtuoso, como se não tivesse sido nem tentado. O perfume de Tillie ficou comigo um punhado de dias e retornou outra vez agora que ela havia sido presa.

— Ela é avó?

— Eu contei a você — disse Corrigan. Ele avançou contra o último carro remanescente da polícia, brandindo o chaveiro de Jazz.

— O que vocês vão fazer com isso? — gritou ele. — Vão conseguir alguém para cuidar das crianças? É isso que vocês vão fazer? Quem vai cuidar das filhas dela? Vocês vão largá-las na rua? Vocês estão prendendo a mãe dela e ela!

— Senhor — disse o policial —, uma palavra a mais e...

Puxei forte o cotovelo de Corrigan e o empurrei de volta pelo conjunto habitacional. Por um momento, os prédios pareceram mais sinistros sem as putas do lado de fora: o território fora transformado, não havia mais os antigos totens.

O elevador estava quebrado outra vez. Corrigan ofegou pelas escadas. No apartamento, começou a discar para todos os grupos comunitários que conhecia, procurando um advogado e alguém para cuidar das filhas de Jazzlyn.

— Eu nem sei para onde elas foram — ele gritava ao telefone. — Eles não me disseram. Da última vez, as cadeias estavam cheias e elas foram levadas para Manhattan.

Outro telefonema. Ele virou para o outro lado, envolveu o receptor com a mão.

— Adelita? — disse.

Apertou ainda mais a mão em volta do fone enquanto sussurrava. Ele havia passado algumas tardes antes disso com ela, na casa dela, e cada vez que voltava para casa tudo se repetia: vagar pelo quarto, puxar os botões da camisa, murmurar consigo mesmo, tentar ler a Bíblia procurando algo que pudesse justificá-lo, ou talvez procurando uma palavra que o deixasse ainda mais torturado, uma dor que o deixasse outra vez no limite. Isso, e também a felicidade, uma energia. Eu já não estava seguro do que dizer a ele. Render-se à desesperança. Encontrar um novo posto. Esquecê-la. Mudar. Pelo menos com as putas ele não tinha tempo para fazer malabarismos com as noções de amor e perda — lá na rua era puramente tomar e tomar. Mas com Adelita era diferente — ela não estava forçando nem cobiça nem clímax. *Este é o meu corpo, que foi dado por Vós.*

Mais tarde, por volta do meio-dia, encontrei Corrigan no banheiro, barbeando-se em frente ao espelho. Ele tinha ido ao tribunal do Bronx, onde a maioria das putas já havia sido liberada por prisão anterior sem condenação. Mas havia intimações para Tillie e Jazzlyn responder em Manhattan. Elas haviam feito algum roubo juntas, afanado um cliente. O caso era antigo. Mesmo assim, as duas iam ser levadas para o centro. Ele enfiou uma camisa preta amarrotada e calças escuras, foi até o espelho outra vez, penteou o cabelo comprido para trás com água.

— Bom, bom — disse.

Pegou uma pequena tesoura, levou até o cabelo e cortou uns 10 centímetros. Sua franja se foi em três tesouradas macias.

— Vou até lá ajudá-las — disse.

— Onde?

— No partenon da Justiça.

Ele parecia mais velho, mais gasto. Com o corte do cabelo, a parte careca ficou mais pronunciada.

— Eles chamam o lugar de Tumbas. Elas vão ser citadas na Centre Street. Escute, preciso que você assuma meu turno na clínica de repouso. Falei com Adelita. Ela já sabe.

— Eu? O que vou fazer com eles?

— Não sei. Leve-os até a praia ou algo assim.

— Tenho um emprego no Queens.

— Faça isso por mim, irmão, pode ser, por favor? Eu ligo pra você mais tarde. — Virou-se para a porta. — E também tome conta de Adelita por mim, está bem?

— Claro.

— Prometa.

— Sim, prometo. Agora, vá.

Eu podia escutar ruídos das crianças do lado de fora seguindo Corrigan pelas escadas, rindo. Foi só quando o apartamento ficou completamente silencioso que me lembrei de que ele tinha ido com a van marrom.

Em uma espelunca de aluguel de carros em Hunts Point, usei minhas últimas gorjetas para fazer um depósito por uma van.

— Ar-condicionado — disse o funcionário com um sorriso imbecil. Era como se estivesse explicando ciência. A placa com seu nome estava colada sobre seu coração. — Não corra demais, é novinho.

Era um desses dias quando o verão parece ter entrado nos eixos, não demasiado quente, nublado, um sol tranquilizador alto no céu. Um DJ tocava Marvin Gaye na rádio. Eu manobrei em volta de um Cadillac de suspensão baixa e entrei na rodovia.

Adelita estava esperando na rampa da clínica. Ela havia trazido as crianças para o trabalho — duas belezas morenas. A mais nova puxava seu uniforme e Adelita se abaixou ao nível do olho dela, beijou as pálpebras da menina. O cabelo de Adelita estava amarrado atrás com um lenço comprido colorido, e seu rosto brilhava.

Eu entendi perfeitamente, então, o que Corrigan já sabia: ela possuía uma ordem interior, e, apesar de toda a sua dureza, havia uma beleza que aflorava à superfície com facilidade.

Ela sorriu à proposta de que arriscássemos uma praia. Disse que era ambicioso, mas impossível — e o seguro não cobria, além de ser contra as regras. Seus filhos gritaram ao lado dela, puxaram seu uniforme, agarraram seu punho.

— Não, *m'ijo* — ela disse asperamente para o filho, e seguimos com a rotina de embarcar todas as cadeiras de rodas e enfiar as crianças entre os bancos. Havia lixo enfiado na cerca do parque. A van estava estacionada embaixo da sombra de um prédio.

— Ah, que se dane! — disse Adelita. Ela deslizou para o assento do motorista. Dei a volta até o banco do fundo da van. Albee estava me olhando, e articulou sem voz uma palavra com um sorriso. Não precisava perguntar. Adelita buzinou e levou a van para o trânsito leve de verão. As crianças davam vivas enquanto entrávamos na rodovia. A distância, Manhattan era como algo montado com caixas de brinquedos.

Nós caímos no engarrafamento do tráfego para Long Island. Canções vinham do fundo, o pessoal velho ensinando às crianças pedaços e versos de canções que eles na verdade não conseguiam lembrar. "Raindrops Keep Fallin' on My Head." "When the Saints Go Marching In." "You Should Never Shove Your Granny off the Bus."

Na praia, os filhos de Adelita correram para a margem enquanto enfileirávamos as cadeiras de rodas na sombra da van. A sombra da van ficava menor à medida que o sol arqueava. Albee tirou os suspensórios e abriu os botões da camisa. Seus braços e pescoço estavam extraordinariamente bronzeados, mas embaixo da camisa sua pele era de um branco translúcido. Era como observar uma escultura de duas cores diferentes, como se ele tivesse desenhado seu corpo para um jogo de xadrez.

— Seu irmão gosta dessas putas, hein? — disse ele. — Se você me perguntar, elas são um bando de artistas do trambique. — Não disse mais nada, só olhou para o mar.

Sheila estava sentada de olhos fechados, sorrindo, o chapéu de palha inclinado sobre os olhos. Um velho italiano cujo nome eu não sabia — um homem garboso com calças perfeitamente passadas — amassava e amassava o chapéu sobre os joelhos e suspirava. Sapatos foram tirados. Tornozelos expostos. As ondas quebravam na praia e o dia escapava de nós, areia entre nossos dedos.

Rádios, guarda-sóis, a ardência do ar salgado.

Adelita caminhava pela margem, onde seus filhos chutavam alegremente no borrifo raso das ondas. Ela chamava atenção como uma rajada de vento. Homens a olhavam por onde ela ia, a curva esguia de seu corpo contra o uniforme branco. Ela se sentou na areia ao meu lado, com os joelhos pressionados no peito. Acomodou-se e sua saia se ergueu ligeiramente: um vergão vermelho no tornozelo perto de onde estava sua tatuagem.

— Obrigada por alugar a van.
— Sim, sem problema.
— Você não tinha que fazer isso.
— Não foi nada.
— É coisa da família?
— Corrigan vai pagar — disse eu.

Uma ponte se estendia entre nós, composta quase inteiramente por meu irmão. Ela protegeu os olhos escuros e olhou para a água, como se Corrigan pudesse estar na rebentação junto com suas crianças, não em algum tribunal sombrio defendendo uma série de causas perdidas.

— Ele vai ficar dias por lá, tentando tirá-las — disse ela. — Já aconteceu antes. Às vezes eu acho que elas ficariam melhor se aprendessem a lição. Pessoas são presas por muito menos.

Eu estava começando a me abrir para ela, mas queria pressioná-la, ver até onde iria por ele.

— Então ele não teria nenhum lugar pra ir, teria? — perguntei. — À noite. Nenhum lugar onde trabalhar.
— Talvez sim, talvez não.
— Ele então teria que ir para sua casa, não é?
— Sim, talvez — disse ela, e uma pequena sombra de raiva passou por seu rosto. — Por que você está me perguntando isso?
— Só estou dizendo.
— Eu não sei o que você está dizendo — ela disse.
— Só não o enrole demais.
— Eu não o estou enrolando — ela disse. — Por que eu faria isso, como você diz, enrolá-lo demais? *¿Por qué? Me dice que eso.*

Seu sotaque tinha se aprofundado: o espanhol ganhava mais espaço. Ela deixou a areia deslizar por entre os dedos e me olhou como se fosse a primeira vez, mas o silêncio a acalmou e por fim ela disse:

— Eu na verdade não sei o que fazer. Deus é cruel, não?
— O de Corrigan é, com certeza. Eu não conheço o seu.
— O meu está bem ao lado do dele.

As crianças jogavam frisbee na rebentação. Pulavam para pegar o disco voador, aterrissavam na água e chapinhavam.

— Estou aterrorizada, sabe — disse ela. — Eu gosto muito dele. Demais. Ele não sabe o que vai fazer, você entende? E eu não quero atrapalhar seu caminho.

— Eu sei o que eu faria. Se fosse ele.

— Mas não é, é? — disse ela.

Ela se virou e assobiou para as crianças, ao que elas vieram caminhando pela areia. Seus corpos eram marrons e maleáveis. Adelita puxou Eliana para perto e gentilmente soprou a areia do ouvido dela. De alguma forma, por alguma razão, eu podia ver Corrigan nas duas. Era como se ele já tivesse entrado nelas por osmose. Jacobo também pulou no colo dela. Adelita mordiscou a orelha dele e ele gritou, deliciado.

Ela havia se cercado dos filhos como segurança e eu me perguntei se era a mesma coisa que fazia com Corrigan, enrolando-o até chegar bastante perto e então se escudando, juntando o muito e o tornando demasiado. Por um momento odiei a ela e às complicações que trouxera para a vida do meu irmão, e senti um estranho carinho pelas putas que o haviam levado para alguma delegacia policial, junto com a verdadeira ralé, alguma cela terrível com barras de ferro e pão mofado e banheiros sujos. Talvez ele até estivesse na cela junto com elas. Talvez ele tenha se feito prender para que assim pudesse se aproximar delas. Isso não teria me surpreendido.

Ele estava na origem das coisas e agora eu tinha um significado para meu irmão — ele era uma réstia de luz sob a porta, e, mesmo assim, a porta estava fechada para ele. Apenas pedaços dele podiam vazar e ele terminaria bloqueado, atrás do que havia penetrado. Talvez a culpa fosse totalmente dele. Talvez ele desse boas-vindas para as complicações: ele as criava simplesmente porque precisava delas para sobreviver.

Eu soube então que só poderia acabar mal, ela e Corrigan, essas crianças. Um ou outro iria ficar despedaçado. E no entanto, por que eles não poderiam se apaixonar, ainda que apenas por um curto tempo? Por que Corrigan não poderia viver sua vida no corpo que o fazia sofrer, destroçando-se em alguns lugares? Por que não poderia ter um momento de libertação desse Deus dele? Era uma oficina de torturas, preocupar-se com o mundo, ter que lidar com complexidades quando o que realmente queria era ser comum e fazer coisas simples.

No entanto, nada era simples, certamente não a simplificação. Pobreza, caridade, obediência — ele havia passado sua vida fiel a isso, mas estava desarmado quando elas se viraram contra ele.

Observei Adelita soltar a tira de elástico da cabeça da filha. Deu-lhe um tapinha no bumbum e a enviou de volta para a praia. As ondas rebentavam distantes.

— O que seu marido fazia? — perguntei.

— Ele estava no exército.

— Você sente falta dele?

Ela me encarou.

— O tempo não cura tudo — ela disse, voltando a olhar para a praia —, mas cura bastante. Eu agora vivo aqui. Este é o meu lugar. Não vou voltar. Se é isso que você está me perguntando, eu não vou voltar.

Era um olhar sugerindo que ela era parte de um mistério que não revelaria. Ele era dela agora. Ela havia feito sua declaração. Não poderia na verdade voltar atrás. Recordei Corrigan quando menino, quando tudo era puro e definitivo, quando ele caminhava pela praia em Dublin, maravilhando-se com a dureza de uma concha, ou o barulho de um avião voando baixo, ou o campanário de uma igreja, os pedaços do que ele pensava ser garantido a seu redor, escrito no interior daquele maço de cigarros.

NOSSA MÃE COSTUMAVA fazer uso de uma artimanha ao começar suas histórias: "Era uma vez e há muito tempo, na verdade há tanto tempo que eu não poderia ter estado lá, e se estivesse, não poderia estar aqui, mas eu estou aqui, e não estava lá, e de qualquer maneira vou contar a vocês: Era uma vez e há muito tempo...", e ela se lançava então em uma história de sua própria invenção, fábulas que levavam meu irmão e eu a lugares diferentes, e despertávamos de manhã imaginando se tínhamos sonhado partes diferentes do mesmo sonho ou se tínhamos duplicado um ao outro, ou se em algum estranho mundo nossos sonhos tivessem se cruzado e trocado de lugar um com o outro, algo que eu teria feito facilmente depois de ficar sabendo da batida de Corrigan na proteção da avenida: *Ensine-me, irmão, como viver*.

Todos nós já ouvimos falar dessas coisas antes. A carta de amor chegando no momento em que a xícara de chá cai. A guitarra dando um acorde junto com o último suspiro. Eu não atribuo isso a Deus ou a sentimentos. Talvez à sorte. Ou talvez sorte seja apenas outra maneira de tentar convencer a nós mesmos de que somos valiosos.

No entanto, o fato simples da questão é que havia acontecido e nada que tivéssemos feito teria evitado — Corrigan na direção da van, depois de passar todo o dia nas Tumbas e nos tribunais do centro de Manhattan, dirigindo para o norte ao longo da FDR, com Jazzlyn ao lado dele no banco de passageiro, seus saltos altos amarelos e seu maiô neon, gargantilha apertada em volta de seu pescoço, e Tillie trancafiada por uma acusação de roubo, ela havia assumido a culpa, e meu irmão estava dando uma carona para Jazzlyn de volta para suas crianças, que eram mais do que chaveiros, mais do que uma sacudida no ar, e eles estavam indo velozes ao longo do East River, cercados pelos edifícios e as sombras, quando Corrigan quis mudar de faixa, talvez tenha ligado o pisca-pisca, talvez não, talvez estivesse tonto ou cansado ou distraído, talvez tenha tomado algum medicamento que o retardou ou nublou sua visão, talvez tenha pisado no breque, talvez tenha cortado muito abruptamente, talvez estivesse murmurando gentilmente o pedaço de uma música, quem sabe, mas disseram que ele foi cortado pela traseira por um carro de luxo, um carro de antiquário, ninguém viu o motorista, um veículo dourado desfilando para recolher seus próprios aplausos diários, que atingiu a traseira da van, uma raspada de leve, mas que mandou Corrigan em um giro por todas as três faixas, como uma grande coisa marrom dançante, elegante por um milésimo de segundo, e eu penso agora em Corrigan apertando a direção, assustado, seus olhos grandes e ternos, enquanto Jazzlyn a seu lado gritava, e seu corpo se endurecia, o pescoço tenso, tudo em lampejos à sua frente — sua curta vida viciosa —, e a van derrapou na rodovia seca, bateu em um carro, bateu em um caminhão de jornais e se chocou de frente contra a proteção da rodovia, e Jazzlyn foi de cabeça pelo para-brisa, sem cinto de segurança, um corpo já a caminho do céu, e Corrigan foi empurrado para trás pelo volante, que pegou seu peito e esmagou seu esterno, sua cabeça ricocheteando no vidro já estilhaçado, cheio de sangue, e então ele foi chicoteado para trás no banco com tanta força que a armação de metal do assento se despedaçou, toneladas de metal em movimento, a van ainda rodopiando de um lado da estrada para o outro, e o corpo de Jazzlyn, quase despido, fez um arco pelo ar, a noventa ou cem quilômetros por hora, e ela colidiu com um monte empilhado ao lado da proteção da rodovia, um pé curvado no ar como se pisasse para cima, ou querendo pisar para cima, e a única coisa dela que eles encontraram depois na van foi um salto amarelo, com uma Bíblia pousada bem a seu lado, tendo caído do porta-luvas, um em cima do outro e ambos cobertos de vidro, e Corrigan, ainda respirando, foi jogado por toda parte, colidindo de lado, de modo que terminou com seu corpo esmagado junto ao acelerador e ao freio, e o motor girava como se ainda quisesse ir rápido e ser parado ao mesmo tempo, o peso todo de Corrigan em ambos os pedais.

No começo, eles tinham certeza de que ele estava morto, e o colocaram em um vagão mortuário com Jazzlyn. Uma tosse de sangue alertou um paramédico. Ele foi levado para um hospital no East Side.

Quem sabe onde nós estávamos, dirigindo de volta, em outra parte da cidade, em uma ladeira, em um engarrafamento, em um pedágio — isso importa? Havia uma pequena bolha de sangue na boca do meu irmão. Nós íamos dirigindo, cantando tranquilamente, enquanto as crianças no banco de trás cochilavam. Albee tinha resolvido um problema para si mesmo. Chamou-o de xeque-mate mútuo. Meu irmão foi carregado para uma ambulância. Não havia nada que pudéssemos ter feito para salvá-lo. Nenhuma palavra que pudesse trazê-lo de volta. Tinha sido um verão de sirenes. A dele foi mais uma. As luzes giravam. Eles o levaram para o hospital Metropolitan, a sala de emergências. Sangue no piso atrás deles. Duas listras finas das rodas traseiras da maca. Feridos por todo lado. Deixei Adelita e seus filhos na frente da minúscula casa de madeira onde viviam. Ela se virou e olhou para mim sobre o ombro, acenou. Sorriu. Ela era dele. Ela serviria para ele. Ela era legal. Ele encontraria seu Deus com ela. Meu irmão foi empurrado para a sala de triagem. Gritos e sussurros. Uma máscara de oxigênio sobre o rosto. O tórax aberto. Um pulmão arruinado. Tubos inseridos para mantê-lo respirando. Uma enfermeira com uma pulseira de medir manualmente a pressão do sangue. Fiquei sentado no volante da van vendo as luzes se acenderem na casa de Adelita. Vi a forma dela contra as cortinas leves até que outras mais pesadas foram puxadas. Dei partida no motor. Eles o seguraram em tração com contrapesos acima da cama. Uma única máquina de respirar ao lado de sua cama. O chão tão escorregadio com o sangue que os internos tiveram de limpar os pés.

Eu segui dirigindo, distraído. As ruas do Bronx eram cheias de buracos. Incêndios laranja e cinza. Alguns garotos dançando nas esquinas. Seus corpos em fluxo. Como se tivessem descoberto alguma coisa inteiramente nova sobre si mesmos, sacudindo-se todos como um tipo de fé. Eles esvaziaram a sala enquanto tiravam raios X. Estacionei sob a ponte onde havia passado a maior parte do meu verão. Algumas garotas estavam espalhadas aquela noite — as que não estavam no momento da batida policial. Algumas andorinhas cortaram o ar saindo de baixo das vigas. Semeando o céu. Elas não me chamaram. Meu irmão no hospital Metropolitan, ainda respirando. Eu devia ir trabalhar no Queens, mas em vez disso atravessei a rua. Eu não tinha ideia do que estava acontecendo. O sangue aumentando em seus pulmões. Em direção ao barzinho. A jukebox explodindo. The Four Tops. Linhas intravenosas. Martha and the Vandellas. Máscara de oxigênio. Jimi Hendrix. Os médicos não usaram luvas. Eles o estabilizaram. Deram-lhe uma injeção de morfina. Direto nos músculos. Estranharam as marcas na parte interna do seu braço. Acharam que era um viciado, a princípio. A notícia era que ele havia chegado com uma prostituta morta. Acharam uma medalha religiosa no bolso de suas calças. Saí do bar e atravessei o bulevar tarde da noite, meio bêbado.

Uma mulher gritou meu nome. Não era Tillie. Eu não me virei. Escuro. No pátio, alguns garotos estavam chapados e jogavam basquete sem bola. Todos empenhados em ajudá-lo. As luzes da máquina respiratória zumbindo. Uma enfermeira inclinou-se. Ele estava murmurando alguma coisa. Que últimas palavras? *Escureça este mundo. Liberte-me. Dê-me amor, Senhor, mas ainda não.* Eles levantaram a máscara dele. Cheguei ao quinto andar do conjunto. As escadas me deixaram sem fôlego. Corrigan estava no quarto do hospital, no espaço confinado de suas próprias orações. Eu me apoiei na porta do apartamento. Alguém tentara forçar a fechadura dourada. Alguns livros estavam espalhados pelo chão. Não havia nada para levar. Talvez ele tenha entrado e saído da consciência, entrado e saído. Testes iam dizer quanto sangue ele havia perdido. Entrado e saído. Entrado e saído. As batidas na porta vieram às duas da madrugada. Não eram muitas. Gritei que entrassem. Ela empurrou a porta devagar. A máquina respiratória do meu irmão estava a meio passo. Entrando e saindo. Ela segurava um batom. Disso eu me lembro. Não a garota que eu conhecia. Jazzlyn sofreu um acidente de carro, ela disse. Talvez uma amiga dela. Não uma puta. Quase casualmente. Assim, com um dar de ombros. O batom passando por sua boca. Um talho vermelho vivo. A máquina de respirar do meu irmão bipando. A linha como água. Sem retornar a nenhum lugar original. Eu disparei pela porta. Pelos grafites. Agora a cidade os vestia. Os remoinhos, as espirais. Emanações do novo.

Parei na casa de Adelita. Oh, Jesus, ela disse. O choque em seus olhos. Ela jogou uma jaqueta sobre a camisola. Vou pegar meus meninos, disse. Ela os aconchegou nos meus braços. O táxi correu, lampejando suas luzes. No hospital, seus meninos ficaram sentados na sala de espera. Desenhando com lápis de cera. Em jornal. Nós corremos para achar Corrigan. Oh, ela disse. Oh. Oh, Deus. Portas se abrindo por todo canto. Fechando outra vez. As luzes fluorescentes sobre nós. Corrigan estava em uma pequena cela de monge. Um médico fechou a porta na nossa cara. Sou enfermeira, Adelita disse. Por favor, por favor, deixe-me vê-lo, eu tenho que vê-lo. O médico se virou com um balançar de ombros. Oh, Deus. Oh. Nós empurramos duas cadeiras muito simples de madeira até sua cama. Ensine-me quem eu posso ser. Ensine-me o que posso me tornar.

O médico entrou, prancheta no peito. Falou baixo de ferimentos internos. Uma linguagem completamente nova de traumas. O eletrocardiograma bipou. Adelita se inclinou para ele. Ele estava dizendo alguma coisa em sua névoa de morfina. Ele tinha visto uma coisa bonita, murmurou. Ela beijou a testa dele. A mão dela no pulso dele. O monitor do coração vacilando. O que ele está dizendo?, perguntei a ela. Do lado de fora, o ruído de rodas pelo corredor. Os gritos. Os soluços. A estranha risada dos plantonistas. Corrigan murmurou uma coisa para ela outra vez, o sangue formando bolhas em sua boca. Eu toquei o antebraço dela. O que ele está dizendo? Coisas sem sentido, ela disse, ele está falando coisas sem sentido. Está tendo alucinações. O ouvido dela na boca dele agora. Ele quer um padre? É isso que ele quer? Ela se virou para mim. Ele disse que viu uma coisa bonita. Ele quer um padre?, gritei. Corrigan estava levantando levemente a cabeça outra vez. Adelita se abaixou sobre ele. Seu reino de calma. Ela estava chorando de mansinho. Oh, ela disse, sua testa está fria. Sua testa está muito fria.

MIRÓ, MEU MIRÓ

Lá FORA, OS SONS DA PARK AVENUE. TRANQUILOS. Ordenados. Controlados. Mesmo assim, seus nervos estão irritados. Ela está prestes a receber as mulheres. A perspectiva amarra um pequeno nó na base de sua espinha. Ela traz as mãos até os cotovelos, envolve os antebraços. O vento encrespa as cortinas leves das janelas. Renda de Alençon. Feita à mão, rebordada, com guarnição de seda. Nunca foi muito de renda francesa. Ela teria preferido um tecido comum, um voile leve. A renda foi ideia de Solomon, tempos atrás. Material para casamentos. A boa liga. Ele lhe trouxe o desjejum nesta manhã, na bandeja com três alças. Croissant, com uma leve cobertura de açúcar. Chá de camomila. Uma pequena fatia de limão ao lado. Ele até se deitou na cama de terno e tocou seu cabelo. Beijou-a antes de sair. Solomon, sábio Solomon, pasta na mão, para a cidade. O leve gingado de seus passos. A batida seca de seus sapatos engraxados no piso de mármore. Seu adeus rosnado em tom baixo. Não maldoso, apenas rouco. Às vezes ela se espantava — aí está meu marido. Aí vai ele. Da mesma maneira como tem ido há 31 anos. E então uma espécie de silêncio interrompido. Os sons flutuando, o estalo da fechadura, a campainha distante, o rapaz do elevador — Bom-dia, Sr. Soderberg! —, o gemido da porta, o estrépito do mecanismo, o murmúrio suave de descida, o tinido da parada no saguão abaixo, a melodia dos cabos subindo.

Ela puxa as cortinas e espia pela janela uma vez mais, avista a ponta da barra do terno cinza de Solomon enquanto ele desaparece entrando em um táxi. A pequena cabeça calva afunda. A batida da porta amarela. Para o tráfego, e para longe.

Ele nem mesmo sabe sobre as visitas — ela lhe dirá em algum momento, mas não ainda, não faz mal. Talvez esta noite. No jantar. Velas e vinho. *Adivinhe, Sol.* Enquanto ele se arruma na cadeira, o garfo na mão. *Adivinhe.* Um leve suspiro dele. *Apenas me conte, Claire, querida — tive um dia longo.*

Desliza rápido da camisola. Seu corpo no espelho de corpo inteiro. Um pouco pálido e enrugado, mas ela ainda consegue se esticar com ele. Espreguiça-se, mãos bem alto no ar. Alta, ainda esbelta, cabelo preto retinto, uma única listra de cabelos grisalhos parecendo a marca de um texugo nas têmporas. Cinquenta e dois anos. Ela passa um pano úmido sobre o cabelo e o penteia com um pente de madeira. Vira a cabeça para o lado e aperta o cabelo ao comprido na palma da mão. Emaranhado nas pontas. Hora de um corte. Limpa o pente e mergulha os fios na lata de lixo que abre com o pé. Dizem que o cabelo do morto ainda cresce. Adquire vida própria. Lá embaixo, com todos os outros detritos, lenços, estojos de batom, tampas de pasta de dente, pílulas para alergia, delineador, remédio para o coração, juventude, cortador de unha, fio dental, aspirina, pesar.

Mas por que será que os cabelos grisalhos nunca são os que caem? Aos 20 anos, ela odiara a listra de texugo que apareceu de uma hora para outra, ela a tingia, escondia, cortava. Agora a listra a define, o elegante vislumbre de grisalho, de lado nas têmporas.

Uma estrada em meu cabelo. Não ultrapasse.

Coisas a fazer. Rápido, rápido. Privada. Esfregar a escova de dente. Uma leve maquiagem. Um pouco de ruge. Um delineador leve e uma pincelada de batom. Nunca foi de muita maquiagem. Na cômoda, ela para. Sutiã e calcinha bege simples. Seu vestido favorito. De seda estampada verde-clara, com estampa de conchas. Um vestido reto, mais largo embaixo. Sem mangas. Um pouco acima do joelho. Laços no decote. Zíper atrás. Na moda e feminista ao mesmo tempo. Não demasiado luxuoso nem escandaloso, mas contemporâneo, modesto, bom.

Ela ergue um pouco a barra. Estica o pé. Pernas que cintilam, disse Solomon anos atrás. Ela lhe disse uma vez que ele fazia amor como um homem enforcado, ereto mas morto. Uma piada que havia escutado em um espetáculo de Richard Pryor. Fora sozinha, usando o passe de um amigo da imprensa. Situação inédita. Não achou o espetáculo nem incrível nem enfadonho. Mas Solomon ficou uma semana emburrado — três dias por sua implicância, quatro dias por ela de fato ter ido ao espetáculo. *Liberação feminina*, ele disse. *Queime seu sutiã, perca o bom senso.* Um homem pequeno, doce. Devotado aos bons vinhos e martínis. A última península de cabelo em sua cabeça. Precisa de filtro solar no verão. Sardas no cocuruto. Os verões de antigamente ainda em volta dos olhos. Quando se conheceram em Yale ele tinha uma mecha de cabelo, clara e grossa sobre os olhos. Em Hartford, como advogado iniciante, ele caminhava pelas aleias com Wallace Stevens, logo quem, os dois de camisetas sem mangas. *Dali não saiu pássaro nem arbusto. Como nada mais no Tennessee.* Em casa com ela, faziam amor na cama de quatro colunas. Deitavam-se nos lençóis e ele tentava recitar poemas no ouvido dela. Raras vezes conseguia recordar os versos. Mesmo assim, era uma maravilha sensual, seus lábios na ponta de sua orelha, o lado de sua nuca, até sua clavícula, o brilho de entusiasmo dele. A cama quebrou uma noite com suas travessuras. Atualmente não é frequente, mas ainda acontece muito, e ela ainda estende a mão para agarrar o cabelo dele por trás. Já não tão espesso. A ponta do caule onde antes estava a fruta. Os bandidos na corte ficam quietos até serem sentenciados, então o martelo é batido e eles gritam e berram e se agitam, xingando-o de nomes sujos. Ela já não vai mais à cidade acompanhá-lo ao salão de madeira escura para presenciar — por que aguentar o abuso? *Ei, Kojak! Quem ama você, bebê?* No gabinete dele tem uma fotografia dela, no litoral, com Joshua, só um garoto, ambos recostados ao lado um do outro, mãe e filho, cabeças se tocando, as dunas atrás deles intermináveis e relvadas.

Ela sente um pequeno murmúrio em sua costela, uma onda de ar. Joshua. Não é nome para um garoto de uniforme.

O colar com a mão de um fantasma. Às vezes acontece. Uma pequena afluência de sangue chega a sua garganta. Uma garra em sua traqueia. Como se alguém a apertasse, uma restrição momentânea. Ela se vira para o espelho, de lado, depois de frente, de lado outra vez. A ametista? Os braceletes? O pequeno cordão de couro que Joshua lhe deu quando tinha 9 anos? Ele desenhou uma fita vermelha no embrulho marrom. Com giz de cera. *Toma, mamãe*, disse, depois correu e se escondeu. Ela o usou durante anos, sobretudo em casa. Teve que remendá-lo duas vezes. Mas agora não, não hoje, não. Ela o enfia de novo na gaveta. É demais. De qualquer maneira, um colar seria vistoso demais. Ela estremece com o seu reflexo. Crise do petróleo, crise de reféns, crise de colares. Eu preferiria estar mergulhada na solução de algoritmos. Essa era a especialidade dela. Época da faculdade. Uma de apenas três mulheres do departamento de matemática. Ela era confundida com a secretária quando passava pelos corredores. Tinha que caminhar de olhos baixos. Uma mulher de dois sapatos. Conhecia muito bem o piso. As complexidades dos ladrilhos. Onde os rodapés estavam quebrados.

Nós encontramos, como nas joias antigas, os dias passados de nossas vidas.

Brincos, então? Brincos. Um par de minúsculas conchas marítimas compradas em Mystic há dois verões. Enfia a pequena barra de prata no furo da orelha. Vira-se para o espelho. Estranho ver a tensão em seu pescoço. Não é meu. Não esse pescoço. Cinquenta e dois anos naquela mesma pele. Ela estica o queixo e sua pele se retesa. Inútil, mas melhor assim. Os brincos contra o vestido. Conchas marinhas com conchas marinhas. Com chás. Na praia. Deixa-os cair na caixinha de joias e mexe-remexe lá dentro. Olha para o relógio da cômoda.

Rápido, rápido.

Quase na hora.

Ela esteve em quatro casas nos últimos oito meses. Todas simples, limpas, comuns, agradáveis. Staten Island, Bronx, duas no Lower East Side. Nada de extraordinário. Só uma reunião de mães. Foi tudo. Mas elas ficaram de boca aberta com o endereço dela quando finalmente souberam onde era. Conseguira dar um jeito de evitar isso por um tempo, mas então elas foram ao apartamento de Gloria no Bronx. Um conjunto habitacional. Ela nunca tinha visto nada assim antes. Marcas de chamuscados nas portas. O cheiro de ácido bórico no saguão. Agulhas no elevador. Ficou aterrorizada. Subiu até o 11º andar. Uma porta de metal com cinco trancas. Quando ela tocou, a porta vibrou nas dobradiças. Mas dentro o apartamento brilhava. Dois enormes candelabros pendurados no teto, baratos mas encantadores. A luz deixava o lugar livre de sombras. As outras mulheres já estavam lá — sorriram para ela, afundadas no sofá baixo. Beijinho-beijinho, todas elas, e a manhã passou suave. Elas até esqueceram onde estavam. Gloria alvoroçava-se em volta, mudando porta-copos, trocando guardanapos, abrindo as janelas para as fumantes, depois lhes mostrou o quarto dos filhos. Ela havia perdido três garotos, imagine — três! —, pobre Gloria. O álbum de fotos estava estufado de lembranças: cortes de cabelo, encontros esportivos, formaturas. Os troféus de beisebol foram passados pela sala. Era uma manhã deliciosa, tudo perfeito, e passou, passou, passou. E então o relógio em cima do aquecedor mostrou o meio-dia e a conversa chegou à próxima vez. *Bem, Claire, você é a próxima*. Ela sentiu como se sua boca fosse feita de giz. Quase a engoliu enquanto falava. Como uma desculpa. Olhando para Gloria o tempo todo. *Bem, eu moro na Park com a 76th*. Silêncio, então. *Vocês pegam o seis*. Ela havia treinado isso. E então disse: *O trem*. E então: *O metrô*. E então: *No último andar*. Nada disso soou direito, da maneira como ela falou, como se as palavras não coubessem bem em sua boca. *Você mora na Park?*, perguntou Jacqueline. Outro silêncio. *Que legal*, disse Gloria, um lampejo de luz em seus lábios onde ela os lambera, como se tivesse alguma coisa a ser removida dali. E Marcia, a designer de Staten Island, bateu as mãos. *Chá com a Rainha!*, disse, brincando, nenhuma intenção de ofender, realmente, mesmo assim a frase pulsou, uma breve ferida.

Claire havia lhes contado, na primeira reunião, que vivia no East Side, isso foi tudo, mas elas deviam ter imaginado, embora ela usasse calças compridas e tênis, nenhuma joia, deviam ter intuído de alguma forma que era o *Upper* East Side, e então Janet, a loura, inclinou-se para a frente e falou estridente: *Oh, nós não sabíamos que você morava lá em cima.*

Lá em cima. Como se fosse um lugar a escalar. Como se elas tivessem que subir até lá. Cordas e capacetes e mosquetões.

Na verdade, ela se sentira fraca. Como se tivesse ar na parte de trás de suas pernas. Como se estivesse tentando se mostrar. Esfregar nos narizes delas. Todo o seu corpo balançou. Ela gaguejou. *Eu cresci na Flórida. É muito pequeno, na verdade. O encanamento é um absurdo. O teto é uma bagunça*. Ela estava a ponto de dizer que não tinha quem a ajudasse — não *criadas*, ela nunca teria dito *criadas* — quando Gloria, querida Gloria, disse: *Caramba! Park Avenue, eu só cheguei lá com o Banco Imobiliário!* E todas riram. Jogaram os traseiros para trás e morreram de rir. Isso lhe deu uma chance para tomar um gole d'água. Forçar um sorriso. Respirar. Elas mal podiam esperar. *Park Avenue! Não dá para acreditar, não me diga que é aquele prédio púrpura?* Bem, não era o prédio púrpura. O púrpura era o Park Place, mas Claire não disse uma palavra, por que se exibir? Elas saíram juntas, todas exceto Gloria, claro. Gloria acenou para elas da janela do 11º andar, seu vestido estampado nas barras da janela à altura do peito. Parecia tão perdida e linda lá em cima. Era a época da greve dos lixeiros. Ratos saíam dos entulhos. Prostitutas nas passagens subterrâneas. De shorts e bustiê, mesmo com as pancadas de neve. Abrigando-se do frio. Correndo para os caminhões quando eles passavam. Nuvens brancas de respiração saindo delas. Horríveis balões de legendas de quadrinhos. Claire desejou se lançar de volta pelas escadas e trazer Gloria com ela, levá-la para longe dessa bagunça horrível. Mas não havia volta ao 11º andar. O que ela diria? *Vamos, Gloria, passe, pegue seus duzentinhos do Banco Imobiliário, caia fora da prisão.*

Elas tinham caminhado até o metrô em um grupo fechado, quatro mulheres brancas, segurando suas bolsas só um pouco apertadas demais. Poderiam ser confundidas com assistentes sociais. Todas bem-vestidas, mas não demais. Esperaram pelo metrô num silêncio sorridente. Janet batia nervosamente o sapato. Marcia arrumou a maquiagem em um pequeno espelho. Jacqueline jogou para trás seus longos cabelos ruivos. O metrô chegou, um aluvião de grandes turbilhões coloridos, e elas entraram. Era um desses vagões cobertos de grafites da cabeça aos pés. Até as janelas estavam riscadas. Dificilmente um Picasso móvel. Elas eram as únicas mulheres brancas do vagão. Não que ela se importasse em andar de metrô. Só não ia lhes contar que era só sua segunda vez. Mas ninguém olhou atravessado para elas, nem disse um palavrão. Ela desceu na 68th para poder caminhar, tomar ar, ficar só. Caminhou pela avenida, perguntando-se por que havia se juntado a elas, pra começar. Eram tão diferentes, tinham tão pouco em comum. Mas, ainda assim, ela gostava de todas, realmente gostava. Especialmente de Gloria. Ela não tinha nada contra ninguém — por que teria? Detestava aquela maneira de falar. Uma vez, na Flórida, seu pai disse ao jantar: *Eu gosto dos negros, sim senhor, acho que todos deveriam ter um.* Ela saiu violentamente da mesa e ficou em seu quarto durante dois dias. Seu jantar lhe foi passado por baixo da porta. Bem, não passado por baixo. Foi entregue para ela pela fresta da porta. Dezessete anos e prestes a ir para a faculdade. *Diga ao papai que não vou sair daqui até ele se desculpar.* E ele se desculpou. Passos pesados pela escada em curva. Abraçou-a com seus grandes braços redondos sulistas e a chamou de moderna.

Moderna. Como um artefato. Uma pintura. Um Miró.

Mas é só um apartamento, afinal. Um apartamento. Nada mais. Talheres de prata e porcelana e janelas e adornos e utensílios de cozinha. Só isso. Nada mais. Despretensioso. Bastante comum. O que mais poderia ser? Nada. Deixe-me lhe dizer, Gloria, as paredes entre nós são bem finas. Alguém grita e elas desabam. Caixas de correspondência vazias. Ninguém escreve para mim. A direção do condomínio é um pesadelo. Pelo de cachorro nas máquinas de lavar. Porteiro na entrada de luvas brancas e calças vincadas e dragonas, mas um segredinho só entre nós: ele não usa desodorante.

Um arrepio rápido passa por ela: o porteiro.

Dúvida, será que ele vai questioná-las muito? Quem está lá hoje? Melvyn, será? O novo? Quarta, Melvyn, sim. E se ele confundi-las com criadas? Se lhes indicar o elevador de serviço? Preciso interfonar e avisá-lo. Brincos! Sim. Brincos. Rápido, vamos. No fundo da caixa, um par antigo, botões simples de prata, usados raramente. O lingote está um pouco enferrujado, mas não importa. Ela molha cada suporte na boca. De relance, olha-se novamente no espelho. O vestido de estampa de concha, o cabelo na altura do ombro, a faixa de cabelos grisalhos. Ela foi confundida uma vez com a mãe de uma jovem intelectual vista na televisão, falando de fotografia, o momento da tomada, a arte desafiadora. Ela também tinha uma faixa grisalha. *Fotografias mantêm vivos os mortos*, a moça tinha dito. Não é verdade. Muitíssimo mais que fotografias. Muitíssimo mais.

Os olhos já um pouco molhados. Nada bom. Anime-se, Claire. Ela pega um lenço de papel perto das estatuetas de vidro na cômoda, seca os olhos. Corre para o corredor interno, pega o interfone antigo.

— Melvyn?

Ela toca de novo. Talvez lá fora fumando.

— Melvyn?

— Sim, Sra. Soderberg?

Sua voz calma, igual. Galês ou escocês — ela nunca perguntou.

— Algumas amigas virão *jantar* comigo esta manhã.

— Sim, senhora.

— Quero dizer, elas virão para o café da manhã.

— Sim, Sra. Soderberg.

Ela passa o dedo pelo revestimento de madeira escura do corredor. *Jantar*? Eu realmente disse *jantar*? Como eu pude dizer *jantar*?

— Por favor, receba-as bem.

— Com certeza, senhora.

— São quatro.

— Sim, Sra. Soderberg.

Respirando no interfone. Aquela confusão de bigode ruivo sobre o lábio dele. Deveria ter perguntado de onde ele era quando ele começou a trabalhar. Rude não ter perguntado.

— Algo mais, senhora?

Mais rude ainda perguntar agora.

— Melvyn? No elevador correto.

— Com certeza, senhora.

— Obrigada.

Ela encosta outra vez a cabeça no frio da parede. Ela não deveria ter dito nada sobre o elevador correto ou incorreto. Uma vergonha, teria dito Solomon. Melvyn ficará lá, paralisado, e então as colocará no errado. *O elevador ali à direita, senhoras. Podem entrar.* Ela sente um rubor de vergonha nas faces. Mas usou a palavra jantar, não usou? Ele dificilmente confundirá isso. *Jantar* em vez de café da manhã. Ah, meu Deus.

A vida superexaminada, Claire, não vale a pena viver.

Ela se permite um sorriso e volta pelo corredor até a sala de jantar. Flores no lugar. Sol explodindo da mobília branca. A gravura de Miró sobre o sofá. Os cinzeiros colocados em pontos estratégicos. Espero que elas não fumem aqui dentro. Solomon odeia fumaça. Mas todas fumam, até ela. É o cheiro que o incomoda. O cheiro de queimado. Ah, bem. Talvez ela fume com elas, de qualquer maneira, sopre fumaça, a pequena chaminé, o pequeno holocausto. Palavra terrível. Nunca a escutou quando criança. Foi criada como presbiteriana. Um pequeno escândalo quando casou. A voz estrondosa de seu pai. *Ele é o quê? Um judeu? De New England?* E o pobre Solomon, mãos apertadas nas costas, olhando pela janela, ajustando a gravata, ficando quieto, aguentando o insulto. Mesmo assim, eles levavam Joshua para a Flórida, para as praias de Lochloosa Lake, todo verão. Caminhar pelo pequeno bosque de mangueiras, todos os três de mãos dadas, Joshua no meio, um dois três jááááááá.

Foi na mansão que Joshua aprendeu a tocar piano. Cinco anos. Ele se sentava no banquinho de madeira, deslizava os dedos para cima e para baixo nas teclas. Quando voltaram à cidade combinaram aulas no porão do Whitney. Recitais de gravata-borboleta. Seu blazerzinho azul com botões dourados. O cabelo repartido para a esquerda. Ele costumava adorar apertar o pedal dourado com o pé. Dizia que queria dirigir o piano até sua casa. Vruuuum, vruuum. Eles compraram um Steinway para ele no aniversário e com 8 anos ele tocava Chopin antes do jantar. Coquetéis na mão, eles se sentavam no sofá e escutavam.

Bons dias, eles chegam pelos lados mais estranhos.

Ela pega os cigarros escondidos debaixo da tampa do banco do piano e vai até o fundo do apartamento, abre a pesada porta dos fundos. Era a entrada da criada. Muito tempo atrás, quando havia esse tipo de coisa: criadas e entradas. Sobe as escadas do fundo. Ela é a única no prédio que usa o telhado. Empurra a porta corta-fogo para abrir. Nada de alarme. A rajada de calor da cobertura de piso escuro. A direção do condomínio tentara havia anos instalar uma varanda no telhado mas Solomon reclamou. Não quer passos sobre ele. Nem fumantes. Um desmancha-prazeres por conta disso. Odeia o cheiro. Solomon. Um homem bom, doce. Mesmo com sua camisa de força.

Ela fica parada na porta e inala profundamente, lança uma pequena nuvem de fumaça para o céu. A vantagem do último andar. Ela se recusa a chamar de cobertura. Algo de malicioso nisso. Algo de luxo e de revistas. Ela havia disposto uma pequena fileira de vasos, à sombra da parede. Dão mais trabalho do que merecem, às vezes, mas ela gosta de saudá-las nas manhãs. Floribundas e alguns chás híbridos variados.

Inclina-se para a fileira de vasos. Uma manchinha amarela nas folhas. Lutando contra o verão. Ela bate as cinzas a seus pés. Uma brisa agradável do leste. O bafejo do rio. A televisão ontem anunciou uma ligeira mudança para chuva. Nenhum sinal. Algumas nuvens. *Chove nos vivos e nos mortos, mamãe, só que os mortos têm os melhores guarda-chuvas.* Talvez a gente puxe as cadeiras até aqui, todas as quatro, não, cinco, e colocaremos os rostos ao sol. Na tranquilidade do verão. Que seja. Joshua gostava dos Beatles, costumava escutá-los em seu quarto, dava para escutar o barulho mesmo através dos fones que ele amava. "Let it be". Canção tola, realmente. Você deixa acontecer e a coisa retorna. Essa é a verdade. Você deixa acontecer e ela arrasta você para o chão. Você deixa acontecer e ela sobe rastejando por suas paredes.

Ela traga outra vez o cigarro e olha por sobre o muro. Uma vertigem momentânea. O arroio dos táxis amarelos ao longo da rua, o rastejar do verde no meio da avenida, as árvores novas recém-plantadas.

Não anda acontecendo muita coisa na Park. Todos foram para suas casas de verão. Solomon, nem morto. Garoto urbano. Gosta de suas horas tardias. Mesmo no verão. O beijo dele essa manhã me fez bem. E o perfume de sua colônia. A mesma de Joshua. Oh, o dia que Joshua fez a barba pela primeira vez! Oh, que dia! Cobriu-se de espuma. Tão cuidadoso com o barbeador. Fez uma avenida pela bochecha, mas se cortou no pescoço. Rasgou um pedaço minúsculo do *Wall Street Journal* do pai. Lambeu e colou na ferida. A página de negócios coagulando seu sangue. Andou com o jornal no pescoço por uma hora. Teve que molhar para tirá-lo. Ela ficou parada na porta do banheiro, sorrindo. Meu garotão grande e alto, barbeando-se. Muito tempo atrás, muito tempo atrás. As coisas simples voltam a nós. Elas descansam um pouco em nossa coluna e então de repente pegam nossos corações e os torcem um grau para trás.

Nenhum jornal foi grande o suficiente para colá-lo inteiro outra vez em Saigon.

Ela dá outra grande tragada, deixa a fumaça se instalar em seus pulmões — havia escutado em algum lugar que os cigarros são bons para o sofrimento. Uma grande tragada e você se esquece de como chorar. O corpo está muito ocupado cuidando do veneno. Não admira que eles os deem de graça para os soldados. *Lucky Strikes.*

Ela espia uma mulher negra dobrando a esquina. Alta e peituda. Trajando um vestido florido. Talvez Gloria. Mas sozinha. Uma governanta, provavelmente. Nunca se sabe. Ela gostaria de descer correndo as escadas e ir até a esquina e erguê-la, Gloria, de todas elas a sua favorita, tomá-la nos braços, trazê-la para cá, fazê-la se sentar, fazer um café para ela, conversar e rir e sussurrar e fazê-la pertencer, simplesmente pertencer. Isso é tudo que ela quer. Nosso pequeno clube. Nossa pequena interrupção. Muito querida Gloria. Lá no alto daquele seu prédio toda noite e dia. Como ela foi viver em um lugar assim? As cercas fechadas com corrente. A confusão do lixo. O fedor terrível. Todas aquelas jovens do lado de fora vendendo os corpos. Dando a impressão de que cairão de costas e usarão seus ossos como colchão. E as rajadas no céu — eles deviam chamar o lugar de Dresden e acabar com ele.

Talvez ela pudesse contratar Gloria. Trazê-la para cá. Tarefinhas de casa. Os cacos para juntar. Elas poderiam se sentar juntas na mesa da cozinha e entreter os dias, fazer um gim-tônica secreto, ou dois, e deixar as horas passarem, ela e Gloria, à vontade, com alegria, sim, Gloria, *in excelsis deo.*

Lá embaixo, na rua, a mulher dobra a esquina e se vai.

Claire apaga o cigarro com os pés e oscila até a porta do terraço. Um pouco tonta. O mundo move-se de lado por um instante. Desce as escadas, a cabeça girando. Joshua nunca fumou. Talvez em seu caminho para o céu ele tenha pedido um. Aqui está meu polegar e aqui está minha perna e aqui está minha garganta e aqui está meu coração e aqui está um pulmão e, ei, vamos juntar tudo isso para um último Lucky Strike.

De volta, pela entrada de serviço, ela escuta o relógio da sala de estar dar as horas.

Para a cozinha.

Zonza, agora. Respira fundo.

Quem precisa de um mestrado para ferver água?

Ela caminha insegura pelo corredor e de volta à cozinha. Balcão de mármore, armários com puxadores dourados, muita maquinaria branca. As outras tinham estabelecido uma regra logo no início de suas manhãs de café: as visitantes são as que devem trazer as baguetes, os bolos, os folheados de queijo, frutas, cookies, rosquinhas. A anfitriã faz chá e café. Bem equilibrado desse jeito. Ela havia pensado em comprar uma bandeja completa de guloseimas na William Greenberg da Madison, pão de ló e torta de pecã e pão trançado e croissants, mas isso seria querer parecer melhor que os outros, ou que as outras, ou qualquer coisa assim.

Ela aumentou o fogo sob a chaleira fervendo. Um pequeno universo de bolhas e calor. Boa torrefação francesa. Satisfação instantânea. Vá dizer isso aos vietcongues.

Uma série de saquinhos de chá no balcão. Cinco pires. Cinco chávenas. Cinco colheres. Talvez o porta-creme com forma de vaca para um toque de humor. Não, é muito. Fantasioso demais. Mas como não rir na frente delas? O Dr. Tonnemann não me disse para rir?

Vá em frente, por favor, ria.

Ria, Claire. Ponha para fora.

Um bom doutor. Não deixava que ela tomasse pílulas. Tente apenas rir um pouco todo dia, é um bom remédio, ele disse. Pílulas eram uma segunda opção. Eu deveria tê-las tomado. Não. Melhor tentar rir. Morrer rindo.

Sim, gargalhar loucamente até os estertores da morte. Um bom doutor, sim. Podia até citar Shakespeare. Gargalhar loucamente, que coisa.

Joshua tinha lhe escrito uma carta uma vez sobre os búfalos-asiáticos. Estava admirado com eles. Sua beleza. Viu uma vez um esquadrão lançando granadas em um rio. Todos rindo alegremente. Estertores da morte, realmente. Quando acabaram com os búfalos-asiáticos, ele disse, os soldados expulsaram com tiros os pássaros de cores vivas das árvores. Imagine se tivessem que contá-los também. *Você pode contar os mortos, mas não pode contar o custo. Não temos matemática no céu, mamãe. Tudo o mais pode ser medido.* Ela revirou mentalmente aquela carta muitas e muitas vezes. Uma lógica em cada coisa viva. Os padrões que você tem nas flores. Nas pessoas. Nos búfalos. No ar. Ele odiava a guerra mas foi chamado quando estava na Califórnia no Centro de Pesquisas de Palo Alto. Foi chamado educadamente, imagine só. O presidente queria saber quantos mortos havia. Lyndon B. Johnson não sabia calcular. Todos os dias os conselheiros chegavam até ele com seus fatos e números e os esparramavam sobre sua escrivaninha. Mortos do Exército. Mortos da Marinha de Guerra. Fuzileiros Navais Mortos. Civis mortos. Diplomatas mortos. Mortos do Hospital Cirúrgico Móvel do Exército. Mortos da Força Delta. Mortos dos Seabes. Mortos da Guarda Nacional. Mas os números não batiam. Alguém estava fazendo alguma confusão em algum lugar. Todos os repórteres e canais de TV estavam arfando na nuca de LBJ e ele precisava de informação adequada. Ele podia ajudar a colocar um homem na Lua, mas não conseguia contabilizar os cadáveres. Enviar um satélite para orbitar, mas não conseguia calcular quantas cruzes haviam sido enfiadas no chão. Uma unidade de ponta em computação. O Esquadrão dos CDFs. Iniciação rápida. Servir sua nação. Cortar o cabelo. *Meu país, nossa pátria, nós temos tecnologia.* Só os melhores e mais brilhantes foram. De Stanford. MIT. Universidade de Utah. U.C. Davis. Seus amigos de Palo Alto. Os que estavam desenvolvendo o sonho do ARPANET. Equipados e enviados. Homens brancos, todos. Havia outros sistemas também — quanto açúcar era usado, quanto petróleo, quantas balas, quantos cigarros, quantas latas de carne em conserva, mas o setor de Joshua eram os mortos.

Sirva seu país, Josh. Se você pode bolar um programa que joga xadrez, certamente é capaz de nos dizer quantos estão caindo frente aos vietcongues Deem-nos todos os seus bits e bytes, heróis. Mostrem-nos como contar os destroçados.

Eles mal conseguiram achar para ele uniformes suficientemente pequenos nos ombros e suficientemente compridos nas pernas. Ele entrou no avião, as calças pelas canelas. Eu devia ter compreendido então. Devia tê-lo simplesmente chamado de volta. Mas ele seguiu. O avião partiu e ficou pequeno no céu. Um acampamento já havia sido construído em Tan Son Nhut. Na base da Força Aérea. Uma pequena banda de metais estava lá para recebê-los, ele disse. Blocos cinza e escrivaninhas de compensado de madeira. Uma sala cheia de PDP-10 e Honeywells. Eles entraram e o lugar começou a zumbir para eles. Uma loja de doces, ele disse.

Ela queria lhe dizer tanta coisa, no aeroporto, no dia que ele partiu. O mundo é dirigido por homens brutais, e a prova mais certa são seus exércitos. Se eles lhe pedirem para ficar parado, você deve dançar. Se lhe pedirem para queimar a bandeira, agite-a. Se lhe pedirem para assassinar, recrie. Teorema, antiteorema, corolário, anticorolário. Sublinhe duas vezes. Está tudo lá nos números. Escute sua mãe. Me escute, Joshua. Olhe em meus olhos. Eu tenho algo a dizer.

Mas ele ficou de pé, cabelo à escovinha e faces vermelhas, em frente a ela, e ela não disse nada.

Diga alguma coisa a ele. Esse brilho em suas faces. Diga alguma coisa. Diga-lhe. Mas ela apenas sorriu. Solomon apertou uma estrela de davi em suas mãos e se virou e disse: *Seja valente*. Ela beijou na testa o adeus. Reparou como as costas de seu uniforme enrugavam e desenrugavam em simetria perfeita, e ela soube, ela apenas soube, no momento em que o viu partir, que o via partir para sempre. *Alô, Central, me passe o céu, acho que meu Joshua está lá.*

Não pode se permitir essa dor no coração. Não. Pegue o café com a colher e alinhe os saquinhos de chá. Pense em resistência. Há uma lógica nisso. Pense e se segure.

Como é estar morto, filho, e será que eu gostaria?

Oh. O interfone. Oh. Oh. Colher caída no chão. Oh. Caminhando rápida pelo corredor. Volta e pega a colher. Tudo pronto agora, pronto, sim. Me dê de volta o corpo vivo dele, Sr. Nixon, e não discutiremos. Pegue este cadáver, com todos os seus 52 anos, e troque-o; eu não me arrependerei, não me queixarei. Apenas devolva-o todo costurado e bonito.

Controle-se, Claire.

Não irei desmoronar.

Não.

Rápido agora. Para a porta. Interfone. Sua mente, ela sabe, precisa de um rápido mergulho na água. Uma momentânea onda de frio, como aquelas pequenas tinas do lado de fora de uma igreja católica. Mergulhe e será curada.

— Sim?

— Suas visitas, Sra. Soderberg.

— Ah. Sim. *Mande-as subir.*

Áspero demais? Rápido demais? Devia ter dito: Maravilha. Ótimo. Com uma grande vaidade na voz. Em vez do "Mande-as subir". Nem mesmo um *por favor*. Como gente contratada. Bombeiros, decoradores, soldados. Ela aperta o botão para escutar. Coisa curiosa, os intercomunicadores antigos. Leve estática e zumbido e uma risada e porta fechada.

— O elevador está bem à frente, senhoras.

Bem, pelo menos isso. Pelo menos ele não lhes indicou o elevador de serviço. Pelo menos elas estão na acolhedora caixa de mogno. Não, não aquela. O elevador.

O zumbido fraco de vozes. Todas elas juntas. Devem ter se encontrado antes. Combinado. Não tinha pensado nisso. Não passou pela sua cabeça. Preferia que não tivessem.

Falaram de mim, talvez. Precisa de um médico. Horrível faixa grisalha no cabelo dela. O marido é juiz. Usa uns tênis absurdos. Força o sorriso. Mora em uma cobertura mas a chama de *último andar*. É terrivelmente nervosa. Acha que é uma de nós mas é na verdade uma esnobe. Está à beira de um colapso.

Como cumprimentá-las? Aperto de mão? Beijinhos no ar? Sorriso? Na primeira vez, elas se abraçaram para se despedir, todas elas, em Staten Island, no degrau de entrada, com o táxi buzinando, os olhos dela raiados de lágrimas, braços em volta umas das outras, todas nós felizes, na casa de Marcia, quando Janet apontou para um balão amarelo preso no alto de uma árvore: *Ah, vamos nos encontrar logo outra vez!* E Gloria tinha apertado o braço dela. Elas tocaram as faces. *Nossos meninos, você acha que eles se conheceram, Claire? Você acha que eles eram amigos?*

Guerra. A repulsiva proximidade dela. O odor de seu corpo. Sua respiração na nuca todo esse tempo, dois anos agora desde a retirada, três, dois e meio, cinco milhões, isso importa? Nada acabou. O creme se torna leite. A primeira estrela da manhã é a última da noite. Ela achava que eles eram amigos? *Bem, eles podem ter sido, Gloria, eles certamente podem ter sido.* O Vietnã era um lugar tão bom para começar quanto qualquer outro. Sim realmente. Dr. King tinha um sonho, e ele não seria envenenado pelos gases nas praias de Saigon. Quando atiraram no bom doutor King, ela enviou mil dólares em notas de vinte para sua igreja em Atlanta. O pai dela vociferou e rugiu. Chamou-o de dinheiro da culpa. Ela não se importou. Havia demasiado para se sentir culpada. Ela era moderna, sim. Deveria ter lhe enviado toda a sua herança. *Gosto dos pais; apenas acho que todos deveriam ser renegados.* Goste ou não, papai, ela vai para o Dr. King, e o que você acha agora de seus negros e judeus?

Oh. A mezuzá na porta. Oh. Esqueci disso. Ela a toca, fica em sua frente. Suficientemente alta para obscurecê-la. O topo de sua cabeça. O estalido do elevador. Por que a vergonha? Mas não é vergonha, realmente não, é? O que haveria para envergonhá-la? Solomon insistiu nisso anos atrás. Isso é tudo. Para a própria mãe dele. Para fazê-la se sentir confortável quando viesse de visita. Para fazê-la feliz. E o que tem de errado nisso? Ela ficou mesmo feliz. Não é suficiente? Não tenho nada de que me desculpar. Fiquei fugindo a manhã inteira, lábios franzidos, com medo de respirar. Engoli um saco de ar. Eu devia estar toda eriçada. Como dizem os mais jovens? Saca essa. Se segura. Cordas e capacetes e mosquetões.

O que foi que eu nunca disse ao Joshua?

Ela vê os números enquanto elas sobem. Um barulho de vento no poço do elevador e uma tagarelice alta. Elas já estão confortáveis. Gostaria de ter encontrado com elas mais cedo, em algum café. Mas aqui estão elas, aqui vêm elas.

O que foi?

— Olá — ela diz —, olá, olá, olá, Marcia! Jacqueline! Vejam só! Entrem, oh, adoro seus sapatos, Janet, por aqui, por aqui. Gloria! Oh, olá, oh, venham, por favor, entrem, é ótimo ver vocês.

A única coisa que você precisa saber sobre a guerra, filho, é: Não vá.

FOI COMO SE ELA pudesse viajar pela eletricidade para vê-lo. Ela olhava para qualquer coisa eletrônica — televisão, rádio, o barbeador de Solomon — e podia se ver lá, viajando pela pura voltagem.

Principalmente, a geladeira. Ela acordava no meio da noite e vagava pelo apartamento até a cozinha e se encostava no congelador. Então abria a porta e se inundava de frio. O que gostava nisso era que a luz não acendia. Ela podia passar do quente para o frio em um instante e permanecer no escuro e não despertar Solomon. Nenhum som, só um leve *plop* da barra de borracha da abertura, e depois o impulso do frio sobre seu corpo, e ela podia fixar o olhar passando pelos fios, os catódios, os transistores, os comutadores manuais, pelo éter, e ela o via, subitamente ela estava exatamente na mesma sala, bem ao lado dele, podia estender a mão e colocá-la em seu antebraço, consolá-lo, onde ele estava sentado sob as luzes fluorescentes, entre as fileiras compridas de escrivaninhas e colchões, trabalhando.

Tinha suspeitas, intuições sobre como tudo funcionava. Ela não era preguiçosa. Tinha sua formação. Mas como seria possível, ela se perguntava, que as máquinas pudessem contar os mortos melhor do que os humanos? Como será que os cartões perfurados dos computadores sabiam? Como uma série de tubos e fios sabia a diferença entre o vivo e o morto?

Ele enviara cartas para ela. Dizia-se um hacker. Parecia uma palavra para derrubar árvores. Mas tudo que significava era que ele programava as máquinas. Criava a linguagem que enganava os interruptores. Mil portões microscópicos se abriam em um instante. Ela imaginava a abertura de um campo. Um portão levava a outro, e outro, montanha acima, e logo ele estava em um rio e longe, navegando pelos fios. Ele disse que estar em um computador o fazia ficar tão zonzo que se sentia como se estivesse deslizando por corrimões, e ela se perguntou a que corrimão ele se referia porque não houve corrimões em sua infância, mas ela aceitou, e o viu lá, nas montanhas em volta de Saigon, deslizando pelos corrimões em direção a um porão de cimento em um prédio de concreto, caminhando até sua escrivaninha, apertando e dando vida aos botões. O cursor de precisão movendo-se rápido na frente de seus olhos. A ruga em sua testa. O exame rigoroso das folhas impressas. Os avanços. Os retrocessos. Os pratos de comida no chão. Os antiácidos espalhados pela escrivaninha. A rede de fios. Os controles girando. O barulho dos ventiladores. Ficava tão quente na sala, ele disse, que eles tinham que dar uma saída a cada meia hora. Do lado de fora, tinham uma mangueira de água para refrescar. De volta a seus monitores, secavam em segundos. Eles chamavam um ao outro de Mac. Mac isso, Mac aquilo. A palavra favorita deles. Conhecimento ajudado pela máquina. Homens contra computadores. Conhecimento de multiacesso. Maníacos e palhaços. Deviam pedir com jeitinho. Podiam acrescentar sacos de colostomia.

Tudo que eles faziam girava em torno das máquinas, ele disse. Eles dividiam, ligavam, colocavam na rede, juntavam, deletavam. Redirecionavam comutadores. Quebravam senhas. Mudavam os mapas de memória. Era um tipo de magia negra. Eles conheciam os mistérios mais profundos de cada um dos computadores. Ficavam lá dentro o dia todo. Trabalhando com palpites, fracassos, intangíveis. Se precisavam dormir, apenas escorregavam para baixo da escrivaninha, cansados demais para sonhar.

A Conta da Morte era o núcleo do seu projeto. Ele tinha de examinar as fichas, codificar todos os nomes, somar os nomes como números. Agrupá-los, rotulá-los, arquivá-los, codificá-los, classificá-los. O problema não era nem os que estavam morrendo mas a superposição das mortes. Os que tinham os mesmos nomes — os Smith e os Rodriguez e os Sullivan e os Johnson. Pais com nomes iguais aos dos filhos. Tios mortos com as iniciais exatas dos sobrinhos mortos. Os que desertaram. As missões divididas. Os relatórios equivocados. Os erros. Os esquadrões secretos, as flotilhas, as forças tarefas, os grupos de reconhecimento. Os que se casaram nas pequenas aldeias rurais. Os que penetraram fundo na selva. Quem poderia ser responsável por eles? Mas ele encaixou-os em seu programa da melhor maneira que conseguiu.

Criou um espaço para todos de modo que pudessem se tornar um tipo de vivos. Ele abaixava a cabeça, trabalhava, não fazia perguntas. Era, ele disse, a coisa patriótica a fazer. O que mais gostava era do momento da criação, quando ele resolvia o que ninguém mais conseguia resolver, quando a solução era limpa e elegante.

Era bastante fácil criar um programa para cotejar os mortos, ele disse, mas o que realmente queria era criar um programa que pudesse dar um sentido aos mortos. Esse era o futuro distante. Um dia os computadores juntariam todas as grandes mentes. Daqui a trinta, quarenta, cem anos. Se antes não explodirmos uns aos outros em pedaços.

Estamos no vórtice do conhecimento humano aqui, mamãe, ele disse. Ele escrevia sobre os sonhos de instalações muito distantes umas das outras compartilharem recursos especiais. De mensagens que fossem capazes de ir e voltar. De sistemas remotos que pudessem ser manipulados através de linhas telefônicas. De computadores que fossem capazes de consertar seus próprios defeitos. De protocolos e modos de apagar arquivos em massa, e impressoras de teletipos e memória e RAM e maximizando o Honeywell e remexendo no protótipo Alto que tinham enviado para lá. Descrevia placas de circuito como algumas pessoas descreviam pingentes de gelo. Disse que os esquimós tinham sessenta e quatro palavras para a neve mas que isso não o surpreendia; ele achava que deveriam ter mais — por que não? Tratava-se do tipo mais profundo de beleza, o produto da mente humana sendo impresso em uma peça de silicone que você um dia poderia levar para todo lado dentro de sua pasta. Um poema em uma rocha. Um teorema em uma lasca de pedra. Os programadores eram os artesãos do futuro. O conhecimento humano é poder, mamãe. Os únicos limites estão em nossas mentes. Ele disse que não havia nada que um computador não pudesse fazer, mesmo os mais complicados problemas, encontrar o valor do pi, a raiz de todas as línguas, a estrela mais distante. Era uma loucura como o mundo na verdade era pequeno. Era uma questão de se abrir para ele. O que você quer é que sua máquina fale com você, mamãe. Ela tem de ser quase humana. Você tem de pensar nisso dessa maneira. É como um poema de Walt Whitman: você pode colocar nele tudo que deseja.

Ela se sentava perto da geladeira e lia as cartas deles e alisava seu cabelo e lhe dizia que era hora de dormir, que ele devia comer alguma coisa, devia mudar de roupa, que ele realmente precisava se cuidar. Ela queria ter certeza que ele não estava desaparecendo. Uma vez, durante um blecaute, ela se sentou apoiada nos armários da cozinha e chorou: não conseguia ir até ele. Ela enfiou um grafite de lapiseira no bocal da parede e esperou. Quando a eletricidade voltou, o grafite pulou em seus dedos. Ela sabia como parecia — uma mulher na geladeira, abrindo e fechando a porta —, mas era um conforto, e não uma coisa de que Solomon suspeitaria. Ela podia fingir que estava cozinhando, ou pegando um copo de leite, ou esperando a carne descongelar.

Solomon não falava sobre a guerra. Silêncio era sua maneira de escapar. Ele falava, em vez disso, de seus casos no tribunal, a litania insana da cidade, os assassinatos, os estupros, os vigaristas, os fraudadores, as punhaladas, os roubos. Mas não da guerra. Só os que protestavam chegavam a sua esfera — ele os achava fracos, ingênuos, covardes. Dava-lhes as sentenças mais duras que podia. Seis meses por jogar sangue nas filas de recrutamento. Oito meses por estraçalhar as janelas do escritório de recrutamento na Times Square. Ela queria marchar e protestar, unir-se a todos os hippies e yippies e skippies da Union Square, Tompkins Square Park, carregar uma bandeira de apoio aos nove católicos de Catonsville que queimaram suas convocações. Mas não conseguia. Nós temos que apoiar nosso filho, disse Solomon. Nosso querido pequeno recruta. Que dormia entre nós não faz tantos anos, enroscado em nós. Que brincava com trenzinhos no tapete oriental. Que ficou muito grande para seu blazer azul. Que conhecia o garfo para peixe, o garfo para salada, o garfo para o jantar, todos os garfos da vida.

E então, vindo de lugar nenhum, blecaute, tudo blecaute, sempre blecaute.

Joshua tornou-se um código.

Inscrito com seus próprios números.

Ela ficou dois meses de cama. Mal se mexendo. Solomon quis contratar uma enfermeira, mas ela recusou. Disse que logo *sairia*. Mas a palavra não era sairia, estava mais para *deslizaria*. Uma palavra de que Joshua gostava. Deslizaria. Ela começou a caminhar pela casa, pela sala de jantar, a sala de estar, pelo canto do café da manhã, em direção à geladeira outra vez. Colocou uma foto de Joshua na frente, bem no centro. Ela se inclinava e falava com ele. E na geladeira juntava coisas que ele teria gostado. Coisas simples. Ela as recortava e pregava lá. Artigos de computador. Fotos de placas de circuito. Uma foto do novo prédio do Centro de Pesquisas de Palo Alto. Um artigo de jornal sobre geradores de efeitos gráficos. O cardápio do Ray's Famous. Um anúncio do *The Village Voice*.

Deu-se conta de que sua geladeira estava ficando como se tivesse cabelo. A frase quase a fez sorrir. Minha geladeira cabeluda.

E então uma noite, o pequeno recorte esvoaçou para o chão e ela se abaixou e o leu outra vez. PROCURANDO MÃES PARA CONVERSAR. VETERANOS DO VIETNÃ. CAIXA POSTAL 667. Ela realmente nunca havia pensado nele como um veterano, ou tendo estado no Vietnã — ele era um operador de computador, tinha ido para a Ásia. Mas o anúncio provocou uma comichão em seus dedos. Ela o levou para o balcão da cozinha, sentou-se, rapidamente escreveu uma resposta com lápis, depois passou a caneta por cima, esgueirou-se em silêncio saindo pela porta, entrou no elevador. Poderia tê-lo deixado para o correio lá embaixo no saguão, mas não quis; correu pela Park Avenue, no meio da noite, em uma tempestade de neve, o porteiro atônito ao vê-la saindo para a rua de camisola, e chinelos: *Sra. Soderberg, a senhora está bem?*

Não podia parar agora. Carta na mão. Mãe procura ossos do filho. Encontrado em um café explodido no estrangeiro.

Ela correu para a Lexington, para a caixa do correio na 74th. A respiração branca saindo dela e flutuando no ar. Pés encharcados de neve. Ela sabia que se não a enviasse imediatamente, nunca o faria. O porteiro cumprimentou-a timidamente quando ela voltou, lançou uma olhadela rápida nos seus seios. *Boa-noite, Sra. Soderberg,* ele disse. Oh, ela quis beijá-lo bem ali e naquele momento. Na testa. Um obrigado pela olhadela. Isso a fez se sentir bem. Excitou-a, para ser honesta. A roupa esticada apertada sobre seu peito, o contorno de tudo aparecendo, a vantagem do frio, um único floco de neve derretendo-se desde o começo de sua garganta. Qualquer outra hora, ela teria achado grosseiro. Mas ali, de camisola, na quentura do elevador, estava grata. Havia uma leveza nela aquela noite. Limpou a porta da geladeira de tudo menos da fotografia dele. Tornou-a simples. Deu-lhe um tipo de corte. Pensou em sua carta fazendo seu caminho pelo sistema postal, indo por fim encontrar outra como ela. Quem seria, e como elas seriam, e seriam ternas, e seriam gentis? Isso era tudo que queria: que elas fossem gentis.

Aquela noite ela subiu e se aninhou na quentura macia de Solomon. Tocou-o embaixo nas costas. *Sol. Solito. Solzinho. Acorde.* Ele se virou para dizer que os pés dela estavam frios. *Esquente-os, então, Solito.* Ele se apoiou nos cotovelos e se inclinou.

E depois ela foi e dormiu. Pela primeira vez em séculos. Ela havia quase esquecido o que significava acordar. Abriu os olhos ao lado dele de manhã e se aconchegou a ele outra vez; passou os dedos pela curva de seu ombro. *Puxa,* ele disse com um sorriso, *o que é isso, querida, meu aniversário?*

ELAS ENTRARAM. Vestidas com prudência, todas exceto Jacqueline, que usava um decote profundo em seu estampado Laura Ashley. Marcia bem atrás dela, toda ruborizada e frágil. Como se tivesse voado por uma janela e tivesse se chocado contra as paredes. Nem mesmo uma olhadela para o mezuzá na porta. Graças aos céus por isso. Nada de explicações. Janet, de cabeça baixa. Um toque de Gloria no pulso e um grande e largo sorriso. Elas se adiantaram pelo corredor com Marcia agora na frente, uma caixa de padaria na mão. Passando pela porta de Joshua. Passando por seu próprio quarto. Passando o quadro de Solomon na parede, dezoito anos mais jovem e com muito mais cabelo. Entrando na sala de estar. Direto para o sofá.

Marcia coloca a caixa na mesinha de café, senta-se apoiando-se nas fundas almofadas brancas e se abana. Talvez sejam só ondas de calor da menopausa, ou talvez seja por causa do metrô. Mas não, ela está toda agitada, e as outras sabem que algo está acontecendo.

Pelo menos, ela pensa, elas não se encontraram antes. Não bolaram uma estratégia para a Park Avenue. *Não passe, não pegue seus duzentinhos.* Ela puxa o divã e arruma as cadeiras, leva Gloria pelo braço até o sofá. Gloria, com flores na mão, ainda segurando-as. Será rude pegá-las, mas elas logo precisarão de água.

— Ah, Deus — disse Marcia.

— Você está bem?

— O que foi?

Reunidas em volta dela como em torno de uma fogueira, todas elas, prontas para ficarem ultrajadas.

— Vocês não vão acreditar.

O rosto de Marcia está todo vermelho, com pequenas gotas de suor na testa. Ela respira como se tivesse acabado todo o oxigênio, como se estivessem em uma grande altitude. Cordas e capacetes e mosquetões, realmente.

— O quê? — diz Janet.

— Alguém te machucou?

O peito de Marcia agitando-se para cima e para baixo, um urso dourado balançando sobre seu tórax.

— Um homem no ar!

— O quê?

— Um homem no ar, andando.

— Misericórdia — diz Gloria.

Claire considera por um momento a ideia de que Marcia possa estar um pouco, ou mesmo muito, alta — hoje em dia, nunca se sabe; ela pode ter mastigado alguns cogumelos no café da manhã, ou engolido um pouco de vodca —, mas ela parece perfeitamente sóbria, ainda que um pouco ruborizada, nenhuma vermelhidão nos olhos, nenhum tropeço na fala.

— No centro da cidade.

Bêbada ou não, ela está grata a Marcia e esse pequeno ataque de histeria. Ela as fez entrar bem rapidamente pelo apartamento. Um mínimo de confusão. Nenhum espaço para todas aquelas minúcias, os ooohs e os aaahs, o embaraço, que cortinas fabulosas, e não é linda essa lareira, e sim, eu quero dois torrões de açúcar no meu, e oh, é muito aconchegante, realmente, Claire, muito aconchegante, que vaso lindo, e, Deus do Céu, este é seu marido na parede? Nenhum planejamento no mundo poderia tê-las feito entrar tão facilmente, sem um único soluço.

Ela devia fazer alguma coisa, ela sabe, para fazer com que elas se sintam bem-vindas. Passar um lenço para Marcia. Pegar um bom copo de água para ela. Pegar as flores das mãos de Gloria. Abrir as caixas da padaria e arrumar o conteúdo. Elogiar o sabor. Alguma coisa, qualquer coisa. Mas elas agora estão grudadas na agitação de Marcia, vendo seu peito levantar e abaixar.

— Copo d'água, Marcia?

— Sim, por favor. Oh, sim.

— Um homem onde?

As vozes ficando mais baixas. Que tola sou eu. Para a cozinha, rápido, rápido. Não quer perder uma palavra. O murmúrio baixo da conversa na sala de estar. Para a geladeira. A bandeja de gelo. Deveria ter colocado bandejas novas esta manhã. Não lhe passou pela cabeça. Bate-a no mármore do balcão. Três, quatro cubos. Algumas lascas se espalham pelo balcão. Gelo velho. Enevoado no centro. Um cubo escorrega pelo balcão como se quisesse se libertar, cai no chão. Devo? Dá uma olhadela para a sala de estar e pega o cubo do chão. Em um movimento suave vai até a pia. Deixa a torneira correr um segundo, lava o cubo, enche o copo. Em circunstâncias normais, ela devia fatiar um limão mas em vez disso sai da cozinha e vai para a sala de estar e passa pelo tapete, com a água.

— Aqui, pronto.

— Ah, ótimo. Obrigada.

E um sorriso de Janet, de todas elas.

— Mas a barca estava cheia, sabem — disse Marcia.

Ela está um pouco magoada porque Marcia não esperou que ela voltasse para começar, mas não importa. A barca de Staten Island, sem dúvida.

— E eu estava de pé bem na frente.

Claire enxuga a mão no vestido, na altura do quadril, e se pergunta agora onde deveria se sentar. Deveria ir direto para o ponto mais central, no sofá? Mas isso pode ser um pouco demais, um pouco petulante, bem ao lado de Marcia, que tem todos os olhares voltados para ela. E no entanto ficar um pouco de lado pode ser notado também, como se ela não fosse parte delas, tentasse ficar separada. Além disso, ela precisa de mobilidade, não se deixar isolar pela mesa do café, tem de poder levantar e preparar as bebidas, servir o café da manhã, atender os pedidos, fazer todas se sentirem em casa. Puro ou não? Com açúcar?

Ela sorri para Gloria e se encaminha para ela, solta o cinzeiro do braço da poltrona, coloca-o na mesa com um estrépito baixo e senta; então percebe a palma da mão de Gloria em suas costas, tranquilizando-a.

— Continue, por favor, continue. Desculpe.

— E eu estava um pouco atrasada para ver o nascer do sol, mas pensei em ficar parada lá de qualquer maneira. É bonita. A cidade. A essa hora. Não sei se vocês alguma vez já viram mas é bonita. E eu estava só sonhando de olhos abertos, realmente, quando olhei para cima e vi um helicóptero no ar e, bem, todas vocês sabem como fico com helicópteros.

Elas sabiam, realmente, e isso deixa o ar carregado por um momento, mas Marcia não parece notar, e tosse para uma pausa, uma fração de silêncio, respeito, na verdade.

— Então, lá estou eu, olhando esse helicóptero, e ele fica parado no ar, quase como se estivesse vacilando. Lá no alto, mas não muito bem. Como se suspenso. Mas mexendo para a frente e para trás.

— Deus do céu.

— E eu fico pensando como Mike Junior daria uma volta muito melhor do que aquela, como manejaria o aparelho muito melhor, afinal, ele era o Evel Knievel dos helicópteros, seu sargento disse. E pensei que talvez tivesse alguma coisa errada com ele, sabe? Eu tive esse medo. Sabe, pendurado ali.

— Oh, não — disse Jacqueline.

— Eu não podia escutar o motor, portanto realmente não sabia. E então, de repente, atrás do helicóptero, eu vi esse pontinho no céu. Não maior do que um inseto, juro. Mas era um homem.

— Um homem?
— Como um anjo? — diz Gloria.
— Um homem-mosca?
— Que tipo de homem?
— Voando?
— Onde?
— Estou toda arrepiada.
— Era um cara — diz Marcia — em uma corda bamba. Quer dizer, eu não soube imediatamente, não pensei isso assim, mas o fato é que havia um cara em uma corda esticada.
— Onde?
— Shh, shh — diz Janet.
— Lá no alto. Entre as torres. Quilômetros e quilômetros acima de nós. Mal conseguíamos enxergá-lo.
— O que ele estava fazendo?
— Andando na corda bamba!
— Um funâmbulo.
— O quê?
— Oh, meu Deus.
— Ele caiu?
— Shhh.
— Oh, não me diga que ele caiu.
— Shh!
— Por favor não me diga que ele caiu.
— Shh agora — diz Janet para Jacqueline.
— Então eu bati no ombro de um jovem ao meu lado. Um desses de rabo de cavalo. E ele, tipo: *Que foi, madame?* Como se estivesse realmente aborrecido por eu ter perturbado seu pequeno sono em pé ou sonho ou seja lá o que ele estivesse fazendo na frente da barca. E eu disse: *Olhe*. E ele disse: *O quê?*
— Misericórdia.
— E eu apontei o pequeno homem-mosca, e então ele disse um palavrão, me desculpe, Claire, em sua casa, sinto muito, mas ele disse. Puta merda.

E Claire queria dizer: Bom, eu também diria puta merda, se fosse eu. Eu diria de trás para a frente e de frente para trás e em volta do quarteirão, puta merda isso e puta merda aquilo e puta merda tudo uma vez, duas vezes, três vezes. Mas tudo que ela faz é sorrir para Marcia e lhe fazer o que espera ser um aceno indicando não haver absolutamente problema algum em dizer puta merda na Park Avenue, em uma quarta-feira, durante um café matutino, de fato é provavelmente a melhor coisa a dizer, dada as circunstâncias, talvez todas elas deveriam dizê-lo em uníssono, fazer uma canção com a expressão.

— E então — diz Marcia —, todos a nossa volta começaram a olhar para cima, e antes que me desse conta, até o capitão da balsa estava do lado de fora, e com binóculos, e ele disse: Aquele sujeito tá numa corda bamba.

— Sério?

— Agora, vocês imaginem. O deque todo, cheio de gente. Os passageiros da manhã. Ombro a ombro. E alguém andando em uma corda esticada. Entre aqueles edifícios novos, o World Towery ou coisa parecida.

— Trade.
— Center.
— Puxa, aquelas?
— Me escutem.
— Aquelas monstruosidades — diz Claire.
— E então esse jovem, de rabo de cavalo...
— O cara que disse puta merda? — diz Janet, com um risinho.
— Sim. Bom, ele começa dizendo que está seguro, super seguro, quinhentos e cinquenta por cento, que é uma projeção, que alguém está projetando isso no alto no céu, e talvez seja um lençol branco gigante, e a imagem está vindo do helicóptero, está sendo projetada por um tipo ou outro de câmera, ele dizia todos os termos técnicos.

— Uma projeção?
— Como uma coisa da TV? — diz Jacqueline.
— Circo, talvez.
— E eu lhe digo que eles não poderiam fazer isso de um helicóptero. E ele olhou para mim, tipo: *Então tá, madame.* E eu disse outra vez para ele: *Eles não podem fazer isso.* E ele disse: *E o que a madame entende de helicópteros?*

— Não!
— E eu disse a ele que na verdade sei um monte de coisas sobre helicópteros.

E ela sabe. Marcia sabe um monte de um monte de um monte de um monte de coisas sobre seus helicópteros, seu inferno de helicópteros!

Ela havia lhes contado, em sua própria casa, em Staten Island, que Mike Junior estava em sua terceira temporada de serviço, uma missão de voo de rotina sobre a costa em Qui Nhon, levando charutos para algum general em Huey com o 57º Destacamento Médico — charutos, você pode imaginar? E por que diabos os helicópteros para o transporte de feridos estavam levando charutos? — e era um bom helicóptero, velocidade máxima de 170 quilômetros por hora, ela disse. Os números tinham vibrado em sua língua. Tinha alguma coisa errada com a coluna da direção, ela havia dito, e tinha entrado em detalhes sobre o motor e a relação de transmissão e o cumprimento das pás do rotor traseiro, quando o que realmente importava, tudo o que verdadeiramente importava, era que Mike Junior tinha batido na ponta de um travessão de gol, imagina só, de um gol de futebol, apenas a dois metros do chão — e quem no mundo jogava futebol no Vietnã? — que fez o rotor rodopiar e ele aterrissou sem jeito, de lado, e bateu a cabeça de mau jeito, quebrou o pescoço, nenhum fogo, nada, só uma queda errada, o helicóptero ainda intacto; ela havia rodado a cena um milhão de vezes em sua cabeça, e isso foi tudo, e Marcia acordou a noite sonhando com um general do exército abrindo e reabrindo as caixas de charuto, encontrando pedacinhos de seu filho dentro.

Ela conhece os helicópteros, sim ela conhece, e isso é o que mais dói.

— Então, seja como for, eu lhe disse que ele deveria cuidar de suas malditas coisas.

— Realmente — diz Gloria.

— E como era evidente, o capitão da barca, olhando pelos binóculos, diz para todo mundo, Isso não é uma projeção.

— Certo.

— E tudo que eu pude pensar foi: *Talvez seja meu menino, que veio dizer oi.*

— Oh, não.

— Oh.

— Deus.

Um bruto inchaço em seu coração por Marcia.

— Um homem-mosca.

— Imagine.

— Muito corajoso.

— Exatamente. Foi por isso que pensei em Mike Junior.

— Claro.

— E ele caiu? — diz Jacqueline.

— Shh, shh — diz Janet. — Deixe ela falar.

— Só estou perguntando.

— Então o capitão vira a barca para que possamos ter uma visão melhor e depois vai atracá-la. Sabem, ele dá um encontrão com o cais. Eu não conseguia ver nada dali. O ângulo errado. Nossa visão ficou bloqueada. A torre norte, a torre sul, eu não sei qual, mas não podíamos ver o que estava acontecendo. E eu nem disse mais nada para o cara de rabo de cavalo. Eu só virei e engatei os passos. Fui a primeira a descer. Eu queria correr e ver meu menino.

— Claro — diz Janet. — Sim, sim.

— Shh — diz Jacqueline.

A sala estava tensa agora. Um aperto na mola e a coisa toda podia explodir. Janet olha para Jacqueline, que sacode seu longo cabelo vermelho como se tirasse uma mosca, ou mesmo um homem-mosca, e Claire olha de uma para a outra, antecipando uma mesa virada, um vaso quebrado. E ela pensa, eu devia fazer alguma coisa, dizer alguma coisa, ligar a válvula de escape, o botão de fuga, e estende a mão para Gloria para pegar suas flores, petúnias, lindas petúnias, hastes de um magnífico verde, perfeitamente aparadas embaixo.

— Preciso colocá-las na água.

— Sim, sim — Marcia diz, aliviada.

— Volto em um segundo.

— Rápido, Claire.

— Volte logo.

A coisa certa a fazer. Absolutamente, positivamente. Na ponta dos pés ela vai até a cozinha e para na porta de venezianas. Se entrar muito, não será possível escutar. Que idiota dizer que ia colocá-las na água. Devia ter demorado mais, adiado um pouco. Inclina-se sobre as ripas da porta, se esforçando para ouvir.

— ...então lá vou eu correndo por aquele labirinto de ruas laterais. Passando pelas casas de leilão e lojas de quinquilharias eletrônicas e lojas de tecido e prédios. Você pensaria que daria para ver aqueles edifícios grandões dali. Quer dizer, eles são enormes.

— Cem andares.

— Cento e dez.

— Shh.

— Mas não dava para ver. Só de relance mas não do ângulo certo. Eu estava tentando pegar o caminho mais direto. Devia ter ido pelo lado da água. Mas vou correndo, correndo. É meu menino que está lá no alto e ele veio me dizer olá.

Todas em silêncio, até Janet.

— Continuei em disparada pelas esquinas, pensando em encontrar um ponto de observação melhor. Correndo para um lado e para o outro. Olhando para cima o tempo todo. Mas não consigo vê-los, nem o helicóptero nem o homem. Nunca corri tão rápido desde o ginásio. Quero dizer, meus peitos estavam pulando.

— Marcia!

— Tem dias que eu já nem lembro que tenho peitos.

— Não é o meu dilema — diz Gloria, empurrando o tórax.

Há uma onda de gargalhada na sala e, naquele momento de frivolidade, Claire volta pelo tapete, ainda segurando as flores de Gloria, mas ninguém repara. A gargalhada ondula por toda parte, uma canção de reconciliação, circundando-as, fazendo uma pequena volta de vitória e se acomodando de volta aos pés de Marcia.

— E então parei de correr — diz Marcia.

Claire senta-se de novo no braço do sofá. Não importa que ela não tenha cuidado das flores. Não importa que não tenha água fervendo de novo. Não importa que não tenha nenhum vaso em suas mãos. Ela se inclina para a frente como todas elas.

Marcia tem agora um minúsculo tremor nos lábios, um pequeno estremecimento de presságio.

— Parei gelada de repente — diz Marcia. — Como estátua no meio da rua. Quase fui atropelada por um caminhão de lixo. E apenas fiquei ali parada, as mãos nos joelhos, olhos no chão, arfando. E sabem por quê? Eu lhes digo por quê.

Outra pausa.

Todas elas se inclinaram mais.

— Porque eu não queria saber se o pobre menino tinha caído.

— Aham — diz Gloria.

— Eu não queria ouvir dizer que ele estava morto.

— Eu entendo, aham.

A voz de Gloria, como se ela estivesse em uma cerimônia religiosa. As outras assentindo devagar enquanto o relógio no consolo da lareira tiquetaqueava.

— Eu não podia aguentar nem mesmo sequer pensar nisso.

— Não senhora.

— E se ele não tivesse caído...?

— Se ele não, não...?
— Eu não queria saber.
— Aham, entendo.
— Porque de alguma maneira, se ele ficasse lá no alto, ou se ele descesse a salvo, não importava. Então eu parei e me virei e entrei no metrô e vim até aqui sem dar nem mesmo uma segunda olhada.
— Diga amém.
— Porque se ele estivesse vivo não poderia ser Mike Junior.

Tudo foi como uma batida no peito. Tão imediata. Em todos os encontros matutinos anteriores delas, tudo sempre tinha ficado tão distante, pertencendo a outro dia, a conversa, a lembrança, a recordação, as histórias, uma terra distante, mas isso era agora e real, e a pior coisa era que elas não sabiam o destino do equilibrista, não sabiam se ele tinha pulado ou tinha caído ou descido são e salvo, ou se ainda estava lá, dando seu pequeno passeio, ou, mesmo se ele realmente esteve lá, se era apenas uma história, ou uma projeção, realmente, ou se ela havia inventado tudo para impressionar — elas não tinham ideia. — Talvez o homem quisesse se matar, ou talvez o helicóptero tivesse um gancho em torno dele para agarrá-lo se ele caísse, ou talvez houvesse uma corda de segurança para agarrá-lo, ou talvez talvez talvez houvesse um outro talvez, talvez.

Claire levanta, os joelhos um pouco trêmulos. Desorientada. As vozes a seu redor agora eram como um borrão. Ela tem consciência de seus pés no tapete felpudo. O relógio movendo-se mas já sem soar.

— Acho que agora vou pôr essas flores na água — diz.

ELE ESCREVIA CARTAS para ela sobre as *Wheel Wars* que eles travavam uns contra os outros como distração no meio da madrugada. Quatro da manhã em seu terminal sob as luzes brancas fluorescentes, decifrando códigos, quando às vezes uma mensagem aparecia. A maioria das intrusões era de membros de seu próprio pelotão, conectados a algumas escrivaninhas de distância, trabalhando em outros programas, o balanço da guerra, e era apenas algo para passar o tempo, conseguir invadir o código do outro, testar sua força, encontrar sua vulnerabilidade. Inofensivo, realmente, dizia Joshua.

Charlie e os vietcongues não tinham computadores. Eles não iam fazer invasões por tubos de catódios e transistores. Mas as linhas telefônicas estavam ligadas ao Centro de Pesquisas de Palo Alto e à capital, Washington, além de a algumas universidades, portanto era possível, de vez em quando, que algum "patinador" — ele os chamava de "patinadores", ela não sabia por que — viesse de algum outro lugar e provocasse estragos, e uma ou duas vezes eles o flanqueavam. Talvez estivesse trabalhando em uma linha superposta, ele disse, ou um código para desaparecidos. E estava na zona. Ele podia sentir, sim, como se estivesse deslizando por corrimões. O barato era a velocidade e o puro poder. O mundo era confortável e cheio de simplicidade. Ele era o piloto de teste de uma nova fronteira. Qualquer coisa era possível. Podia ter sido jazz, um acorde depois do outro. Na ponta dos dedos. Ele esticava os dedos e de repente aparecia um novo acorde. E então sem aviso a coisa começava a desaparecer sob seus olhos. *Eu quero um cookie!* Ou: *Repita comigo, Bye-bye Blackbird.* Ou: *Veja meu sorriso.* Ele disse que era como ser Beethoven depois de rascunhar a Nona. Como se estivesse fazendo um belo passeio no campo e de repente todas as páginas da música voassem com o vento. Ele ficava enfiado na cadeira, olhando para sua máquina. O pequeno cursor piscando engolia o que ele estava fazendo. Seu código tinha sido mastigado. Não havia como interromper. Todo aquele pavor subia por sua garganta. Ficava olhando o cursor subir pelas montanhas e desaparecer no pôr do sol. *Volte, volte, volte, eu ainda não te escutei.*

Que estranho pensar que havia outra pessoa na outra ponta dos fios. Era como um ladrão invadindo sua casa e experimentando seus chinelos. Pior do que isso. *Alguém entrando em minha pele, mamãe, roubando minha memória.* Rastejando para dentro dele, subindo por sua espinha, entrando em sua cabeça, lá no fundo do crânio, passando por suas sinapses, entrando nas células do seu cérebro. Ela podia imaginá-lo se inclinando para a frente, a boca quase na tela, estática nos seus lábios. *Quem é você?* Ele podia sentir os intrusos nas pontas de seus dedos. Polegares batucando em sua espinha. Indicadores em seu pescoço. Sabia que eram americanos, os intrusos, mas ele os via como vietnamitas — tinha que ver —, deu-lhes olhos oblíquos e escuros. Era ele e sua máquina contra a outra máquina. *Certo, o.k., agora, bemfeito, você me pegou, mas agora eu vou acabar com você.* E então ele entrava direto na briga.

E ela ia até a geladeira e lia as cartas dele e algumas vezes abria o congelador e deixava que tudo aquilo o acalmasse. *Está tudo certo, querido, você vai conseguir tudo de volta.*

E ele se acalmava. Joshua sempre conseguia. Ligava para ela em horas estranhas, quando estava entusiasmado, quando tinha vencido uma das batalhas. Chamadas demoradas, ligações atravessadas, que produziam um eco. Não custava um centavo, ele dizia. O esquadrão tinha uma mesa telefônica com capacidade para múltiplas linhas. Ele dizia que havia cruzado linhas, redirecionado-as para o número do telefone de recrutamento do Exército, só para se divertir. Era só um sistema, ele disse, e estava lá para ser explorado. *Estou bem, mamãe, não é tão ruim assim, eles nos tratam bem, diga a papai que eles têm até kosher aqui.* Ela escutava aquela voz com toda concentração. Quando o entusiasmo acabava, ele parecia cansado, mesmo distante, uma nova linguagem se insinuando. *Olha, estou na boa, mãe, não precisa pirar.* Desde quando ele dizia pirar? Ele sempre foi cuidadoso com as palavras. Envolvia-a com a nitidez bem pronunciada da Park Avenue. Nada solto nem nasal. Mas agora seu vocabulário era vulgar e o sotaque estava relaxado. *Tenho que seguir a onda mas parece que estou dirigindo o carro funerário de outro homem, mãe.*

Ele estava se cuidando? Tinha comida suficiente? Suas roupas estavam limpas? Ele estava perdendo peso? Tudo a fazia se lembrar. Uma vez até pôs um prato extra na mesa de jantar para Joshua. Solomon não disse nada. Isso e sua geladeira, as pequenas idiossincrasias que ela tinha.

Ela tentou não se queixar quando as cartas começaram a demorar. Ele deixava de ligar um ou dois dias. Ou três em sequência. Ela ficava sentada olhando para o telefone, desejando que tocasse. Quando se levantava, as tábuas do assoalho emitiam um pequeno rangido. Ele estava ocupado, dizia. Houve um novo desenvolvimento nas mensagens eletrônicas. Havia mais nodos na rede eletrônica. Ele disse que era como um quadro negro mágico. O mundo era maior e menor ao mesmo tempo. Alguém havia entrado no programa deles e devorado algumas partes. Era uma briga de cães, uma luta de box, um combate medieval. *Estou na linha de frente, mãe, estou nas trincheiras.* Um dia, ele disse, as máquinas vão revolucionar o mundo. Ele estava ajudando outros programadores. Eles se conectavam nos consoles e lá ficavam. Havia uma batalha sendo travada com os que protestavam pela paz, que estavam tentando invadir as máquinas deles. Não eram, porém, as máquinas que eram más, ele disse, mas as mentes dos chefões por trás delas. Uma máquina não podia ser mais maléfica do que um violino, ou uma câmera, ou um lápis. O que os intrusos não entendiam é que eles estavam entrando no lugar errado. Não era a tecnologia que precisavam atacar, mas a mente humana, suas falhas, suas limitações.

Ela percebia uma nova profundidade nele, uma sinceridade. A guerra era sobre vaidades, ele disse. Era sobre velhos que não mais podiam se olhar num espelho e assim enviavam jovens para morte. A guerra era uma reunião de vaidosos. Eles queriam que fosse simples — odeiem seu inimigo, não saibam nada sobre eles. Era, ele afirmava, a mais antiamericana das guerras, nenhum idealismo por trás, só derrotas. Havia agora mais de 40 mil para contabilizar em sua Conta da Morte, e os números continuavam crescendo. Às vezes ele imprimia os nomes. Podia desdobrá-los para cima e para baixo na escala. Às vezes desejava que alguém de fora entrasse em seu programa, mastigasse tudo, cuspisse de volta, revivesse outra vez todos aqueles rapazes, os Smith e os Sullivan e os irmãos Rodriguez, esses pais e primos e sobrinhos, e então ele teria de fazer um programa para Charlie, todo um novo alfabeto dos mortos, Ngo, Ho, Phan, Nguyen — isso não seria uma missão?

— Você está bem, Claire?

Um toque no cotovelo. Gloria.

— Ajuda?

— Perdão?

— Você quer ajuda com isso?

— Oh, não, quero dizer, sim. Obrigada.

Gloria. Gloria. Um rosto redondo tão doce. Olhos escuros, úmidos quase. Um rosto vivido. Uma generosidade nele. Mas um pouco perturbado. Olhando para mim. Olhando para ela. Pega no ato. Sonhando de olhos abertos. *Ajuda?* Ela quase pensou por um segundo que Gloria queria *ser* a criada. Presunçosa. Dois e setenta e cinco a hora, Gloria. Lavar a louça. Limpar o chão. Chorar por nossos meninos. Realmente, uma missão.

Ela estende a mão para o alto do armário de cima e puxa o vaso de cristal Waterford. Lapidação intricada. Homens distantes fazem isso. Há alguns que não são selvagens. Sim, esse servirá perfeitamente. Ela o passa para Gloria, que sorri, ajeita as flores.

— Sabe o que você devia fazer, Claire?

— O quê?

— Colocar açúcar no fundo. Mantém as flores por mais tempo.

Ela nunca tinha ouvido isso antes. Mas faz sentido. Açúcar. Para mantê-las vivas. Encham seus rapazes com açúcar. Charlie e Sua Fábrica de Chocolate. E quem era esse vietnamita, afinal, que eles chamavam de *Charlie*? De onde ele tinha vindo? Algum código de radio, provavelmente. Charlie Delta Épsilon. Entrando, entrando, entrando.

— Fica ainda melhor se você cortar um pedaço da haste primeiro — diz Gloria.

Gloria pega as flores e as espalha pelo secador de pratos, pega uma pequena faca no balcão da cozinha e corta um pequeno segmento de cada, examina os pedaços na mão, doze coisinhas verdes.

— Realmente incrível, não é?

— O quê?

— O homem no ar.

Claire se apoia no balcão. Respira fundo. Sua mente está girando. Ela não tem certeza, não tem nenhuma certeza. Um descontentamento aborrecido em relação a ele também. Algo em relação a seu aparecimento caindo mal, perturbando.

— Incrível — ela diz. — Sim. Incrível.

Mas o que tem nisso que ela não gosta? Incrível, realmente, sim. E uma tentativa de beleza. Uma interseção de um homem com a cidade, o espaço público abruptamente reformado, apropriado de maneira nova, a cidade como arte. Caminhe lá no alto e faça algo novo. Tornando-o um espaço diferente. Mas alguma coisa nisso ainda exaspera. Ela não deseja se sentir assim, mas não consegue se desembaraçar, o pensamento de um homem empoleirado lá no alto, anjo ou demônio. Mas o que há de errado em acreditar num anjo, ou num demônio, por que Marcia não pode se sentir dessa maneira, por que todo homem no ar não pode parecer ser seu filho? Por que Mike Junior não poderia aparecer no arame? O que há de errado nisso? Por que Marcia não pode se permitir congelar isso lá, seu garoto voltando?

Mesmo assim continua a irritação.

— Algo mais, Claire?

— Não, não, está tudo perfeito.

— Ó-ti-mo, então. Tudo pronto.

Gloria sorri e levanta o vaso, vai para a porta de venezianas, abre-a com seu corpo generoso.

— Já vou para lá — diz Claire.

Ela dá a última organizada nas xícaras, pires, colheres. Arruma-as perfeitamente. O que é? O homem na corda bamba? Algo de vulgar na coisa toda. Ou talvez não vulgar. Alguma coisa barata. Ou talvez não exatamente barata. Ela não sabe exatamente o que é. Pensar desse jeito, que mesquinharia. Absolutamente egoísta. Ela sabe muito bem que tem toda a manhã para fazer o que elas têm feito nas outras manhãs — tirar as fotos, mostrar-lhes o piano onde Joshua costumava tocar, abrir os álbuns, levar todas elas ao quarto dele, exibir sua estante de livros, mostrá-lo no álbum do ano. Foi isso que elas sempre fizeram, na casa de Gloria, de Marcia, de Jacqueline, mesmo de Janet, sobretudo de Janet, onde lhes foi mostrado um show de slides e depois todas choraram por causa de um exemplar de lombada gasta de "Casey at the Bat".

Suas mãos esparramadas no balcão da cozinha. Dedos espalhados. Pressionando.

Joshua. É isso que a está irritando? Que elas ainda não disseram o nome dele? Que ele ainda não tenha aparecido na conversa da manhã? Que até agora elas o estejam ignorando, mas não, não é isso, mas o que é?

Basta. Basta. Pegue a bandeja. Não quebre nada. Seja gentil. O sorriso de Gloria. As lindas flores.

Vamos.

Agora.

Para a sala.

Ela entra na sala de estar e se detém, paralisada. Elas se foram, todas elas, se foram. Ela quase deixa a bandeja cair. O estrépito das colheres quando deslizam pela borda. Nenhuma ali, nem mesmo Gloria. Como pode ser isso? Como elas desapareceram tão subitamente? Como em uma piada ruim da infância, como se elas pudessem pular de dentro dos armários a qualquer momento, ou pôr a cabeça pra fora de trás do sofá, uma fileira de máscaras de carnaval para se jogar balões de água.

É, por um instante, como se ela tivesse sonhado que elas existiam. Que vieram até ela, sem convites, e então escapuliram.

Coloca a bandeja na mesa. O pote de chá desliza e uma pequena bolha de chá jorra do bico. As bolsas estão ali e um único cigarro queima no cinzeiro.

É então que ela escuta as vozes, e se repreende. Claro. Que tolice. A batida na porta de trás e então a porta do piso de cima ao vento. Ela deve tê-la deixado aberta, elas devem ter sentido a brisa.

Vai pelo corredor. As formas além da porta de cima. Sobe os últimos poucos degraus, une-se a elas no terraço, todas elas se inclinando sobre a mureta, olhando para o sul. Nada a ser visto, claro, só uma névoa e a cúpula do topo do New York General Building.

— Nenhum sinal dele?

Ela sabe com certeza que não poderia haver, mesmo no mais claro dos dias, mas é interessante ver as mulheres se virarem para ela em uníssono e sacudir as cabeças, não.

— Podemos tentar o rádio — ela diz, deslizando por trás delas. — Pode estar no noticiário.

— Boa ideia — diz Jacqueline.

— Ah, não — diz Janet. — Prefiro que não.

— Eu também — diz Marcia.

— Provavelmente não vai estar no noticiário.

— Não ainda, de qualquer maneira.

— Não acho.

Elas continuam um momento, olhando para o sul, como se ainda pudessem ser capazes de conjurá-lo.

— Café, senhoras? Um pouco de chá?

— Deus — diz Gloria com uma piscadela —, pensei que você nunca fosse oferecer.

— Umas beliscadinhas, sim.

— Para acalmar nossos nervos?

— Sim, sim.

— Está bem, Marcia?

— Lá embaixo?

— Misericórdia, sim. Aqui em cima está mais quente do que uma noiva no verão.

As mulheres guiaram Marcia de volta pela escada, pela porta de serviço, outra vez para a sala de estar, Janet em um braço, Jacqueline do outro, Gloria atrás.

No cinzeiro do braço da poltrona, o cigarro tinha queimado até o filtro, como um homem prestes a se quebrar e cair. Claire joga-o fora. Olha as mulheres se acomodarem apertadas no sofá, os braços ao redor uma da outra. Cadeiras suficientes? Como ela havia cometido esse erro? Deveria trazer o almofadão do quarto de Joshua? Colocá-lo no chão para que o corpo dela possa se espalhar sobre a antiga impressão que o corpo dele deixou?

Esse homem da corda bamba, ela não consegue tirá-lo da cabeça. A bolha da irritação em sua mente. Está sendo pouco generosa, ela sabe, mas não consegue se livrar dele. E se ele atingir alguém lá embaixo? Ela ouvira falar que à noite há colônias inteiras de pássaros que voam batendo nos prédios do World Trade Center, no seu reflexo no vidro. O choque e a queda. Será que o marchador vai topar com eles?

Pare. Basta.

Controle sua mente. Pegue todas as plumas. Oriente-as com cuidado outra vez para o ar.

— Os biscoitos estão na sacola ali, Claire. E também tem *donuts*.

— Ótimo. Obrigada.

As pequenas delicadezas.

— Meu Deus, veja isso!

— Ah, francamente.

— Já estou gorda demais.

— Ah, pare. Adoraria de ter seu corpo.

— Pegue para você ver — diz Gloria. — Aposto que transborda.

— Não, não, você tem um corpo ótimo. Fabuloso.

— Ora, vamos!

— É mesmo, verdade.

E um silêncio na sala pela pequena mentira branca. Um descanso da comida. Olham uma para a outra. Segundos se desdobrando. Uma sirene do lado de fora. A estática quebrada e pensamentos tomando forma nas cabeças delas, como água em um jarro.

— Então — diz Janet, pegando um biscoito. — Não querendo ser mórbida nem nada...

— Janet!

— ...eu não quero ser mórbida...

— Janet McIniff...!

— ...mas vocês acham que ele caiu?

— Ohmeudeus! Por que você fica martelando nisso?

— Martelando? Eu só escutei a sirene e...

— Está bem — diz Marcia. — Estou bem. Realmente. Não se preocupem comigo.

— Meu Deus! — diz Jacqueline.

— Só estou perguntando.

— Realmente — diz Marcia. — Eu mesma estava pensando nisso.

— Oh, meu Deus — diz Jacqueline, as palavras esticadas agora como se com um elástico.— Não posso acreditar que você disse isso.

Claire agora deseja sair dali e estar em algum lugar distante, uma praia, uma margem de rio, uma fonte profunda de felicidade, algum lugar de Joshua, um pequeno momento escondido, um toque da mão de Solomon.

Sentada ali, ausente delas. Deixando-as fechar o círculo.

Talvez, sim, é só puro egoísmo. Elas não repararam no mezuzá na porta, no quadro de Solomon, não mencionaram coisa alguma sobre o apartamento, apenas avançaram entrando e começaram. Até subiram para o terraço sem perguntar. Talvez esse seja o jeito delas, ou talvez estivessem cegas pelos quadros, a prataria, os tapetes. Com certeza havia outros garotos ricos enviados para a guerra. Nem todos eles tinham pés chatos. Talvez ela devesse encontrar outras mulheres, mais parecidas com ela. Mais parecidas com ela em quê? Morte, a maior de todas as democracias. O lamento mais antigo da humanidade. Acontece com todos nós. Ricos e pobres. Gordos e magros. Pais e filhas. Mães e filhos. Ela sentiu uma dor aguda, um retorno. *Querida mamãe, esta é só para dizer que cheguei bem*, a primeira carta começava. E então, no final ele estava escrevendo, *Mamãe, este lugar é um lugar no nada, pega todos os lugares e me dá o nada em troca*. Ah. Ah. Leia todas as cartas do mundo, cartas de amor ou cartas de ódio ou cartas de alegria, e empilhe-as contra as únicas cento e trinta e sete cartas que meu filho me enviou, coloque-as de ponta a ponta, Whitman e Wilde e Wittgenstein e seja mais quem for, não importa — não tem comparação. Todas as coisas que ele dizia! Tudo em que ele pôs seu dedo!

Isso é o que os filhos fazem: escrevem para suas mães sobre recordações, contam a si mesmos sobre o passado até que compreendem que eles *são* o passado.

Mas não, não o passado, não ele, nunca.

Esqueça as cartas. Deixem as máquinas combaterem. Estão me escutando? Deixem por conta delas. Deixem que elas olhem umas para as outras nos fios.

Deixem os garotos em casa.

Deixem meu garoto em casa. O de Gloria também. E o de Marcia. Deixem-no andar na corda bamba se ele quiser. Deixe-o se tornar um anjo. E o de Jacqueline. E o de Wilma. Não, Wilma não. Nunca teve uma Wilma. Janet. Provavelmente uma Wilma também. Talvez mil Wilmas por todo o país.

Apenas me devolvam meu filho. Isso é tudo o que quero. Devolvam-no. Entreguem-no. Imediatamente. Deixem-no abrir a porta e passar pelo mezuzá e deixem-no tocar aqui em seu piano. Consertem todos os lindos rostos dos jovens. Sem choro, sem gritos, sem berros. Traga-os de volta aqui agora. Por que todos os nossos filhos não podem estar na sala agora?

Derrubar todas as barreiras. Por que eles não poderiam se sentar juntos? Boinas nos joelhos? Ligeiramente embaraçados. Uniformes amarrotados. Vocês lutaram por nosso país, por que não celebrar na Park Avenue? Café ou chá, rapazes? Uma colher cheia de açúcar ajuda o remédio descer.

Toda essa conversa sobre liberdade. Besteira, realmente. Liberdade não pode ser dada, deve ser recebida.

Eu não quero essa urna de cinzas.

Estão me escutando?

Essa urna de cinzas não é o meu filho.

— O que foi agora, Claire?

E é como se ela estivesse acordando de um sonho de olhos abertos. Ela estava olhando-as, suas bocas se movendo, os rostos móveis, mas não escutava nada do que diziam, um tipo de discussão sobre o homem na corda, sobre se a corda esticada estava amarrada ou não, e ela havia resvalado dali. Amarrado em quê? Seu sapato? No helicóptero? No céu? Ela dobra e redobra os dedos um no outro, ouve o estalar deles ao se desgrudarem.

Você precisa de mais cálcio nos ossos, o bom doutor Tonnemann tinha dito. Cálcio, realmente. Beba mais leite, seus filhos não desaparecerão.

— Você está bem, querida? — diz Gloria.

— Oh, estou bem — ela diz —, apenas sonhando acordada.

— Sei como é.

— Também fico assim, às vezes — diz Jacqueline.

— Também — diz Janet.

— Primeira coisa toda manhã — diz Gloria. — Começo a sonhar. Não consigo à noite. Eu antes sonhava o tempo todo. Agora só consigo sonhar acordada.

— Você deveria tomar alguma coisa para isso — diz Janet.

Claire não consegue recordar o que havia dito — teria embaraçado-as, dito alguma tolice, fora do lugar? Esse comentário de Janet, como se devesse estar tomando remédios. Ou isso foi dirigido a Gloria? Aqui, tome cem pílulas, vai curar sua dor. Não. Ela nunca quis isso. Quer cortá-la como a uma febre. Mas o que foi que ela disse? Alguma coisa sobre o homem na corda? Disse em voz alta? Que ele era vulgar, de alguma maneira? Alguma coisa sobre cinzas? Ou moda? Ou fios?

— O que é, Claire?

— Estou só pensando naquele pobre homem — diz.

Ela quer se dar um tapa por ter dito isso, por trazê-lo à conversa outra vez. Justo quando sentiu que elas pareciam estar se afastando, que a manhã poderia entrar nos eixos outra vez, que ela poderia lhes contar sobre Joshua e como ele em geral voltava para casa da escola e comia sanduíches de tomate, seu favorito, ou como nunca espremia a pasta de dente do jeito apropriado, ou como sempre punha duas meias dentro de um sapato, ou uma história do parque, ou uma abertura no piano, qualquer coisa, só para dar à manhã seu equilíbrio, mas não, ela havia posto tudo aquilo de lado outra vez e trazido o assunto de volta.

— Que homem? — diz Gloria.
— Ah, o homem que veio aqui — ela diz de repente.
— Quem é ele?

Ela pega uma baguete da tigela de girassol. Ergue os olhos para as mulheres. Faz uma pausa por um momento, fatia o pão grosso, empurra o resto do miolo com os dedos.

— Você quer dizer que o homem da corda bamba esteve aqui?
— Não, não.
— Que homem, Claire?

Ela vai até o bule e despeja chá. O vapor levanta. Ela se esquece de colocar as fatias de limão. Outro fracasso.

— O homem que me contou.
— Que homem?
— O homem que lhe contou o quê, Claire?
— Vocês sabem. O homem.

E então um tipo de profundo entendimento. Ela vê nos rostos delas. Mais calmo que a chuva. Mais calmo que as folhas.

— Ahn — diz Gloria.

E então algo desata nos rostos delas.

— O meu foi numa quinta.
— Mike Junior foi na segunda.
— Meu Clarence foi na segunda também. Jason no sábado. E Brandon foi na terça.
— Eu recebi um telegrama horrível. Seis e trinta. Doze de julho. Para Pete.

Para Pete. Em atenção a Pete.

Todas elas retomam a normalidade e parece certo, é isso o que ela quer dizer; ela segura a baguete mas não come; ela as colocou de novo nos trilhos, estavam voltando às velhas manhãs, juntas, elas não mudarão o assunto, isso é o que ela quer, e sim, elas estão confortáveis, e mesmo Gloria agora estende a mão para um dos donuts, branco com cobertura de açúcar, e dá uma mordidinha polida e assente para Claire, como se dissesse: Vá em frente, conte-nos.

— Nós fomos chamados lá de baixo. Solomon e eu. Estávamos sentados jantando. Todas as luzes apagadas. Ele é judeu, vocês sabem...

Feliz por ter se livrado dessa.

— ... e ele tinha acendido candelabros por todo lado. Ele não é ortodoxo, mas às vezes gosta dos pequenos rituais. Ele me chama de sua abelhinha às vezes. Começou com uma discussão quando ele me chamou de WASP.*

Tudo isso saindo dela, como o ar agradecido de seus pulmões. Sorrisos a sua volta, perplexos, mas ainda assim em silêncio.

— E eu abri a porta. Era um sargento. Ele foi muito respeitoso. Quero dizer, gentil comigo. Eu soube imediatamente, apenas por olhar no rosto dele. Como uma daquelas máscaras do momento. Uma daquelas baratas de plástico. Seu rosto congelado dentro dela. Olhos castanhos duros e um grande bigode. Eu disse, Entre. E ele tirou o quepe. Um daqueles cortes de cabelo, curtos, repartidos no meio. Um pequeno toque de branco em torno do couro cabeludo. Ele se sentou bem ali.

Ela fez um gesto para Gloria e desejou não ter dito isso, mas não havia como consertar.

Gloria limpou o assento como se tentasse tirar a mancha do homem. Uma pequena fatia da cobertura do donut permaneceu.

— Tudo era tão puro que pensei estar de pé em uma pintura.

— Sim, sim.

— Ele continuou brincando com o quepe no joelho.

— O meu fez a mesma coisa.

— Shh.

— E então ele disse, Seu filho se foi, senhora. E eu pensei, Foi? Foi para onde? O que você quer dizer, Sargento, ele se foi? Ele não me disse que estava de mudança.

— Misericórdia.

---

* Jogo de palavras de impossível tradução. WASP é uma sigla para o branco, anglo-saxão, protestante, e significa também vespa. (*N. da T.*)

— Eu estava sorrindo para ele. Eu não conseguia que meu rosto fizesse outra coisa.

— Bom, eu chorei imediatamente — disse Janet.

— Shh — disse Jacqueline.

— Eu senti um vapor precipitando-se dentro de mim, subindo direto pela minha espinha. Podia senti-lo assobiando no meu cérebro.

— Exatamente.

— E então eu só disse, Sim. Foi tudo que eu disse. Ainda sorrindo. O vapor assobiando e queimando. Eu disse, Sim, Sargento. Obrigada.

— Misericórdia.

— Ele terminou seu chá.

Todas elas olharam para suas xícaras.

— E eu o acompanhei até a porta. E foi isso.

— Sim.

— E Solomon o acompanhou até lá embaixo no elevador. E eu nunca contei a ninguém essa história. Depois meu rosto doeu, eu sorri tanto. Não é terrível?

— Não, não.

— Claro que não.

— Parece que esperei a vida inteira para contar essa história.

— Oh, Claire.

— Eu simplesmente não acredito que fiquei sorrindo.

Ela sabia que não havia contado outras coisas, que o interfone tocou, que o porteiro tinha gaguejado, que a espera foi atordoante, que o som da batida na porta foi como quando se bate na tampa de um caixão, que ele tirou o quepe e disse senhora e depois senhor, e que eles disseram, Entre, entre, que o sargento nunca tinha visto nada parecido com o apartamento antes — era óbvio só pelo jeito como olhava para a mobília que ele estava nervoso mas também excitado.

Em outro momento ele certamente o acharia glamoroso, Park Avenue, obras de arte, candelabros, rituais. Ela o observara dar uma olhadela a si mesmo no espelho, mas ele se virou do próprio reflexo e ela podia até ter gostado dele então, a maneira como tossiu no oco de sua mão fechada, a gentileza disso. Ele segurou a mão na boca e era como um mago prestes a puxar o lenço triste. Olhou em volta, como se prestes a sair, como se pudesse ter todo tipo de saídas, mas ela o fez se sentar de novo. Ela foi até a cozinha e trouxe uma fatia de bolo de frutas para ele comer. Para aliviar a tensão. Ele comeu com um pequeno lampejo de culpa nos olhos. As pequenas migalhas no chão. Ela mal conseguiu ter forças para passar o aspirador por ali depois.

Solomon quis saber o que tinha acontecido. O sargento disse que ele não tinha liberdade para isso, mas Solomon pressionou e disse, *Nenhum de nós tem liberdade, temos, realmente? Quer dizer, quando você pensa sobre isso, Sargento, nenhum de nós está livre.* E o quepe começou a bater no joelho do militar outra vez. *Diga-me*, repetiu Solomon, e havia um tremor em sua voz então, *Diga-me ou saia de minha casa.*

O sargento tossiu no punho fechado. Gesto de um mentiroso. Eles ainda estavam juntando os detalhes, o sargento disse, mas Joshua estava em um café. Sentado em um café. Eles tinham sido alertados, todo o pessoal, sobre os cafés. Ele estava com um grupo de oficiais. Tinham ido a um clube na noite anterior. Deviam estar apenas relaxando um pouco. Ela não conseguia imaginar isso, mas não disse nada — seu Joshua em um clube? Era impossível, mas *deixou passar*, sim, essa era a palavra, deixou passar. Era de manhã cedo, disse o sargento, hora de Saigon. Céu azul radiante. Quatro granadas rolaram até os pés deles. Ele morreu como um herói, disse o sargento. Solomon foi quem tossiu com isso. *Você não morre como a porra de um herói, cara.* Ela jamais escutara Solomon dizer palavrões assim, não para um estranho. O sargento arrumou o quepe nos joelhos. Como se sua perna agora pudesse ser a coisa que precisava contar a história. Olhando para as gravuras sobre o sofá. Miró, meu Miró, quem é o mais morto de todos eles?

Ele inspirou. Sua garganta parecia corrugada. *Sinto muito por sua perda*, disse outra vez.

Quando ele saiu, quando a noite ficou em silêncio, eles ficaram parados de pé na sala, Solomon e Claire, olhando um para o outro, e ele tinha dito que eles não iriam desmoronar, o que não fizeram, o que ela não faria, não, eles não culpariam um ao outro, eles não ficariam amargos, eles passariam por isso, sobreviveriam, eles não permitiriam que isso se tornasse uma brecha entre eles.

— E todo o tempo eu estava sorrindo, entende.
— Pobrezinha.
— Isso é terrível.
— Mas é compreensível, Claire, realmente é.
— Você acha?
— Sim. Acho.

— Eu sorri tanto — diz ela.
— Eu sorri também, Claire.
— Você sorriu?
— É o que você faz, você guarda as lágrimas, está nos evangelhos.

E então ela sabe agora do que se trata em relação ao homem da corda bamba. Isso a atinge de maneira profunda e dura e trêmula. Não tem nada a ver com anjos ou demônios. Nada a ver com arte, ou os convertidos, ou a interseção de um homem com um vetor, o homem além da natureza. Nada disso.

Ele estava lá no alto por uma espécie de solidão. O que sua mente era, o que seu corpo era: uma espécie de solidão. Com nenhum pensamento para a morte.

Morte por afogamento, morte por mordida de cobra, morte por morteiro, morte por ferida de bala, morte com estaca de madeira, morte por um rato de túnel, morte por bazuca, morte por flecha venenosa, morte por tubo de bomba, morte por piranha, morte por comida envenenada, morte por Kalashnikov, morte por RPG, morte pelo melhor amigo, morte por sífilis, morte por tristeza, morte por hipotermia, morte por areia movediça, morte por traçador, morte por trombose, morte por tortura com água, morte por tropeçar no arame, morte por taco de sinuca, morte por roleta russa, morte por armadilha de estacas, morte por narcótico, morte por machete, morte por motocicleta, morte por pelotão de execução, morte por gangrena, morte por ferida no pé, morte por paralisia, morte por perda de memória, morte por mina, morte por escorpião, morte por colapso, morte por Agente Laranja, morte por malandro, morte por arpão, morte por cassetete, morte por imolação, morte por crocodilo, morte por eletrocussão, morte por mercúrio, morte por estrangulamento, morte por faca de caçador, morte por mescalina, morte por cogumelo, morte por ácido lisérgico, morte por batida de jipe, morte por armadilha de granada, morte por tédio, morte por ataque do coração, morte por atirador de elite, morte por cortador de papel, morte por putaria, morte por jogo de pôquer, morte por números, morte pela burocracia, morte por falta de cuidados, morte por atraso, morte por evitação, morte por apaziguamento, morte por matemática, morte por papel carbono, morte por apagador, morte por fichamento errado, morte por golpes de caneta, morte por supressão, morte por autoridade, morte por isolamento, morte por encarceramento, morte por fratricídio, morte por suicídio, morte por genocídio, morte por Kennedy, morte por LBJ, morte por Nixon, morte por Kissinger, morte por Tio Sam, morte por Charlie, morte por assinatura, morte por silêncio, morte por causas naturais.

Um cardápio estúpido e interminável de mortes.

Mas morte por corda bamba?

Morte por performance?

Era a isso que chegava. Tão escandaloso com seu corpo. Tornando-o barato. Uma fantochada tudo isso. Seu pequeno passeio de Charlie Chaplin, chegando como um invasor em sua manhã. Como ele ousa fazer isso com o próprio corpo? Jogar sua vida na cara de todo mundo? Tornando o próprio filho dela tão barato? Sim, ele impôs-se em seu café da manhã como um invasor de seu código. Com suas palhaçadas sobre a cidade. Café e cookies e um homem lá fora andando no céu, estragando o que deveria ter sido.

— Sabem de uma coisa? — ela diz, inclinando-se para a roda das senhoras.

— O quê?

Ela faz uma pausa por um momento, perguntando-se o que deveria dizer. Um tremor percorrendo fundo seu corpo.

— Eu gosto tanto de vocês.

Está olhando para Gloria quando diz isso, mas quer dizer isso para todas elas, genuinamente quer. Uma pequena contração em sua garganta. Ela passa os olhos pela fileira de rostos. Gentileza e cortesia. Todas sorrindo para ela. Vamos, senhoras. Vamos. Deixe-nos agora passar o tempo de nossa manhã. Deixemos que ele passe. Esqueçamos os homens das cordas bambas. Deixemos que ele fique lá no alto no ar. Vamos tomar nosso café e ser gratas. Simples assim. Vamos abrir as cortinas e deixar a luz passar. Que essa seja a primeira de muitas mais. Ninguém mais se intrometerá. Nós temos nossos garotos. Eles estão juntos. Mesmo aqui. Na Park Avenue. Nós sofremos, e temos uma a outra para consolo.

Ela pega o bule de chá, as mãos tremendo. Os sons estranhos na sala, a ausência do silêncio, o farfalhar da sacola de pães e o desembrulhar do papel dos muffins.

Ela pega sua xícara e sorve-a. Passa os nós de seus dedos pelos lados da boca.

As flores de Gloria estão na mesa, já abrindo. Janet pegando um pedaço de miolo do prato. Jacqueline com o joelho subindo e descendo, ritmado. Marcia olhando o espaço lá fora. É meu garoto lá no alto e ele veio dizer alô.

Claire levanta, sem tremer nem um pouco, não agora.

— Vamos — ela diz —, vamos. Vamos ver o quarto de Joshua.

UM MEDO DE AMAR

E STAR NO CARRO quando ele bateu na traseira da van foi como estar em um corpo que não conhecemos. A imagem que recusamos ter de nós mesmos. Essa não sou eu, deve ser outra pessoa.
 Em qualquer outra ocasião, tudo teria acabado no acostamento, com a troca dos números de placas, uma barganha em torno de alguns dólares, até mesmo com a ida imediata para a lanternagem a fim de consertar o estrago, mas acabou que não foi nada disso. A batida foi das mais suaves. Um leve cantar dos pneus. Percebemos depois que o motorista devia ter freado, ou suas lanternas traseiras não estariam funcionando, ou talvez estivesse com o pé no freio o tempo inteiro e, na luz do sol, não vimos o brilho. A van era grande e vagarosa. O para-choque traseiro estava amarrado com arame e cordão. Eu me lembro de tê-la achado parecida com um daqueles velhos cavalos da minha juventude, um animal vagaroso e impaciente, empacando a ponto de receber uma chicotada nas ancas. As rodas traseiras foram as primeiras a sair. O motorista tentou corrigir. Seu cotovelo para fora da janela. A van foi pela lateral direita, e foi quando ele tentou corrigir de novo, mas puxou forte demais e sentimos o segundo solavanco, como carrinhos que batem no parque, a diferença é que não estávamos girando — nosso carro estava firme e reto.

Blaine tinha acabado de acender um baseado, que queimava no aro da lata de Coca vazia que estava entre nós. Ele mal tinha dado uma ou duas tragadas quando a van rodopiou, marrom e cavalar: os adesivos de paz no vidro traseiro, os painéis laterais com batidas, as janelas ligeiramente entreabertas. Rodopiou várias e várias e várias vezes.

Há alguma coisa que acontece com a mente em momentos de terror. Talvez imaginemos que seja o último que jamais teremos e o registremos para o resto de nossa longa jornada. Fotografamos tomadas perfeitas, um álbum sobre o qual se desesperar depois. Cortamos as beiradas e os plastificamos. Guardamos o álbum para revê-lo em nossos tempos de desgraça.

O motorista tinha um rosto bonito e seu cabelo era grisalho mais para branco. Tinha bolsas profundas, escuras, sob os olhos. Não havia se barbeado e usava uma camisa pretensiosamente aberta no pescoço, o tipo de homem que devia ficar calmo a maior parte do tempo, mas agora a direção estava escorregando de suas mãos e sua boca estava completamente aberta. Ele olhou para nós do alto da van como se também estivesse congelando nossos rostos na memória. Sua boca se esticou em um O maiúsculo e seus olhos se arregalaram. Eu me pergunto agora como ele me viu, meu vestido de franjas, minhas contas redondas, meu cabelo cortado no estilo anos 1920, meu delineador azul-real, meus olhos exaustos pela falta de sono.

Havia telas em nosso banco de trás. Tínhamos tentado passá-las para a frente no Kansas, quando passamos no Max's na noite anterior, mas não conseguimos. Quadros que ninguém queria. Mesmo assim, nós os havíamos arrumado cuidadosamente para que não arranhassem. Tínhamos até colocado pedaços de isopor entre eles para que não encostassem um no outro.

Se ao menos tivéssemos sido cuidadosos assim conosco.

Blaine tinha 32. Eu tinha 28. Dois anos de casados. Nosso carro, um antigo Pontiac Landau 1927, dourado com painéis prateados, era quase mais velho do que nós dois juntos. Tínhamos instalado um tocador de fita que ficava escondido sob o painel de instrumentos. Ouvíamos jazz dos anos 1920. A música filtrava-se sobre o East River. Havia tanta cocaína ainda bombeando em nossos corpos mesmo àquela hora que pensamos que ainda havia alguma promessa.

A van rodopiou para mais longe. Estava quase de frente para nós. Do lado do passageiro, tudo que eu podia ver era um par de pés descalços empurrando o painel de instrumentos. Desemaranhando-se em câmera lenta. As solas dos seus pés eram tão brancas nas pontas e tão escuras na cavidade que só poderiam pertencer a uma mulher negra. Ela desprendeu os tornozelos. O rodopio foi devagar o suficiente. Eu só podia enxergar o topo de sua figura. Ela estava calma. Como se pronta para aceitar. Seus cabelos estavam puxados firme para fora do rosto e brilhantes correntes de joias saltavam em seu pescoço. Se eu não a tivesse visto outra vez, daí a alguns momentos, depois de ela ter sido atirada pelo para-brisa, podia ter pensado que ela estava nua, dado o ângulo do qual eu estava olhando. Mais nova do que eu, uma graça. Seus olhos fitaram os meus como a se perguntar: "O que você está fazendo, sua vaca loura bronzeada com sua blusa de babados e seu excêntrico carro Cotton Club?"

Ela desapareceu rapidamente. A van fez um rodopio mais largo e nosso carro continuou em frente. Passamos por eles. A estrada se abria como um pêssego cortado. Lembro de ter escutado a primeira batida em nossa traseira, outro carro colidindo com a van, depois o estalido de uma grade caindo no chão e, mais tarde ainda, quando repassamos tudo em nossas cabeças, Blaine e eu ouvimos novamente o impacto do caminhão de jornal que os jogou na proteção da rodovia, um grande caminhão-baú com a porta do motorista aberta e o rádio estrepitando. Bateu com tudo. Eles não tiveram a mínima chance.

Blaine olhou por sobre o ombro e então acelerou por um momento até que eu gritei para ele parar, por favor, pare, por favor. Esses momentos foram perfeitamente nítidos. Nossas vidas em claridade total. Você deve ir lá. Assumir responsabilidades. Voltar até o ponto da batida. Fazer respiração boca a boca na moça. Segurar a cabeça dela, está sangrando. Sussurrar em seu ouvido. Aquecer seus pés, que estão brancos. Correr para um telefone. Salvar o homem esmagado.

Blaine estacionou no acostamento da FDR e nós saímos. O grasnido das gaivotas no rio, fazendo frente ao vento. As manchas salpicadas na água. As correntes passando, seus redemoinhos. Blaine cobriu os olhos da luz do sol. Parecia um antigo explorador. Alguns carros tinham parado no meio da estrada e o caminhão de jornais encostara a um lado, mas não era um desses desastres enormes que você às vezes escuta nas canções de rock, muito sangue e fraturas e uma rodovia na América; em vez disso, estava tudo calmo, apenas pequenos respingos de vidro estilhaçado pelas pistas, alguns jornais espalhados no chão, longe do corpo da jovem, que se expressava em uma mancha florescente de sangue. O motor rugia e vapor jorrava da van. O pé do motorista ainda devia estar no pedal. O motor gemia incessantemente, guinchando no tom mais alto possível. Algumas portas se abriram nos carros parados atrás e alguns outros motoristas já estavam se apoiando nas buzinas, o coro de Nova York, impaciente para continuar outra vez em frente, o agudo vá-se-foder. Estávamos sozinhos, a uns 200 metros do clamor. A estrada estava perfeitamente seca mas com manchas de poças de calor. Luz do sol pelas grades protetoras. Gaivotas sobre a água.

Olhei para Blaine. Ele estava com sua jaqueta de lã e gravata-borboleta. Parecia ridículo e triste, o cabelo caindo sobre os olhos, todo ele congelado no passado.

— Diga que isso não aconteceu — ele falou.

No momento em que ele se virou para verificar a frente do carro, me lembro de ter pensado que nunca sobreviveríamos a isso, não tanto à batida, nem mesmo à morte da jovem — ela estava tão obviamente morta, em uma poça de sangue na estrada — ou ao homem que fora jogado contra a direção, quase certamente acabado, seu peito comprimido contra o painel de instrumentos, mas ao fato de Blaine ter se virado para verificar o dano que havia sido feito em nosso carro, o farol esmagado, o para-lama amassado, como nossos anos juntos, algo quebrado, enquanto atrás de nós escutávamos as sirenes já a caminho, e ele deixou sair um pequeno rugido de desespero, e eu sabia que era pelo carro e nossas telas não vendidas e o que nos aconteceria em breve, e eu disse para ele:

— Vamos, vamos, rápido, entre, Blaine, rápido, vamos embora.

EM 1973, BLAINE E EU tínhamos trocado nossas vidas no Village por outra vida juntos, e fomos viver em uma cabana no interior do estado de Nova York. Estávamos havia quase um ano limpos de drogas, e mesmo alguns meses sem bebida, até a noite anterior ao acidente. Só uma farra de uma noite. Tínhamos dormido aquela manhã no hotel Chelsea, e estávamos regressando para a antiga fórmula da vovó, a de sentar na cadeira de balanço da varanda e esperar o veneno desaparecer de nossos corpos.

Na volta para casa, tudo o que tínhamos era o silêncio. Saímos da FDR, rumo norte, passando pela ponte da Willis Avenue, pelo Bronx, fora da via expressa, pela estrada de duas pistas, margeando o lago, tomando a estrada de terra em direção de casa. A cabana ficava a uma hora e meia da cidade de Nova York, em um pequeno bosque à beira de um segundo lago, menor. Uma lagoa, na verdade. Moitas de lírios e plantas aquáticas. A cabana tinha sido construída cinco décadas antes, nos anos 1920, com ciprestes. Sem eletricidade. Água da fonte. Um fogão a lenha, uma privada mal-ajambrada do lado de fora, um chuveiro que funcionava na base da gravidade, um abrigo que usávamos como garagem. Moitas de framboesas cresciam por todo lado sob a janela de trás. Dava para levantar os caixilhos das janelas para a cantoria dos pássaros. O vento fazia os juncos tagarelarem.

Era o tipo de lugar onde se podia rapidamente aprender a esquecer que acabávamos de ver uma garota morta em uma colisão na estrada, talvez também um homem — não sabíamos.

O final da tarde estava caindo quando chegamos. O sol tocava o topo das árvores. Vimos um martim-pescador grande atacando um peixe na doca. Ele comeu sua presa e então sentamos observando-o partir em seu voo rodopiante — algo bonito demais. Caminhei pela doca. Blaine tirou as telas do banco de trás, encostou-as na lateral do abrigo, abriu as enormes portas de madeira onde guardávamos o Pontiac. Estacionou o carro, fechou o abrigo com um cadeado e depois limpou as marcas da roda do carro com uma vassoura. Lá pelo meio da limpeza ele ergueu os olhos e me fez um aceno, que era também uma espécie de dar de ombros, e continuou a varrer. Depois de um tempo, não havia sinal de que tínhamos deixado a cabana.

A noite estava fresca. Uma friagem silenciara os insetos.

Blaine sentou-se perto de mim na doca, tirou os sapatos, pendurou os pés sobre a água, enfiou as mãos nos bolsos de sua calça xadrez. As sombras cansadas de seus olhos. Ele ainda tinha três quartos cheios do saquinho de cocaína da noite anterior. No valor de 40 ou 50 dólares. Ele o abriu, enfiou a comprida chave fina do cadeado dentro da coca e tirou um pouco do pó. Protegeu a chave com as mãos em concha e a levantou até meu nariz. Balancei a cabeça, sinalizando não.

— Só um tapa — disse ele. — Para aliviar a barra.

Era a primeira cheirada desde a noite anterior — o que costumávamos chamar de cura, o remédio, a terebintina, aquilo que limpava nossos pincéis. Bateu forte e queimou direto no fundo da minha garganta. Como chapinhar pela água congelada. Ele mergulhou no saquinho e deu três longas fungadas, empinou a cabeça para trás, balançou-a de um lado a outro, deixou um longo suspiro sair, pôs seu braço em volta do meu ombro. Eu quase podia cheirar a colisão em minhas roupas, como se tivesse amassado meu para-lama, me lançado em rodopios, prestes a colidir com a proteção da rodovia.

— Não foi nossa culpa, querida — disse ele.

— Ela era tão jovem.
— Não foi nossa culpa, meu bem, está me escutando?
— Você a viu no chão?
— Estou lhe dizendo — disse Blaine —, o idiota pisou no freio. Você o viu? As luzes do freio nem sequer estavam funcionando. Não pude fazer nada. Merda, o que eu devia fazer? Ele estava dirigindo como um idiota.
— Os pés dela estavam tão brancos. A sola.
— Azar é uma viagem em que eu não embarco, querida.
— Céus, Blaine, havia sangue por todo lado.
— Você precisa esquecer isso.
— Ela estava jogada lá.
— Você não viu porra nenhuma. Está me escutando? Não vimos nada.
— Estávamos num Pontiac 1927. Você acha que ninguém nos viu?
— Não foi nossa culpa — disse ele outra vez. — Vamos esquecer isso. O que podíamos fazer? Ele pisou nos malditos freios. Estou lhe dizendo, ele estava dirigindo aquela coisa como se aquilo fosse a porra de um barco.
— Você acha que ele também morreu? O motorista? Você acha que ele está morto?
— Dê um tapinha, querida.
— O quê?
— Você precisa esquecer que isso aconteceu, nada aconteceu, porra nenhuma.

Ele guardou o saquinho de plástico no bolso da jaqueta e enfiou os dedos sob o ombro do colete. Nós dois vínhamos usando roupas antigas na maior parte do ano. Fazia parte de nossa onda de volta aos anos 1920. Parecia tão ridículo agora. Coadjuvantes de um péssimo teatro. Tinha dois outros artistas de Nova York, Brett e Delaney, que voltaram aos anos 1940, vivendo o estilo e as roupas, e eles fizeram sucesso com isso, ficaram famosos, chegaram até as páginas de estilo do *New York Times*.

Nós fizemos ainda mais que Brett e Delaney, deixamos a cidade, mantivemos nosso carro de época — nossa única concessão — e vivemos sem eletricidade, lendo livros de outra era, pintando nossas telas no estilo da época, saímos de circulação, víamos a nós mesmos como reclusos, vanguardistas, acadêmicos. No fundo, até nós sabíamos que não estávamos sendo originais. No Max's, na noite anterior — cheios de banca —, fomos barrados pelos leões de chácara, que não nos reconheceram. Não nos deixaram ir para a sala dos fundos. Uma garçonete fechou bem a cortina. Ela se divertiu com a recusa. Nenhum de nossos velhos amigos estava por ali. Demos meia-volta, fomos para o bar, as telas em nossos braços. Blaine comprou um saquinho de cocaína do bartender, o único a elogiar nosso trabalho. Ele se inclinou sobre o balcão e olhou as telas, dez segundos, no máximo. *Uau*, disse. *Uau*. São sessenta paus, cara. *Uau*. Se quiser Panamá Red, cara, também tenho. *Cheeba Cheeba* também. *Uau*. É só dizer. *Uau*.

— Livre-se da coca — eu disse a Blaine. — Jogue na água.
— Mais tarde, querida.
— Jogue fora, por favor.
— Mais tarde, querida, ok? Agora estou curtindo. Quer dizer, aquele cara, caramba! Ele não sabia dirigir. Quer dizer, que tipo de porra idiota pisa no freio em plena FDR? E você a viu? Ela nem estava vestida. Devia estar chupando ele, sei lá. Aposto que foi isso. Ela estava chupando o cara.
— Ela estava numa poça de sangue, Blaine.
— Não foi culpa minha.
— Ela estava toda esmagada. E o cara. Ele estava lá caído sobre o volante.
— Foi você quem me falou para sair da cena. Foi você quem disse: "Vamos embora." Não se esqueça disso, foi você, você tomou a decisão!

Dei um tapa no rosto dele, surpresa de como doeu forte na minha mão. Me levantei. As tábuas rangeram. A doca era velha e inútil, projetando-se na lagoa como um galho. Passei pela lama endurecida, em direção à cabana. Na varanda, empurrei a porta, parei no meio da sala. O cheiro lá dentro era muito rançoso. Como meses de cozinha ruim.

Esta não é minha vida. Estas não são minhas teias de aranha. Esta não é a escuridão que me foi destinada.

Tínhamos sido felizes, Blaine e eu, na cabana no ano anterior. Enxotamos a droga de nossos corpos. Acordávamos toda manhã com a cabeça fresca. Trabalhávamos e pintávamos. Esculpimos uma vida no silêncio. Isso tinha acabado agora. Tinha sido apenas um acidente, eu disse a mim mesma. Fizemos a coisa certa. Claro, deixamos a cena, mas talvez eles tivessem nos revistado, descoberto o pó, a erva, teriam levado Blaine, ou descobririam o nome da minha família e colocariam tudo nos jornais.

Olhei pela janela. Um fino raio de luar deslizava sobre a água. As estrelas acima eram pequenos pontilhados de luz. Quanto mais eu olhava, mais elas pareciam marcas de garras. Blaine ainda estava na doca, mas deitado ao comprido, quase uma forma de foca, fria e negra, como se pronta a deslizar para fora do cais.

Caminhei pelo escuro até o lampião de querosene. Fósforos na mesa. Pus o lampião para funcionar. Virei o espelho. Eu não queria ver meu rosto. A cocaína ainda estava bombeando dentro de mim. Pus o lampião no máximo e senti seu calor crescer. Uma gota de suor em minha testa. Deixei meu vestido em uma pilha, entrei na cama. Caí no colchão macio, de cara para baixo, nua, sob os lençóis.

Eu ainda podia vê-la. Principalmente a sola de seus pés, não sabia por quê, eu os via lá, contra o escuro do asfalto. O que foi que os fez ficarem assim tão brancos? Uma velha canção voltou até mim, meu falecido avô cantando algo sobre pés de barro. Enterrei ainda mais meu rosto no travesseiro.

O ferrolho da porta rangeu. Eu estava deitada quieta e tremendo — parecia possível fazer as duas coisas ao mesmo tempo. Os passos de Blaine soaram no piso. Sua respiração estava rasa. Escutei seus sapatos sendo jogados perto do fogão. Ele diminuiu a chama do lampião. O pavio silvou. As bordas do mundo ficaram um pouco mais escuras. A chama tremulou e se endireitou.

— Lara — ele disse. — Querida.

— O que é?

— Olha, eu não queria gritar. Sério.

Ele veio até a cama e se curvou sobre mim. Eu podia sentir sua respiração no meu pescoço. Estava frio, como o outro lado do travesseiro. Tenho uma coisa para nós, ele disse. Abaixou o lençol até minhas coxas. Eu podia sentir a cocaína sendo salpicada em minhas costas. Era o que fazíamos juntos anos antes. Não me mexi. Seu queixo na curva das minhas costas. Os pelos onde ele não se barbeara. Seu braço envolvendo minha costela e sua boca no centro da minha espinha. Senti seu rosto descer pelas costas do meu corpo e o toque simples de seus lábios, distante e desarraigado. Ele salpicou outra vez o pó, uma linha tosca que lambeu.

Ele agora estava exaltado e tinha puxado completamente o lençol de cima de mim. Não fazíamos amor havia alguns dias, nem mesmo no hotel Chelsea. Ele me virou e me falou para não suar, que isso faria a cocaína formar torrões.

— Perdão — disse ele outra vez, salpicando a coca abaixo da minha barriga. — Eu não devia ter gritado daquele jeito.

Eu o puxei pelo cabelo. Acima dos seus ombros as protuberâncias tênues na madeira do teto pareciam fechaduras.

Blaine sussurrava no meu ouvido: Perdão, perdão, perdão.

ORIGINALMENTE, tínhamos ganhado dinheiro na cidade de Nova York, Blaine e eu. No final dos anos 1960, ele dirigira quatro filmes de arte em preto e branco. Seu filme mais famoso, *Antioch*, era um retrato de um velho edifício sendo demolido na zona portuária. Lindas e pacientes tomadas de gruas e caminhões enormes e bolas de demolição feitas em dezesseis milímetros. Ele antecipou muito da arte que veio depois — luz filtrando através das paredes destruídas de armazéns, esquadrias de janelas jogadas nas poças, novos espaços arquitetônicos criados pelas rupturas. O filme foi comprado por um colecionador bem conhecido. Depois disso Blaine publicou um ensaio sobre o onanismo dos cineastas: filmes, ele disse, criavam uma forma de vida à qual a vida tinha de aspirar, só um desejo por si mesma. O próprio ensaio terminava no meio de uma frase. Foi publicado por um obscuro jornal de arte, mas o fez ser notado nos círculos onde ele desejava ser visto. Ele era um dínamo de ambição. Outro filme, *Calypso*, tinha Blaine tomando o café da manhã no telhado do Clock Tower Building enquanto o relógio atrás dele tiquetaqueava lentamente. Em cada ponteiro do relógio ele havia colocado fotos do Vietnã, o ponteiro dos segundos segurando um monge se queimando e dando voltas e voltas pelo mostrador.

Os filmes foram uma coqueluche por um tempo. O telefone tocava incessantemente. Convites para festas. Negociantes de arte ficavam nos degraus de nossa porta. A *Vogue* fez um perfil dele. O fotógrafo da revista fez com que ele se vestisse apenas com um estratégico xale. Comemoramos os elogios, mas se você fica tempo demais no mesmo rio até as encostas vão dar um jeito de te ultrapassar. Ele ganhou um Guggenheim, mas logo a maior parte do dinheiro foi torrado com nossos hábitos. Cocaína, speed, Valium, bolinhas, ervas fortes, soníferos, barbitúricos, anfetamina: tudo que conseguíamos achar. Blaine e eu passamos semanas inteiras na cidade praticamente sem dormir. Vivíamos entre os pecadores falastrões do Village. Festas barra-pesada, onde passávamos pela música pulsando e perdíamos um ao outro por uma, duas, três horas, de uma vez. Não nos incomodávamos quando encontrávamos o outro nos braços de alguém: ríamos e seguíamos em frente. Festas de sexo. Festas de troca de casais. Festas de drogas. No Studio 54, inalávamos poppers e nos empanturrávamos de champanhe. Isto é a felicidade, gritávamos um para o outro pelo salão.

Um designer de moda fez para mim um vestido púrpura com botões amarelos de anfetaminas. Blaine engoliu os botões um a um enquanto dançávamos. Quanto mais chapado ele ficava, mais aberto ficava meu vestido.

Chegávamos pelas saídas e saíamos pela entrada. A noite não era mais apenas uma coisa escura; ela na verdade havia adquirido a luz da manhã — não parecia nada demais pensar na noite como se ela tivesse um nascer do sol dentro dela, ou um despertador ao meio-dia. Costumávamos dirigir por toda a Park Avenue só para rir dos porteiros de olhos embaçados. Pegávamos as sessões de filmes contínuos nos poeiras pornôs da Times Square: *Two-Trouser Sister*, *Panty Raid*, *Girls on Fire*. Víamos o sol nascer nas praias de alcatrão dos telhados de Manhattan. Tirávamos nossos amigos da ala psiquiátrica em Bellevue e os levávamos de carro direto para o Trader Vic's.

Tudo era fabuloso, até nossos colapsos.

Fiquei com um tique no olho esquerdo. Tentei ignorá-lo, mas ele parecia um dos ponteiros do relógio de Blaine, contando o tempo no meu rosto. Eu já fora linda, Lara Liveman, garota do centro-oeste, filha loura do privilégio, meu pai, o proprietário de um império automobilístico, minha mãe, modelo norueguesa. Não tenho medo de dizê-lo — fui suficientemente bonita para provocar brigas entre taxistas. Mas eu podia sentir as noitadas me destruindo. Meus dentes estavam ficando de um matiz mais escuro por causa de benzedrina demais. Meus olhos estavam sem brilho. Às vezes parecia que estavam me tirando até a cor do cabelo. Uma sensação bizarra, a vida desaparecendo pelos folículos, um tipo de formigamento.

Em vez de trabalhar em minha própria arte, eu ia ao cabeleireiro duas, três vezes por semana. Vinte e cinco dólares cada vez. Eu dava mais 15 de gorjeta e saía pela avenida chorando. Eu ia voltar a pintar outra vez. Tinha certeza disso. Tudo de que precisava era de mais um dia. Mais uma hora.

Quanto menos trabalhávamos, mais valiosos pensávamos que nos tornávamos. Eu havia trabalhado com paisagens urbanas abstratas. Alguns colecionadores tinham me sondado. Eu só precisava encontrar energia para terminar. Mas em vez de ir para meu estúdio, eu passava da luz do sol da Union Square para o confortável escurinho do Max's. Todos os leões de chácara me conheciam. Um drinque era colocado na mesa: primeiro um Manhattan, seguido por um White Russian. Eu ficava alta em poucos minutos. Rondava por ali, tagarelava, flertava, ria. Estrelas de rock na sala dos fundos e artistas na frente. Homens nos banheiros das mulheres. Mulheres nos dos homens, fumando, conversando, beijando, trepando. Bandejas de biscoitos de haxixe eram oferecidas. Homens cheirando fileiras de coca com os tubinhos das canetas. O tempo era desafiado quando eu estava no Max's. As pessoas usavam seus relógios com o mostrador virado para o lado da pele. Quando o jantar acontecia podia ser no dia seguinte. Às vezes já era três dias mais tarde quando eu finalmente saía. A luz batia nos meus olhos quando abria a porta para a Park Avenue South e 17th Street. Ocasionalmente, Blaine estava comigo, com mais frequência não estava e houve vezes, muito honestamente, que eu não tinha certeza.

As festas aconteciam como chuva. No Village, a porta do nosso fornecedor, Billy Lee, ficava sempre aberta. Ele era alto, magro, um homem bonito. Tinha um conjunto de dados que usávamos para jogos sexuais. Havia uma piada sobre as pessoas que entravam e saíam do apartamento do Billy, porque lá dentro elas continuavam entrando e saindo. O lugar era cheio de blocos de roubados receitas, cada folha triplicada com um número individual de registro de droga. Ele as roubava de consultórios médicos do Upper East Side; costumava passar pelos escritórios do piso térreo na Park e Madison, chutava o ar-condicionado para dentro e então entrava pela janela aberta. Conhecíamos um médico no Lower East Side que preenchia as receitas. Billy estava engolindo vinte pílulas por dia. Dizia que às vezes sentia seu coração enrolar na língua. Ele tinha uma queda pelas garçonetes do Max's. A única que o evitava era uma loura chamada Debbie. Às vezes eu substituía uma das garçonetes que não apareciam. Billy recitava passagens do *Finnegans Wake* em meu ouvido. *O pai dos fornicadores.* Sabia vinte páginas de cor. Soava como um jazz. Mais tarde eu podia escutar sua voz ecoando em meu ouvido.

No nosso apartamento recebemos algumas intimações por música alta, uma vez houve uma prisão por posse, mas foi uma batida da polícia que por fim nos parou. Arrombaram a porta. Os guardas invadindo o lugar. *De pé.* Um deles bateu no meu tornozelo com um cassetete. Eu estava assustada demais para gritar. Não foi uma batida comum. Levantaram Billy de nosso sofá, chutaram-no para o chão, revistaram suas roupas com ele pelado. Ele foi levado algemado, parte de uma operação do Federal Bureau of Narcotics. Saímos do caso com um aviso: eles estavam nos vigiando, disseram.

Blaine e eu nos arrastamos pela cidade procurando uma linha de coca. Nenhum conhecido estava vendendo. O Max's ficou fechado por uma noite. Os veados cara-dura da Little West Twelfth Street não nos deixavam entrar em seus clubes. Havia uma neblina sobre Manhattan. Compramos um saquinho em Houston mas era puro bicarbonato de sódio. Ainda assim o enfiamos em nossos narizes caso houvesse algum remanescente de coca nele. Caminhamos pela Bowery entre os bêbados capotados e fomos jogados contra a grade de um armazém e roubados à ponta de faca por três garotos filipinos com casacos enfeitados.

Terminamos na porta de uma farmácia do East Side. *Veja o que fizemos a nós mesmos*, disse Blaine. Sangue espalhado na frente de sua camisa. Não conseguia fazer meu olho parar de pulsar. Fiquei ali deitada, o molhado do chão encharcando meus ossos. Nem mesmo desejo suficiente para chorar.

Um carcamano madrugador jogou uma moeda a nossos pés. *E pluribus unum.*

Foi um daqueles momentos do qual eu sabia que não haveria retorno. Chega-se a um ponto quando, exausto de perder, você decide parar de decepcionar a si mesmo, ou pelo menos tentar, ou acender a chama final, uma última chance. Vendemos o loft que possuíamos no SoHo e compramos a cabana de madeira tão longe no interior que seria uma longa caminhada de volta ao Max's outra vez.

O que Blaine queria era um ano ou dois, talvez mais, nos cafundós. Sem distração. Para retornar ao momento da inocência radical. Pintar. Armar as telas. Encontrar o ponto da originalidade. Não era uma ideia hippie. Nós dois sempre detestamos os hippies, suas flores, seus poemas, seu único ideal. Estávamos o mais longe possível dos hippies. Éramos a ponta, os definidores. Desenvolvemos nossa ideia de viver nos anos 1920, um Scott e Zelda ficando limpos. Mantivemos nosso carro antigo, até o reformamos por dentro, reestofamos os bancos, o painel de instrumentos com camurça. Eu cortei meu cabelo no estilo dos anos 1920. Compramos nossas provisões: ovos, farinha, leite, açúcar, sal, mel, orégano, chili e pilhas de carne-seca que penduramos em um prego no teto. Limpamos as teias de aranha e enchemos os armários com arroz, grãos, geleias, marshmallows — acreditávamos que assim ficaríamos realmente limpos. Blaine tinha decidido que era tempo de voltar às telas, pintar ao estilo de Thomas Benton, ou John Steuart Curry. Ele queria o mesmo momento de pureza, regionalismo. Estava farto dos seus colegas de Cornell, os Smithsons e os Turleys e os Matta-Clarks. Eles tinham feito o máximo que podiam, ele dizia, e para eles não havia como ir além. As estruturas espiraladas e as casas desconstruídas e latas de lixo roubadas eram *passé*.

Eu também — decidi que queria a pulsação das árvores em meu trabalho, a jornada da grama, um pouco de terra. Pensei que poderia ser capaz de capturar a água de um modo novo e surpreendente.

Pintamos a nova paisagem separadamente — a lagoa, o martim-pescador-gigante, o silêncio, a lua aninhada no selim das árvores, os borrões dos tordos entre as folhas. Tínhamos chutado as drogas. Fazíamos amor. Tudo ia tão bem, tão tão tão bem, até nossa viagem de volta a Manhattan.

UMA ALVORADA azul se espalhou no quarto. Blaine estava deitado como uma coisa encalhada, todo atravessado na cama. Impossível de ser acordado. Rangendo os dentes no sono. Uma magreza nele, as maças do rosto pronunciadas, mas não deixava de estar bonito: havia momentos em que ainda me fazia pensar em um jogador de polo.

Eu o deixei na cama e saí para a varanda. O sol estava para nascer e o calor já havia evaporado a chuva da noite na grama. Um vento leve ondulava a superfície do lago. Eu podia escutar os sons fracos do trânsito na rodovia a alguns quilômetros de distância, um gorgolejo baixo.

Um único raio deixado por um jato cortava o céu, como uma fileira de coca desaparecendo.

Minha cabeça estava latejando, minha garganta, seca. Precisei de um momento para compreender que os dois dias anteriores tinham realmente acontecido: nossa viagem a Manhattan, a humilhação no Max's, a batida de carro, a noite de sexo. O que havia sido uma vida quieta tinha novamente recuperado o seu ruído.

Olhei para o abrigo onde Blaine escondera o Pontiac. Tínhamos esquecido as telas. Ficaram na chuva. Nem mesmo as cobrimos com um plástico. Elas estavam lá, arruinadas, encostadas no lado do abrigo, perto das rodas velhas de uma carroça. Eu me curvei e dei uma olhada. Um ano inteiro de trabalho. A água e a tinta tinham se misturado na grama. As molduras logo ficariam empenadas. Ironia fabulosa. Todo o trabalho desperdiçado. O corte das telas. A limpeza dos pincéis. Os meses e meses gastos pintando.

Você bate numa van e vê sua vida se desfazer.

Deixei Blaine em paz, não contei para ele, passei o dia todo evitando-o. Caminhei pelo bosque, ao redor do lago, nas estradas de terra. Junte todas as coisas que você ama, pensei, e se prepare para perdê-las. Eu me sentei, tirando as raízes de trepadeiras das árvores: parecia a única coisa valiosa que eu poderia fazer. Nessa noite fui para a cama enquanto Blaine ficou olhando para a água, lambendo a última das últimas da coca de dentro do saquinho de plástico.

Na manhã seguinte, com as pinturas ainda do lado de fora da garagem, caminhei em direção à cidade. Em certo estágio, cada pequena coisa pode ser um sinal. A meio caminho da estrada um grupo de estorninhos voou de uma pilha de baterias de carros descartadas.

O TROPHY DINER ficava no final da Main Street, à sombra da torre do sino da igreja. Uma fila de camionetes picapes estava do lado de fora com suportes de carabinas vazios nas janelas. Algumas peruas estavam estacionadas na área da igreja. Ervas daninhas tinham rachado o calçamento na porta. A campainha tocou. Os nativos nos bancos giratórios viraram para me olhar. Eram mais do que o usual. Bonés de beisebol e cigarros. Viraram-se rapidamente outra vez, acotovelados e conversando. Não me chateei. Eles nunca prestavam mesmo muita atenção em mim.

Dei um sorriso para a garçonete mas ela não correspondeu. Sentei em uma das cabines vermelhas abaixo de um quadro de patos em fuga. Saquinhos de açúcar, canudos e guardanapos estavam espalhados pela mesa. Limpei o tampo de fórmica, fiz uma estrutura com os palitos de dente.

Os homens nas banquetas estavam barulhentos e animados, mas eu não podia entender o que diziam. Senti um pânico momentâneo de que eles de alguma forma soubessem do acidente, mas isso pareceu fora dos limites da lógica.

Acalme-se. Sente-se. Coma seu café da manhã. Veja o mundo passar.

A garçonete finalmente veio e deslizou o menu pela mesa, colocou um café na minha frente sem que eu sequer pedisse. Ela em geral usava seu cansaço como um autógrafo, mas havia algo de sobressaltado nela enquanto se apressava de volta ao balcão e se acomodava outra vez entre os homens.

Havia pequenas marcas de gotas na caneca branca de café, onde ela não fora bem lavada. Esfreguei com um guardanapo de papel. No chão, debaixo de mim, havia um jornal, dobrado e com manchas de ovo. *The New York Times*. Havia quase um ano que eu não lia um jornal. Na cabana tínhamos um rádio à manivela, a qual devíamos girar se quiséssemos ouvir sobre o mundo lá fora. Chutei o jornal para o canto mais longe do banco. O prospecto das notícias não era nada frente ao acidente e as pinturas que perdemos como consequência. O trabalho de todo um ano perdido. Eu me perguntava o que podia acontecer quando Blaine descobrisse. Eu podia vê-lo se levantando da cama, desgrenhado, sem camisa, coçando-se, o ajuste masculino da entreperna, saindo pela porta e olhando para o abrigo, sacudindo-se para despertar, correndo pelo mato crescido que ricochetearia atrás dele.

Ele não era dado a ataques de raiva — uma das coisas que eu ainda amava nele — mas eu podia prever a cabana salpicada com pedacinhos das molduras estraçalhadas.

Você quer parar os relógios, paralisar tudo por meio segundo, dar a si mesmo uma chance de recomeçar, voltar sua vida para trás, desbater o carro, dar marcha ré, fazê-la voltar miraculosamente para trás do para-brisa, recompor o vidro, continuar seu dia intocado, como costuma ser, o gosto doce perdido.

Mas lá estava outra vez, a moça estendida na poça de sangue.

Tentei me fazer notar pela garçonete. Ela estava inclinada com o cotovelo no balcão, tagarelando com os homens. Algo da urgência deles vibrava na sala. Tossi alto e sorri para ela outra vez. Ela suspirou como se para dizer que logo viria, pelo amor de Deus, não me pressione. Rodeou o balcão, mas parou outra vez no meio da sala, sorriu de alguma piada íntima.

Um dos homens desdobrou seu jornal. O rosto de Nixon na primeira página passou brevemente a minha frente. Todo escorregadio e ensaiado e voraz. Sempre detestei Nixon, não apenas pelas razões óbvias, mas me parecia que ele havia aprendido não só a destruir o que fora deixado atrás mas também envenenar o que viria. Meu pai tinha sido proprietário de parte de uma companhia em Detroit e toda a enormidade da fortuna de nossa família desaparecera nos últimos anos. Não era porque queria a herança — não queria, de jeito nenhum —, mas eu podia ver minha juventude retrocedendo a minha frente, os bons momentos quando meu pai me carregava nos ombros e fazia cócegas debaixo do meu braço e até me aconchegava na cama, beijava meu rosto, esses dias agora se foram, cada vez mais distantes devido à mudança.

— O que está acontecendo?

Minha voz tão casual quanto possível. A garçonete com sua caneta pousada na caderneta de pedidos.

— Você não escutou? Nixon se foi.

— Baleado?

— Porra, não. Renunciou.

— Hoje?

— Não, amanhã, meu bem. Semana que vem. Natal.

— Como é?

Ela bateu a caneta outra vez na ponta do queixo.

— Quê que cê quer?

Gaguejei um pedido de uma omelete de presunto, queijo e cebola e tomei um gole da água que havia no copo duro de plástico.

O instantâneo de uma imagem passou por minha cabeça. Antes de conhecer Blaine — antes das drogas e da arte e do Village — eu tinha me apaixonado por um garoto de Dearbon. Ele foi como voluntário para o Vietnã e voltou para casa com o olhar vazio do traumatizado de guerra e um pedaço de bala alojado perfeitamente em sua espinha. Na cadeira de rodas ele me surpreendeu ao fazer a campanha para Nixon em 1968, indo para as cidades do interior, ainda dando sua aprovação a tudo que não podia entender. Nós terminamos durante a campanha. Eu achava que sabia o que era o Vietnã — nós o deixaríamos em ruínas e ensopado em sangue. As mentiras repetidas tornam-se história, mas não necessariamente tornam-se verdade. Ele engoliu todas elas, até cobriu sua cadeira de rodas com adesivos NIXON AMA JESUS. Foi de porta em porta, espalhando boatos sobre Hubert Humphrey. Até comprou para mim uma correntinha com o elefante republicano. Eu a usei para agradá-lo, dar-lhe suas pernas de volta, mas era como se a luz tivesse se apagado dentro de suas pálpebras e sua mente estivesse enfiada em alguma gavetinha. Eu ainda me perguntava o que poderia ter acontecido se eu tivesse ficado com ele e aprendido a louvar a ignorância. Ele me escreveu que tinha visto o filme de Blaine da Torre de Relógio e que tinha rido tanto que caíra da cadeira, não conseguiu se erguer, agora estava se arrastando, seria possível ajudá-lo a se levantar? No final da carta, disse: *Vá se foder, sua puta insensível, você torceu meu coração e o espremeu até secar.* Ainda assim, quando me lembro dele, sempre o vejo esperando por mim sob as arquibancadas prateadas do colégio com um sorriso no rosto e 32 dentes brancos perfeitos a reluzir.

A mente dá esse tipo de pulo: atire-os para fora, sim, para dentro de uma gaveta.

Vi outra vez a garota da batida, seu rosto aparecendo por sobre os ombros dele. Dessa vez não foi a brancura dos pés dela. Ela estava inteira e linda. Sem sombra nos olhos, sem maquiagem, sem fingimento. Estava sorrindo para mim e me perguntando por que eu fora embora, eu não queria falar com ela?, por que não parei?, venha, venha, por favor, eu não queria ver o pedaço de metal que tinha rompido a espinha dela?, e o asfalto que ela havia acariciado a cem quilômetros por hora?

— Você está bem? — perguntou a garçonete, empurrando o prato de comida pela mesa.

— Sim, estou.

Ela deu uma espiada no copo cheio e disse:

— Alguma coisa errada?

— Só não estou no clima.

Ela me olhou como se eu fosse muito possivelmente uma alienígena. Não quer café? Chame a Comissão de Atividades Antiamericanas.

Vá para o inferno, pensei. Deixe-me em paz. Volte para seus copos mal lavados.

Fiquei sentada em silêncio e sorri para ela. A omelete estava mole e pegajosa. Dei uma pequena mordida e senti a gordura perturbando meu estômago. Curvei-me e estiquei o pé debaixo da mesa, puxei o jornal do dia anterior, peguei-o. Estava aberto em um artigo sobre um homem que havia caminhado sobre um cabo esticado entre as torres do World Trade Center. Ele havia, ao que parece, estudado o edifício durante seis anos e finalmente tinha não apenas andado mas dançado, de um lado ao outro, chegou até a deitar no cabo. Disse que quando via laranjas tinha vontade de fazer malabarismos com elas, quando via arranha-céus queria andar entre eles. Imaginei o que poderia fazer se entrasse no restaurante e encontrasse pedaços de mim espalhados em volta, pedaços demais para fazer malabarismos.

Dei uma olhada nas outras páginas. Um pouco de Chipre, tratamento de água, um assassinato no Brooklyn, mas a maior parte sobre Nixon e Ford e Watergate. Eu não sabia muito sobre o escândalo. Não era uma coisa que Blaine e eu acompanhávamos: a política do establishment com sua máxima insensibilidade. Outro tipo de napalm, sendo lançado por aqui. Fiquei feliz em ver Nixon renunciar, mas isso dificilmente conduziria a uma revolução. Não aconteceria nada muito além de Ford tendo uns cem dias e depois também ordenando mais bombas. Parecia que nada de muito bom tinha acontecido desde o dia que Sirhan Sirhan puxou o gatilho maligno. O idílio acabara. Liberdade era uma palavra que todos mencionavam mas nenhum de nós conhecia. Não restara muita coisa que valesse morrer por elas, exceto o direito de permanecer peculiar.

No jornal não havia menção a uma batida de carro na FDR Drive, nem mesmo um pequeno parágrafo enterrado embaixo do vinco.

Mas ali estava ela, ainda olhando para mim. Não foi o motorista que me impressionou, de jeito nenhum — não sei por quê —, era ainda ela, só ela.

Eu estava vagando pelas sombras para alcançá-la e o motor do carro ainda estava gemendo e ela estava em um halo de cacos de vidro quebrado. Quão poderoso é o senhor, Deus? Salve-a. Erga-a do asfalto e limpe o vidro de seu cabelo. Limpe o sangue falso no chão. Salve-a aqui e agora, junte outra vez seu corpo despedaçado.

Eu estava com dor de cabeça. Minha mente girando. Quase podia me sentir balançar no banco. Talvez fosse a droga jorrando do meu corpo. Peguei um pedaço de torrada e apenas o segurei nos lábios, mas até o cheiro da manteiga me nauseava.

Do outro lado da janela vi um carro antigo com pneus de faixa branca parar junto ao meio-fio. Precisei de um momento para compreender que não era uma alucinação, alguma coisa cinemática puxada da memória. A porta abriu e um sapato pisou no chão. Blaine saiu e protegeu os olhos contra o sol. Foi quase exatamente o mesmo gesto como na rodovia dois dias atrás. Estava usando uma camisa de lenhador e jeans. Nada de roupa antiquada. Parecia alguém do interior. Tirou o cabelo dos olhos. Ao atravessar a rua, o pequeno tráfego parou para ele. Mãos enfiadas nos bolsos, passou pelas janelas do restaurante e me deu um sorriso. Havia um jeito intrigante nos seus passos, caminhando com a parte de cima do corpo empinada um pouco para trás. Parecia um anúncio publicitário, tudo claramente falso. De repente, pude vê-lo usando um traje de algodão listrado. Ele sorriu outra vez. Talvez tivesse ouvido sobre Nixon. Mais provável que ainda não tivesse visto as telas, arruinadas sem conserto.

A campainha soou na porta e o vi acenar para a garçonete e fazer um gesto com a cabeça para os homens. Uma espátula de paleta aparecia no bolso de sua camisa.

— Você está pálida, querida.

— Nixon renunciou — eu disse.

Ele abriu um sorriso largo enquanto se inclinava sobre a mesa e me beijava.

— Esse Dick era mesmo um grande enrolador. Adivinhe só? Achei as telas.

Estremeci.

— Elas estão incríveis — disse ele.

— O quê?

— Elas ficaram do lado de fora na chuva na noite passada.

— Eu vi.

— Completamente mudadas.
— Sinto muito.
— Você sente muito?
— Sim, sinto, Blaine, sinto muito.
— Opa, Opa.
— Opa o quê, Blaine?
— Você não percebe? — disse ele. — É só dar um acabamento diferente. E elas ficam novas. Você não percebe isso?

Virei meu rosto para ele, olhei-o direto nos olhos e disse:

— Não, eu não vi. Não vi nada, não vi porra de coisa nenhuma. Aquela moça foi assassinada.

— Ai, Cristo. Isso outra vez, não.
— Outra vez? Foi anteontem, Blaine.
— Quantas vezes vou ter de lhe dizer? Não foi culpa nossa. Anime-se. E fale baixo, Lara, aqui, não grite.

Ele estendeu a mão e pegou a minha, seus olhos estreitos e intensos:

— Não foi culpa nossa, não foi culpa nossa, não foi culpa nossa.

Não foi porque estivesse correndo, ele disse, ou tivesse a intenção de entrar na traseira de algum idiota que não sabia dirigir. As coisas acontecem. As coisas colidem.

Espetou um pedaço da minha omelete. Segurou o garfo e meio que o apontou para mim. Abaixou os olhos, comeu o pedaço, mastigou lentamente.

— Acabei de descobrir uma coisa e você não está escutando.

Era como se quisesse me animar com uma piada boba.

— Um momento de *satori*, de iluminação — disse ele.
— É sobre ela?
— Você tem de parar, Lara. Precisa se controlar. Escute-me.
— Sobre Nixon?
— Não, não é sobre Nixon. Que se foda Nixon. A História que cuide de Nixon. Escute-me, por favor. Você está parecendo uma doida.
— Havia uma garota morta.
— Chega. Esqueça essa porra.
— Ele também pode estar morto, o cara.
— Cala. A. Boca. Foi só uma batidinha, isso é tudo, nada mais. A luz do freio dele não estava funcionando.

Justo então a garçonete veio e Blaine soltou minha mão. Pediu um Trophy especial com ovos, bacon extra e linguiça de carne de caça. A garçonete foi embora e ele sorriu para ela, observou-a ir, seu requebrado.

— Olha — disse —, é sobre o tempo. Quando você pensa nisso. Elas são sobre o tempo.

— O que é sobre o tempo?

— As pinturas. São um comentário sobre o tempo.

— Caramba, Blaine.

Havia um brilho nos olhos dele, em nada parecido com que eu tinha visto havia muito tempo. Ele abriu alguns saquinhos de açúcar, jogou no café. Uns grãos perdidos salpicaram a mesa.

— Escuta. A gente fez nossas pinturas dos anos 1920, certo? E vivemos naquele tempo, certo? Há uma maestria nisso, quero dizer, elas estavam apontando para o rumo certo, as pinturas, você mesma disse isso. E elas se referiam àquela época, certo? Mantinham as maneiras formais da época. Tinham uma armadura estilística, certo? Mesmo uma monotonia. Elas aconteciam de propósito. Nós as cultivávamos. Mas você viu o que o mau tempo fez com elas?

— Vi, sim.

— Bem, saí da cabana esta manhã e as malditas coisas me derrubaram. Mas então comecei a olhar através delas. E elas estavam lindas e arruinadas. Você não entende?

— Não.

— O que acontece se fazemos uma série de pinturas e as deixamos expostas ao clima? Deixamos o presente trabalhar o passado. Podemos fazer uma coisa radical aqui. Fazer as pinturas formais no estilo do passado e deixar o presente destruí-las. Deixamos o clima se tornar a força imaginativa. O mundo real trabalha sua arte. Assim você lhe dá uma nova finalização. E então a reinterpreta. É perfeito, entende?

— A moça morreu, Blaine.

— Supere.

— Não, eu não vou superar.

Ele jogou as mãos para o alto e então as soltou com estardalhaço na mesa. Os grãos solitários de açúcar pularam. Alguns homens no balcão se viraram e nos deram uma encarada.

— Ah, foda-se — disse ele. — É inútil falar com você.

Seu pedido chegou e ele comeu de cara feia. Continuou olhando para mim, como se eu pudesse de repente mudar, virar a beleza com quem ele se casou uma vez, mas seus olhos eram azuis e detestáveis. Ele comeu a linguiça com uma espécie de selvageria, avançava como se ela o tivesse deixado com raiva, essa coisa que já foi viva. Um pouco de ovo se prendeu no lado de sua boca onde não havia se barbeado bem. Ele tentou falar de seu novo projeto, que um homem podia encontrar significados em qualquer lugar. Sua voz zumbia como uma mosca presa. Seu desejo pela certeza, por significado. Ele precisava de mim como parte de seus padrões. Senti necessidade de falar para Blaine que de fato eu havia passado toda a minha vida amando o garoto fã de Nixon na cadeira de rodas, e que desde então tudo tinha sido só forragem, e juvenil, e inútil, e fatigante, toda a nossa arte, todos os nossos projetos, todos os nossos fracassos eram apenas puro desperdício, e nada disso importava, mas em vez disso fiquei sentada ali, sem dizer nada, escutando o murmúrio fraco das vozes no balcão e o estrépito dos garfos nos pratos.

— Terminamos — disse ele.

Blaine estalou os dedos e a garçonete veio correndo. Ele deixou uma gorjeta extravagante e saímos para a luz do sol.

Blaine ajeitou os óculos de sol gigantes sobre os olhos, aumentou sua passada e caminhou em direção à oficina no final da Main Street. Segui alguns passos atrás. Ele não se voltou, não esperou.

— Ei, cara, você pode atender um pedido especial? — disse ele para um par de pernas estendido debaixo de um carro.

O mecânico deslizou sobre sua plataforma com rodinhas, saindo de sob o carro, olhou para cima, piscou.

— O que é que eu posso fazer por você, meu chapa?
— Substituir um farol para um Pontiac 1927. E um para-choque frontal.
— O quê?
— Dá para fazer ou não?
— Estamos nos Estados Unidos, chefe.
— Faça, então.
— Leva tempo, cara. E grana.
— Sem problema — disse Blaine. — Tenho os dois.

O mecânico palitou os dentes, depois sorriu. Foi com esforço até uma escrivaninha atravancada: fichas e restos de lápis e calendário de garotas sensuais. As mãos de Blaine tremiam, mas ele não se importou; estava concentrado em si mesmo agora e no que faria com as pinturas quando o carro ficasse pronto. Assim que o farol e o para-choque fossem consertados, toda a questão estaria esquecida e então ele trabalharia. Eu não tinha ideia de quanto tempo essa sua nova obsessão duraria — uma hora, um ano, uma vida?

— Você vem? — Blaine disse quando saímos da oficina.

— Prefiro ir andando.

— Deveríamos filmar isso — ele disse. — Sabe, como essa nova série foi pintada e tudo. Tudo desde o comecinho. Fazer um documentário, você não acha?

UMA FILA DE FUMANTES estava de pé na frente do hospital Metropolitan, na 98th com a First Avenue. Cada um ao que parecia com seu último cigarro, a cinza prestes a cair. Pelas portas giratórias, a recepção estava completamente cheia. Outra nuvem de fumaça dentro. Manchas de sangue no chão. Drogados jogados nos bancos. Era o tipo de hospital que parecia precisar de um hospital.

Passei pelo corredor polonês. Era a quinta sala de espera em que entrava e eu começava a pensar que talvez tanto o motorista quanto a jovem tivessem morrido no impacto e sido levados imediatamente para um necrotério.

Um segurança me apontou um guichê de informação. Uma janela havia sido cortada na porta de uma sala sem identificação no final do corredor. Uma mulher corpulenta estava sentada e emoldurada por ela. A certa distância parecia que estava sentada na frente de um aparelho de televisão. Seus óculos pendiam do pescoço. Fiquei a um lado da janela e perguntei baixinho sobre um homem e uma mulher que poderiam ter sido trazidos de um acidente de carro na tarde de quarta-feira.

— Ah, você é parente? — disse ela, sem mesmo erguer os olhos para mim.

— Sim — gaguejei. — Uma prima.

— Você veio pegar as coisas dele?

— Dele o quê?

Ela me deu uma rápida olhadela.

— As coisas dele?

— Sim.

— Você vai ter de assinar.

Em 15 minutos me vi parada com uma caixa de pertences do falecido John A. Corrigan. Elas consistiam em um par de calças pretas que eles haviam cortado do lado com tesouras de hospital, uma camisa preta, uma camiseta de baixo branca manchada, cueca e meias em uma sacola de plástico, uma medalha religiosa, um par de tênis escuros com o solado completamente gasto, sua carteira de motorista, uma notificação de multa por parar ilegalmente na John Street às 7h44, na quarta-feira, 7 de agosto, um pacote de tabaco de enrolar, alguns papéis, dólares e, estranhamente, um chaveiro com uma foto de duas crianças negras. Havia também um isqueiro rosa-bebê, que parecia não combinar com as outras coisas. Eu não queria a caixa. Eu a peguei por constrangimento, por um sentido de dever com minha mentira, uma obrigação para salvar as aparências, e talvez até para salvar minha pele. Tinha começado a pensar que talvez fugir da cena do crime fosse homicídio culposo, ou pelo menos algum tipo de delito grave, provavelmente não demasiado grave, mas me fez ficar enjoada. Eu queria deixar a caixa nos degraus do hospital e fugir de mim mesma. Eu havia colocado todos esses acontecimentos em movimento e tudo que eles tinham para mim era um punhado de coisas de um homem morto. Eu estava claramente perdendo a cabeça. Agora era hora de voltar para casa, mas eu estava com a bagagem manchada de sangue desse homem. Olhei para a carteira de motorista. Ele parecia mais jovem do que a lembrança que eu tinha dele congelada na memória. Um par de olhos singularmente aterrorizados, olhando para além da câmera.

— E a garota?

— Ela já estava morta ao chegar — disse a mulher, como se fosse uma indicação de trânsito.

Ergueu os olhos para mim e ajustou os óculos no nariz.

— Algo mais?

— Não, obrigada — gaguejei.

As únicas coisas que eu podia realmente juntar no quebra-cabeça era que John A. Corrigan — nascido em 15 de janeiro de 1943, altura 1,78 metro, 71 quilos, olhos azuis — provavelmente era o pai de duas crianças negras no Bronx. Talvez ele fosse casado com a garota que foi jogada para fora do para-brisa. Talvez as meninas no chaveiro fossem suas filhas, agora crescidas. Ou talvez fosse uma coisa clandestina, como Blaine tinha dito, ele poderia estar tendo um caso com a mulher morta.

Uma fotocópia de um relatório médico estava dobrado no fundo da caixa: o formulário de saída dele. O rabisco era quase indecifrável. *Tamponamento cardíaco, Clindamicina, 300 mg.* Por um momento, eu estava na rodovia outra vez. O para-lama tocando na traseira de sua van e eu agora girando em sua grande van marrom. Muros, água, proteção da rodovia.

O cheiro de sua camisa se ergueu quando caminhei para o ar fresco. Tive o estranho desejo de distribuir seu tabaco para os fumantes que se espalhavam por ali.

Uma turma de meninos porto-riquenhos estava parada em frente ao Pontiac. Usavam tênis coloridos e calças boca de sino e tinham maços de cigarros enfiados sob as mangas das camisetas. Eles podiam cheirar meu nervosismo e eu passei meio de lado. Um garoto alto, magro, esticou a mão sobre meu ombro e puxou a sacola de plástico com as roupas de baixo de Corrigan, deu um falso gritinho, deixou-as cair no chão. Os outros soltaram uma gargalhada em conjunto. Eu me curvei para pegar a sacola mas senti o roçar de uma mão em meu peito.

Ergui meu corpo o máximo possível e encarei o garoto nos olhos.

— Não ouse fazer isso.

Eu me senti tão mais velha que meus 28 anos, como se tivesse envelhecido décadas nos últimos dias. Ele recuou dois passos.

— Tava só olhando.

— Bom, não olhe.

— Me dá uma carona.

— Pontiac! — gritou um garoto. — Os pobres negros pensam que é um cadilac!*

— Me dá, madame.

Mais risadinhas.

Sobre o ombro dele, vi um segurança do hospital se dirigindo para nós. Ele usava um quepe e deu uma corridinha ao atravessar a rua, falando pelo rádio. Os garotos se espalharam e correram pela rua, fazendo algazarra.

— Tudo bem, senhora? — perguntou o segurança.

Eu estava tentando enfiar a chave na porta do carro. Fiquei pensando que o guarda ia rodear até a frente, ver o farol quebrado e somar dois mais dois, mas ele apenas me indicou a saída para o trânsito. Pelo espelho retrovisor eu o vi pegando a sacola de plástico com as roupas de baixo que eu havia deixado na calçada. Ele a levantou no ar um momento e então deu de ombros, atirando-a na lata de lixo a um lado da rua.

Virei a esquina em direção à Second Avenue, chorando.

Eu tinha vindo à cidade aparentemente para comprar uma nova câmera de vídeo para Blaine gravar a jornada de suas novas pinturas. Mas as únicas lojas que eu conhecia ficavam no final da 14th, perto do meu velho bairro. Quem foi que disse que você não pode mais voltar para casa? Em vez disso,

---

* Tradução do jogo de palavras com Pontiac: P̲oor O̲ld nigger thinks it's a c̲adillac!

me vi dirigindo para o West Side. Para uma pequena área de estacionamento no Riverside Park, à margem do rio. A caixa de papelão estava no banco de passageiro ao meu lado. A vida de um homem desconhecido. Eu jamais fizera nada parecido com isso. Minha intenção entrara no mundo e se tornara combustível. A caixa foi me entregue demasiado facilmente, apenas uma simples assinatura e um obrigada. Pensei em jogá-la com tudo no Hudson, mas há certas coisas que não conseguimos fazer. Olhei para a fotografia outra vez. Não tinha sido ele quem havia me levado até ali, mas a garota. Eu ainda não sabia nada sobre ela. Não fazia sentido. O que eu ia fazer? Praticar uma nova forma de ressurreição?

Saí do carro e pesquei um jornal em uma lata de lixo ali perto e dei uma examinada para ver se encontraria qualquer notícia das mortes ou um obituário. Havia um, um editorial, sobre a América de Nixon, mas nenhum para uma jovem negra pega em uma batida de carro com fuga.

Eu me enchi de coragem e dirigi para o Bronx, para o endereço da carteira. Quarteirões inteiros para os abandonados pela sorte. Cercas de arame farpado coroadas com sacolas de plástico esfrangalhadas. Catalpas que não se desenvolveram curvadas pelo vento. Funilarias e oficinas. Novos e usados. O cheiro de borracha queimada e tijolo. Em um muro pela metade alguém tinha escrito: DANTE JÁ DESAPARECEU.

Demorei séculos para encontrar o lugar. Havia alguns carros de polícia parados debaixo da Major Deegan. Dois dos policiais colocaram uma caixa de donuts no painel de instrumentos entre eles, como num seriado de TV de terceira categoria. Me encararam, boca aberta, quando estacionei o carro ao lado deles. Eu havia perdido todo o sentido de medo. Se eles quisessem me prender por fuga da cena de uma colisão, então que me prendessem.

— Este é um bairro da pesada, madame — disse um deles com um nasalado nova-iorquino. — Um carro como esse vai chamar atenção.

— Como podemos ajudá-la, madame? — disse o outro.

— Talvez não me chamando de madame?

— Brava, hein?

— O que a senhora quer? Aqui só tem encrenca.

Como se para confirmar, um enorme caminhão frigorífico diminuiu a marcha ao passar pelas luzes do tráfego, o motorista desceu o vidro, começou a subir no meio-fio, olhou em volta e então subitamente acelerou quando viu o carro da polícia.

— Nada de trepar com as negrinhas hoje — gritou o policial para o caminhão passando.

O menor corou um pouco quando olhou para trás e me viu, e deu um sorriso sem graça que enrugou suas pálpebras. Passou as mãos sobre um pneu de gordura que sobressaía em sua cintura.

— Não vai ter comércio hoje — disse ele, quase se desculpando.
— Então, como podemos ajudar a senhorita? — disse o outro.
— Estou procurando devolver uma coisa.
— Ah, é?
— Estou com essas coisas aqui. No meu carro.
— Onde foi que achou isso? O que é? Como os Chevy 1850?
— É do meu marido.

Dois meio sorrisos, mas eles pareciam contentes por eu ter lhes interrompido o tédio. Vieram até meu carro e soltaram exclamações, passando as mãos sobre o para-lama de madeira, maravilhando-se com o freio de mão. Muitas vezes me perguntei se Blaine e eu tínhamos entrado em nossa onda dos anos 1920 simplesmente para podermos continuar com nosso carro. Nós o compramos como um presente de casamento para nós mesmos. Toda vez que eu entrava nele, parecia um retorno a um tempo mais simples.

O segundo guarda deu uma olhada dentro da caixa de pertences. Eles eram nojentos, mas eu dificilmente estava em condições de lhes dizer alguma coisa. Senti uma pontada de culpa repentina pela sacola de plástico com as roupas de baixo que eu havia deixado no hospital, como se de alguma maneira elas fossem necessárias agora, para completar a pessoa que não estava ali. O guarda pegou a multa de estacionamento e depois a carteira do fundo da caixa. O mais novo assentiu.

— Ei, este é o cara irlandês, o padre.
— É, com certeza.
— Aquele que ficava enchendo nosso saco. Por causa das putas. Ele dirigia aquela van esculhambada.
— Ele está lá em cima, no quinto andar. O irmão dele, quero dizer. Limpando as coisas.
— Um padre? — disse eu.
— Um monge ou coisa assim. Um desses padres trabalhadores. Teoqualquercoisa da libertação.
— Teologia — disse o outro.
— Um desses caras que acham que Jesus dependia da previdência social.

Senti um estremecimento de ódio, depois falei aos policiais que eu era da administração do hospital e que os itens precisavam ser devolvidos — eles se importariam de entregá-los ao irmão do morto?

— Não é trabalho nosso, senhorita.

— Tá vendo a calçada ali? Dando uma volta? Siga por lá até o quarto prédio marrom. Entre pela esquerda. Vá pelo elevador.

— Ou pela escada.

— Mas tenha cuidado.

Perguntei a mim mesma quantos imbecis seriam necessários para fazer um departamento de polícia. Eles tinham ficado mais valentes e mais barulhentos com a guerra. Tinham um jeito arrogante. Dez mil homens nos canhões de água. Atirem nos negros. Cassetetes nos radicais. Ame-o ou deixe-o. Não acredite em nada que não tenha sabido por nós.

Caminhei até o conjunto habitacional. Uma onda de pavor. Difícil acalmar o coração quando ele pula tão alto. Quando era criança vi cavalos tentando entrar nos rios para se acalmarem. Você os vê saindo da plataforma de castanheiras, descendo a ladeira, pela lama, espantando as moscas, entrando mais e mais fundo até que começam a nadar por um momento, ou voltam. Eu reconhecia ali um padrão de medo, que havia alguma coisa vergonhosa nisso — esses edifícios não eram um país que existisse em minha juventude ou arte, ou em qualquer outro lugar. Fui uma menina protegida. Mesmo quando confusa pela droga eu nunca teria ido a um lugar como esse. Tentei me convencer a continuar. Contei as rachaduras da calçada. Os tocos de cigarro. Cartas que não foram abertas com marcas de pés sobre elas. Cacos de vidro quebrado. Alguém assobiou, mas não olhei para seu lado. Fumaça de maconha flutuava de uma janela aberta. Por um momento, não era de jeito nenhum como se eu estivesse entrando na água: era mais como se eu estivesse transportando baldes de sangue do meu próprio corpo, e eu podia senti-los batendo e derramando enquanto caminhava.

As sobras secas marrons de uma coroa de flores pendiam da porta principal. No saguão as caixas de correio estavam cheias de mossas e chamuscadas. Havia um cheiro forte de inseticida. As luzes do teto estavam borrifadas de preto por algum motivo.

Uma senhora gorda, de meia-idade, com um vestido estampado de flores esperava o elevador. Com um suspiro profundo ela chutou de lado uma agulha usada. A agulha parou em um canto, uma pequena bolha de sangue na ponta. Devolvi seu aceno de cabeça e sorriso. Seus dentes brancos. O colar de pérolas falso em seu pescoço.

— Tempo bom — eu disse a ela, embora nós duas soubéssemos exatamente que tipo de tempo era.

O elevador subiu. Cavalos no rio. Vejam eu me afogar.

Eu lhe disse até logo no quinto andar, pois ela continuou subindo, o som dos cabos como o estalar de galhos secos.

Algumas pessoas estavam reunidas do lado de fora da porta, mulheres negras, na maioria, com roupas pretas de luto que pareciam não pertencer a elas, como se tivessem alugado as roupas por um dia. A maquiagem era o que as traía, vulgar e vistosa, e uma com centelhas prateadas em volta dos olhos que pareciam por demais cansados e esgotados. Os guardas haviam dito alguma coisa sobre putas: ocorreu-me que talvez a jovem tivesse sido justamente uma prostituta. Senti um suspiro momentâneo de gratidão e então a consciência me gelou, as paredes pulsando a minha volta. Eu era assim tão vulgar?

O que eu estava fazendo era imperdoável e eu sabia disso. Podia sentir meu peito latejando na blusa, mas as mulheres se separaram para me deixar passar, e passei por entre seu cortinado de sofrimento.

A porta estava aberta. Dentro, uma jovem varria o chão. Tinha um rosto que parecia ter vindo de um mosaico latino. Seus olhos estavam escurecidos com manchas de rímel. Uma corrente simples de prata em volta de seu pescoço. Ela claramente não era puta. Imediatamente me senti mal vestida, como se estivesse me intrometendo em seu silêncio. Atrás dela, uma réplica do homem da foto na carteira, só que mais pesado, com mais papada, o cabelo mais ralo. A visão dele tirou o oxigênio de mim. Ele usava uma camisa branca e uma gravata escura e jaqueta. Seu rosto era largo e levemente rosado, os olhos inchados de pesar. Eu gaguejei que era do hospital e que estava ali para deixar as coisas que tinham pertencido a certo Sr. Corrigan.

— Ciaran Corrigan — ele disse, se acercando e apertando minha mão.

Primeiro ele me pareceu o tipo de homem que ficaria completamente feliz fazendo palavras cruzadas na cama. Pegou a caixa e olhou, procurou dentro dela. Encontrou o chaveiro e olhou-o por um momento, colocou-o no bolso.

— Obrigado — disse. — Nós esquecemos de pegar essas coisas.

Ele tinha um leve sotaque, não muito forte, mas levava seu corpo como eu já havia visto outros irlandeses carregarem os seus, curvado sobre si mesmo, e mesmo assim hiperatento. A mulher latina pegou a camisa e a levou para a cozinha. Parou perto da pia e a cheirou profundamente. As manchas escuras de sangue ainda estavam visíveis. Ela olhou para mim, abaixou seu olhar para o chão. Seu pequeno peito arquejava. De repente, abriu a torneira, mergulhou a roupa na água e começou a esfregá-la, como se John A. Corrigan pudesse subitamente aparecer e querer usá-la outra vez. Era bastante óbvio que eu não era desejada nem necessitada, mas alguma coisa me prendia ali.

— Teremos um funeral em quarenta minutos — disse ele. — Com licença.

Uma descarga de privada soou no apartamento acima.

— Havia também uma jovem — eu disse.

— Sim, é o enterro dela. A mãe está saindo da cadeia. Foi isso que escutamos dizer. Por uma ou duas horas. O funeral do meu irmão é amanhã. Cremação. Teve umas complicações. Nada para se preocupar.

— Entendo.

— Por favor, com licença.

— Claro.

Um padre pequeno e troncudo entrou no apartamento, anunciando a si mesmo como padre Marek. O irlandês apertou a mão dele. Ele me olhou como se me perguntasse por que eu ainda estava ali. Fui para a porta, parei e me virei. Parecia que a fechadura da porta tinha sido forçada várias vezes.

A mulher latina ainda estava na cozinha, onde pendurou a camisa molhada em um cabide sobre a pia. Ficou parada ali com a cabeça abaixada, como se estivesse tentando se lembrar. Colocou outra vez o rosto na camisa.

Eu me virei e balbuciei:

— Você se importaria se eu fosse ao enterro da moça?

Ele deu de ombros e olhou para o padre, que rabiscou um mapa rápido em um pedaço de papel, como se estivesse feliz por ter alguma coisa para fazer. O padre me pegou pelo cotovelo e depois saímos pelo corredor.

— Você tem alguma influência? — perguntou.

— Influência? — perguntei.

— Bom, o irmão dele insistiu em cremá-lo antes de levá-lo de volta à Irlanda. Amanhã. E eu estava me perguntando se você poderia convencê-lo a desistir disso.

— Por quê?

— É contra a nossa fé — disse.

No final do corredor, uma das mulheres tinha começado a gemer. Ela parou, no entanto, quando o irlandês saiu na porta. Ele havia apertado a gravata alta no pescoço e sua jaqueta estava bem puxada sobre os ombros.

Atrás dele vinha a mulher latina, com um orgulho altivo. O corredor ficou em silêncio. Ele apertou o botão do elevador e olhou para mim.

— Lamento — eu disse ao padre. — Não tenho nenhuma influência.

Eu me afastei dele e me apressei em direção ao elevador que estava se fechando. O irlandês pôs a mão na brecha e puxou para abrir a porta para mim, e então seguimos. A mulher latina me deu um sorriso reservado e disse que lamentava não poder ir ao enterro da garota, tinha que voltar para casa e cuidar de seus filhos, mas estava feliz por Ciaran ter alguém para acompanhá-lo.

Eu lhe ofereci uma carona sem pensar, mas ele disse não, que haviam lhe pedido para ir no cortejo funerário, ele não sabia por quê.

Torceu nervosamente as mãos ao sair para a luz do sol.

— Eu nem sequer conhecia a garota — disse ele.

— Qual era o nome dela?

— Não sei. O da mãe é Tillie.

Ele disse isso com um tom melancólico, mas então acrescentou:

— Acho que era Jazzlyn, ou algo assim.

ESTACIONEI O CARRO do lado de fora do cemitério St. Raymond, em Throgs Neck, longe o suficiente para que ninguém pudesse vê-lo. Um zumbido vinha da via expressa, porém, quanto mais me aproximava do cemitério, mais o cheiro de grama recém-cortada enchia o ar. Um bafejo leve do estreito de Long Island.

As árvores eram altas e a luz caía em flechas entre elas. Era difícil acreditar que este era o Bronx, embora eu visse grafite rabiscado na lateral de alguns túmulos e algumas das lápides das sepulturas perto do portão tivessem sido vandalizadas. Havia alguns enterros acontecendo, sobretudo no cemitério novo, mas era bastante fácil saber que grupo era o da garota. Eles estavam carregando o caixão pelo caminho enfileirado de árvores em direção ao velho cemitério. As crianças estavam vestidas totalmente de branco, mas as roupas das mulheres pareciam que tinham sido remendadas, as saias curtas demais, os saltos altos demais, os decotes cobertos com lenços escondendo tudo. Era como se elas tivessem ido a uma estranha liquidação de garagem: as roupas caras vistosas escondidas com pedaços de preto. O irlandês parecia tão pálido entre elas, tão tão branco.

Um homem de terno vistoso, usando um chapéu com uma pluma púrpura, seguia no final da procissão. Parecia drogado e malévolo. Sob o paletó do terno, usava uma camisa justa preta de gola rolê e uma corrente de ouro no pescoço com uma colher pendurada.

Um menino com não mais do que 8 anos tocava um saxofone, lindamente, como um estranho tamborileiro da Guerra Civil. A música soava em jorros pontuados sobre o cemitério.

Fiquei atrás, em um pedaço de grama crescida perto da calçada, mas quando o serviço começou, o irmão de John A. Corrigan me pegou com os olhos e me fez um aceno para ir para a frente. Não havia mais do que vinte pessoas reunidas ao redor do túmulo mas algumas jovens soluçavam profundamente.

— Ciaran — disse outra vez, estendendo a mão, como se eu pudesse ter me esquecido. Deu-me um sorriso fraco, embaraçado. Éramos os únicos brancos ali. Eu queria estender a mão e ajustar a gravata dele, arrumar seu cabelo disperso, ataviá-lo.

Uma mulher — ela só podia ser a mãe da garota morta — estava de pé soluçando ao lado de dois homens de terno. Outra, uma mulher mais jovem, se aproximou dela. Tirou um belo xale preto e o envolveu sobre os ombros da mulher.

— Obrigada, Ange.

O pastor — um negro magro e elegante — tossiu e o grupo fez silêncio. Ele falou sobre o espírito triunfando na queda do corpo, e como precisamos aprender a admitir a ausência do corpo e louvar a presença do que ficou para trás. Jazzlyn teve uma vida dura, ele disse. A morte não poderia nem justificar nem explicá-la. Um túmulo não iguala o que tivemos em nosso tempo de vida. Talvez não fosse nem a hora nem o lugar, disse, mas ia falar de justiça, de qualquer maneira. Justiça, repetiu. Só a honestidade e a verdade vencem no final. A casa da justiça tinha sido vandalizada, ele disse. Jovens como Jazzlyn eram forçadas a fazer coisas horríveis. Assim que elas cresciam o mundo exigia coisas terríveis delas. Este era um mundo vil. Ele a forçara a coisas vis. Ela não havia pedido isso. Ele se tornou vil para ela, disse. Ela estava sobre o jugo da tirania. A escravidão podia ter acabado e passado, disse, mas ainda era aparente. A única maneira de enfrentá-la era com caridade, justiça e bondade. Não era um apelo fácil, disse, de jeito nenhum. A bondade era mais difícil do que o mal. Homens maus sabiam disso mais do que os homens bons. Era por isso que eles se tornavam maus. Era por isso que a maldade grudava neles. A maldade era para aqueles que jamais poderiam alcançar a verdade. Era uma máscara da estupidez e falta de amor. Mesmo se as pessoas rissem diante da noção de bondade, se a achassem sentimental, ou nostálgica, não importava — ela não era nada disso, ele disse, e tinha que ser conquistada.

— Justiça — disse a mãe de Jazzlyn.

O pastor assentiu, depois ergueu os olhos para as árvores altas. Jazzlyn tinha sido uma criança que crescera em Cleveland e na cidade de Nova York, disse, e havia visto as montanhas distantes da bondade e sabia que um dia chegaria ali. Seria sempre uma jornada difícil. Ela havia visto maldade demais pelo caminho, disse. Tinha alguns amigos e confidentes, como John A. Corrigan, que havia perecido com ela, mas na maior parte o mundo a havia julgado e sentenciado e se aproveitado de sua generosidade. Mas a vida tinha que passar pela dificuldade para alcançar uma pequena quantidade de beleza, disse, e agora ela estava a caminho de um lugar onde não havia governos para acorrentá-la ou escravizá-la, nem perversos para exigir coisas erradas, e ninguém de seu próprio povo para transformar sua carne em lucro. Ele se ergueu alto e falou:

— Que seja dito que ela não se envergonhava.

Uma onda de assentimentos varou o grupo.

— Vergonha àqueles que desejavam envergonhá-la.

— Sim — veio a resposta.

— Que isto seja uma lição para todos nós — disse o pastor. — Vocês um dia caminharão na escuridão e a verdade virá brilhando, e atrás de vocês ficará uma vida que vocês jamais desejarão ver outra vez.

— Sim.

— Essa vida ruim. Essa vida vil. À frente de vocês a bondade se estenderá. Vocês seguirão o caminho e ele será bom. Não fácil, mas bom. Cheio de terror e dificuldade, talvez, mas as janelas se abrirão para o céu e seus corações serão purificados e vocês terão asas.

Eu tive uma súbita, terrível visão de Jazzlyn voando pelo para-brisa. Senti-me tonta. Os lábios do pastor se moviam, mas por um momento não consegui escutar. Ele estava olhando para um único lugar no grupo, sua visão fixa no homem com o chapéu púrpura atrás de mim. Olhei por cima do meu ombro. O homem estava mordendo o lábio superior de raiva e seu corpo parecia se curvar sobre si mesmo, enrolando-se e se preparando para atacar. O chapéu o sombreava, mas ele parecia ter um olho de vidro.

— As serpentes perecerão com as serpentes — disse o pastor
— Sim, senhor — veio uma voz de mulher.
— Elas desaparecerão.
— Isso.
— Que elas se ponham para fora daqui.
O homem de chapéu púrpura não se mexeu. Ninguém se mexeu.
— Vá embora! — gritou a mãe de Jazzlyn, contorcendo-se. Ela parecia estar presa com correias e se torcendo e retorcendo para fora. Um dos homens de terno tocou-a no braço. Os ombros dela iam de um lado a outro e sua voz era crua de ódio.
— Caia fora daqui!
Eu me perguntei por um momento horroroso se ela estava gritando para mim, mas ela olhava para além de mim, para o homem com o chapéu de pluma. O coro de gritos ficou mais alto. O pastor estendeu as mãos e pediu calma. Foi só então que compreendi que a mãe de Jazzlyn tinha mantido os braços atrás nas costas o tempo todo, presos em algemas. Os dois homens de terno escuro ao lado dela eram policiais.
— Caia fora daqui, Birdhouse — disse ela.
O homem de chapéu esperou um momento, esticou-se para cima, deu um sorriso que mostrou todos os seus dentes. Tocou a aba, inclinou-a, virou-se e foi embora. Um pequeno viva se ergueu dos acompanhantes. Eles viram o cafetão desaparecer no caminho. Ele ergueu o chapéu uma vez, sem se virar, agitou-o no ar, como um homem que não estava realmente dizendo "até logo".
— As serpentes se foram — disse o pastor. — Que fiquem longe.
Ciaran equilibrou meu braço. Eu estava me sentindo fria e suja: era como vestir uma blusa de segunda mão. Eu não tinha o direito de estar ali. Estava me intrometendo em território alheio. Mas alguma coisa no enterro era pura e verdadeira: *Atrás de vocês ficará uma vida que vocês jamais desejarão ver outra vez.*
O choro tinha parado e a mãe de Jazzlyn disse:
— Tirem essas malditas coisas de mim.
Os dois policiais olharam direto para a frente.
— Eu disse tirem essas malditas coisas de mim!
Finalmente, um deles deu um passo para trás e abriu as algemas.
— Obrigada, Jesus.

Ela sacudiu as mãos e contornou o túmulo aberto, em direção a Ciaran. Seu xale deslizou ligeiramente e revelou a profundidade de seu decote. Ciaran corou, embaraçado.

— Tenho uma pequena história para contar.

Ela limpou a garganta e uma onda passou pelo grupo.

— Minha Jazzlyn estava com 10 anos. E ela tinha visto a foto de um castelo numa revista em algum lugar. Ela foi, recortou a foto e pregou na parede acima da cama dela. Como eu digo, não era grande coisa, realmente eu nunca tinha pensado nisso. Mas quando ela conheceu Corrigan...

Ela apontou para Ciaran, que olhou para o chão.

— ...e um dia ele tinha levado um pouco de café e ela contou pra ele tudo sobre o tal castelo, pode ser que ela estivesse aborrecida, só querendo falar qualquer coisa, não sei. Mas vocês conheceram o Corrigan, aquele cara escutava qualquer coisa. Ele tinha ouvidos. E, claro, Corrie se entusiasmou com aquilo. Falou que conhecia castelos como aquele onde ele tinha crescido. E disse que um dia ia levar minha filha num castelo daquele jeito. Prometeu mesmo. Todo dia ele vinha e levava café pra ela e dizia pra minha pequena que ele tava aprontando o tal castelo, era só esperar. Um dia falava pra ela que tava arrumando o fosso. No outro falava que tava consertando a corrente que passava pelo portão da ponte. Depois falava que tava arrumando as torres. Depois falava que tava preparando muito direitinho o banquete. Eles iam ter hidromel, que é como o vinho, e um monte de comida boa e ia haver harpas tocando e muita dança.

— Sim — disse uma mulher com maquiagem cintilante.

— Todo dia ele tinha uma coisa nova pra contar sobre o tal castelo. Essa era a brincadeira dos dois, e Jazzlyn adorava, palavra.

Ela agarrou apertado o braço de Ciaran.

— É só isso — ela disse. — É só isso que tenho a dizer. É isso. É só essa porra mesmo, me desculpem.

Um coro de améns se elevou do grupo reunido e então ela se virou para algumas das outras mulheres e fez um tipo de comentário, alguma coisa estranha e rápida sobre ir ao banheiro no castelo. Uma pequena risada passou por uma parte do grupo e uma coisa estranha ocorreu: ela começou a citar um poeta cujo nome eu não peguei, um verso sobre portas abertas e um único raio de sol que batia direto no centro do piso. Seu sotaque do Bronx soltou o poema em volta até ele parecer cair a seus pés. Ela baixou os olhos tristemente para ele, sua queda, mas então disse que Corrigan era cheio de portas abertas, e ele e Jazzlyn iam se divertir um monte onde quer que estivessem; todas as portas estariam abertas, especialmente aquela do tal castelo.

Ela então se inclinou sobre o ombro de Ciaran e começou a chorar; eu fui uma mãe ruim, disse, eu fui uma maldita de uma mãe horrível.

— Não, não, você foi boa.

— Nunca houve nenhum maldito castelo.

— Tem um castelo, sim, com certeza — disse ele.

— Eu não sou idiota — ela disse. — Você não precisa me tratar como criança.

— Está bem.

— Eu deixei ela se picar.

— Você não precisa ser tão dura com você mesma.

— Ela se picava nos meus braços.

Ela virou o rosto para o céu e então agarrou a lapela mais próxima.

— Cadê minhas bebês?

— Ela está no céu agora, não se preocupe.

— Minhas bebês — disse ela. — As bebês da minha bebê.

— Elas estão bem, Till — disse uma mulher perto do túmulo.

— Elas estão sendo cuidadas.

— Elas virão ver você, T.

— Você me promete? Quem está com elas? Onde elas estão?

— Eu juro, Till. Elas estão bem.

— Você me promete?

— Deus é bom — disse uma mulher.

— É melhor você me fazer a porra da promessa, Angie.

— Eu prometo. Tudo já está bem, T. Prometo.

Ela se apoiou outra vez em Ciaran e depois virou o rosto, olhou-o no olho e disse:

— Você se lembra do que fizemos? Lembra de mim?

Ciaran parecia estar segurando um bastão de dinamite. Não sabia ao certo se o segurava e abafava ou jogava-o o mais longe que pudesse. Ele me lançou uma olhadela, depois para o pregador, mas então se virou para ela colocando os braços à sua volta e segurando bem apertado. Ele disse:

— Eu também sinto falta de Corrie.

As outras mulheres vieram e se revezaram com ele. Elas o abraçavam, parecia, como se ele fosse a personificação do irmão. Ele olhou para mim e levantou as sobrancelhas, mas havia alguma coisa boa e adequada nisso — uma depois da outra elas vieram.

Ele enfiou a mão no bolso e tirou o chaveiro com as fotos das crianças, deu-o para a mãe de Jazzlyn. Ela o olhou, sorriu, depois subitamente se afastou e deu um tapa no rosto de Ciaran. Ele pareceu agradecer por isso. Um dos policiais meio que sorriu. Ciaran fez um aceno com a cabeça e juntou os lábios, depois deu um passo para trás em minha direção.

Eu não tinha ideia do tipo de complicações em que eu havia me enfiado.

O pastor tossiu e pediu silêncio e disse que tinha algumas palavras finais. Passou pelas formalidades da oração e o antigo e bíblico *Cinzas às cinzas e pó ao pó*, mas depois disse que acreditava firmemente que as cinzas um dia poderiam retornar à madeira, que era um milagre não só do céu, mas o milagre do mundo atual, que as coisas podiam ser reconstituídas e o morto podia reviver, mais especialmente em nossos corações, e era assim que ele gostaria de finalizar as coisas, e era hora de deixar Jazzlyn descansar porque era isso que ele desejava que ela fizesse, *descansar*.

Quando o enterro terminou, os policiais colocaram outra vez as algemas nos pulsos de Tillie. Ela gemeu apenas uma única vez. Os policiais a levaram. Ela rompeu em soluços sem sons.

Acompanhei Ciaran saindo do cemitério. Ele tirou sua jaqueta e a jogou sobre os ombros, não de maneira indiferente, mas para evitar o calor. Descemos pelo caminho em direção ao portão da Lafayette Avenue. Ciaran caminhava um pouco a minha frente. As pessoas podem parecer diferentes de hora a hora dependendo do ângulo da luz do dia. Ele era mais velho do que eu, no meio dos trinta mais ou menos, mas pareceu mais jovem um momento, e me senti protetora em relação a ele, o caminhar tranquilo, a pequena papada, a cintura atarracada. Ele parou e olhou um esquilo subir sobre a grande laje de um túmulo. Era um daqueles momentos quando tudo está desequilibrado, eu suponho, e apenas olhar uma coisa estranha parece fazer sentido. O esquilo fugiu precipitado para um tronco de árvore, o som de suas unhas como água na banheira.

— Por que ela estava algemada?

— Ela pegou oito meses ou algo assim. Por uma acusação de roubo, além de prostituição.

— Então eles só a deixaram sair para o enterro?

— Sim, pelo que pude entender.

Não havia nada a dizer. O pastor já tinha dito. Saímos pelo portão e viramos juntos na mesma direção, a caminho da via expressa, mas ele parou e foi apertar minha mão.

— Eu lhe dou uma carona até sua casa — eu disse.
— Casa? — disse ele, com um meio sorriso. — Seu carro pode nadar?
— Como assim?
— Nada — disse, balançando a cabeça.

Caminhamos pela Quincy, onde eu havia estacionado o carro. Suponho que ele soube no minuto em que viu o Pontiac. Estava parado de frente para nós. Uma roda estava sobre o meio-fio. O farol quebrado era aparente e o para-lama amassado. Parou um momento no meio do caminho, meio que assentiu, como se tudo agora fizesse sentido para ele. Seu rosto como que desmoronou sobre si mesmo, como um castelo de areia num lapso de tempo. Eu me vi tremendo enquanto entrava no lado do motorista, me inclinando para abrir a porta do passageiro.

— Este é o carro, não é?

Fiquei sentada um longo tempo, passando meus dedos sobre o painel de instrumentos, sujo de pólen.

— Foi um acidente — disse eu.
— Este é o carro — repetiu ele.
— Eu não queria fazer isso. Nós não queríamos que acontecesse.
— Nós?

Eu parecia exatamente Blaine, eu sabia. Tudo que eu estava fazendo era levantar minha mão contra a culpa. Contra o fracasso, as drogas, a inquietação. Me senti tão tola e inadequada. Era como se eu tivesse queimado toda a casa e estivesse procurando nos escombros pedaços de como ela era antes, mas encontrasse apenas o fósforo que havia começado tudo. Eu estava me agarrando em volta, freneticamente, procurando alguma justificativa. E no entanto havia ainda uma outra parte de mim que pensava que talvez eu estivesse sendo honesta, ou tão honesta quanto conseguia, tendo abandonado a cena do crime, tendo fugido da verdade. Blaine tinha dito que as coisas apenas acontecem. Era uma lógica patética, mas era, no fundo, verdadeira. As coisas acontecem. Nós não queríamos que elas acontecessem. Elas haviam se erguido das cinzas do acaso.

Continuei limpando o painel, esfregando a sujeira e o pólen na perna do meu jeans. A mente sempre procura um outro lugar, mais simples, menos pesado. Eu queria ligar o motor outra vez e dirigir para o rio mais perto. O que poderia ter sido uma simples freada, ou uma guinada minúscula, havia se tornado insondável. Eu precisava ser transportada pelo ar. Queria ser um daqueles animais que precisavam voar para comer.

— Então você não trabalha para o hospital?
— Não.
— Você estava dirigindo? O carro?
— Eu o quê?
— Você estava dirigindo ou não?
— Acho que estava.

Foi a única mentira que jamais contei que fez algum sentido para mim. Houve um estalido fraco de alguma coisa entre nós: carros como corpos, batendo.

Ciaran sentou, olhando para a frente pelo para-brisa. Um pequeno som veio dele que parecia mais uma risada do que qualquer outra coisa. Ele abaixou e levantou o vidro da janela, passou os dedos pela saliência, depois bateu no vidro com os nós dos dedos, como se estivesse imaginando um meio de escapar.

— Eu vou dizer uma coisa — falou.

Senti que estavam batendo em todo o vidro ao meu redor: logo ele iria estilhaçar-se e desmoronar.

— Uma coisa, só isso.
— Por favor — eu disse.
— Você devia ter parado.

Ele bateu no painel com a palma da mão. Eu queria que ele me amaldiçoasse, me execrasse do alto, por tentar acalmar minha própria consciência, por mentir, por me deixar me safar, por aparecer no apartamento de seu irmão. Uma parte mais profunda de mim queria que ele realmente se virasse e me batesse, realmente me batesse, tirasse sangue, me machucasse, me destroçasse.

— Certo — disse. — Vou embora.

Ele estava com a mão na maçaneta. Empurrou a porta para abri-la com os ombros e deu um passo para fora, depois fechou-a outra vez, apoiou-se de novo no banco, exausto.

— Você deveria ter parado, droga. Por que não parou?

Outro carro entrou na vaga a nossa frente para estacionar paralelo a nós, um grande Oldsmobile azul com estabilizadores prateados. Ficamos sentados em silêncio, observando-o tentar manobrar no espaço entre nós e o carro da frente. O espaço era apenas suficiente. Ele entrou em ângulo, depois saiu, depois entrou em ângulo outra vez. Nós o observávamos como se fosse a coisa mais importante no mundo. Nenhum movimento entre nós. O motorista inclinou-se sobre o ombro e moveu a direção. Justo antes de colocá-lo no lugar, deu outra vez ré e gentilmente tocou o para-choque do meu carro. Escutamos um tinido: o último dos vidros deixados no farol quebrado. O motorista pulou para fora, braços para o alto em rendição, mas acenei para que ele fosse embora. Era uma criatura com rosto de coruja, óculos, e a surpresa disso tornava seu rosto um tanto cômico. Ele apressou-se pela rua, olhando por cima do ombro como se quisesse ter certeza.

— Eu não sei — eu disse. — Não sei mesmo. Não tem explicação. Eu estava aterrorizada. Sinto muito. Não consigo repetir isso o suficiente.

— Merda — ele disse.

Acendeu um cigarro, abriu um pouco a janela e soprou fumaça pelo canto da boca, então olhou para o outro lado.

— Escuta — ele disse por fim. — Preciso sair daqui. Pode deixar em qualquer lugar.

— Onde?

— Não sei. Quer tomar um café em algum lugar? Um drinque?

Ambos estávamos aturdidos com o que estava se passando entre nós. Eu havia testemunhado a morte de seu irmão. Esmagado aquela vida. Eu não disse uma palavra, apenas assenti e engrenei a primeira no carro, forcei-o para fora da vaga, entrei na rua vazia. Um drinque calmo em um bar escuro não era o pior dos destinos.

Mais tarde naquela noite, quando cheguei em casa — se casa era o que eu ainda podia chamá-la —, fui nadar. A água estava suja e cheia de plantas estranhas. Folhas esquisitas e gavinhas. As estrelas pareciam cabeças de pregos no céu — puxe algumas e a escuridão cairá. Blaine havia completado algumas pinturas e as instalara ao redor do lago em vários lugares da floresta e ao redor da beirada da água. Uma dúvida tinha aparecido, como se ele soubesse que era uma ideia estúpida, mas ainda quisesse experimentá-la. Não há nada tão absurdo que você não possa achar pelo menos uma pessoa para comprá-la. Fiquei na água, esperando que ele fosse dormir, mas se sentou na doca sobre uma manta e quando saí da água ele me envolveu com ela. O braço em meu ombro, ele me levou de volta para a cabana. A última coisa que eu queria era um lampião de querosene. Eu precisava de interruptores e eletricidade. Blaine tentou me levar para a cama mas eu simplesmente disse não, que não estava interessada.

— Vá para a cama — eu lhe disse.

Fiquei sentada na cozinha e desenhei. Havia algum tempo que eu não fazia nada com carvão. As coisas tomaram forma na folha. Me lembrei de que quando nos casamos Blaine ergueu um copo na frente de nossos convidados e disse com um sorriso: *Até que a vida nos separe.* Era seu tipo de piada. Estávamos casados, eu pensei então — veríamos o último suspiro um do outro.

Mas me surpreendeu, enquanto desenhava, que tudo que eu queria fazer era sair caminhando para um lugar limpo.

NADA DE IMPORTANTE havia acontecido, mais cedo naquele dia, com Ciaran, ou nada importante pareceu acontecer de qualquer maneira, pelo menos não no começo. O resto do dia pareceu bastante comum. Simplesmente saímos de carro do cemitério, passando pelo Bronx, e pela ponte da Third Avenue, evitando a FDR.

O tempo estava quente e o céu, de um azul brilhante. Deixamos as janelas abertas. O cabelo dele ondulava ao vento. No Harlem, ele me pediu para ir mais devagar, espantado com a fachada das igrejas.

— Parecem lojas — disse.

Sentamos do lado de fora e escutamos o ensaio do coro da Igreja Batista da 123rd. As vozes eram altas e angelicais, cantando sobre estar nos gloriosos vales do Senhor. Ciaran batia, distraído, os dedos no painel. Parecia que a música entrava nele e quicava em volta. Disse alguma coisa sobre o irmão e de não terem nenhum jeito para dança, mas que a mãe deles tocava piano quando eles eram crianças. Houve uma vez em que seu irmão levou o piano de rodinhas até a rua na frente da praia em Dublin, ele agora não conseguia por nada deste mundo recordar o motivo. Isso, ele disse, era a graça da memória. Ela vinha nos momentos mais estranhos. Ele não havia se lembrado disso por um longo tempo. Eles tinham arrastado o piano pela praia sob a luz do sol. Foi a única vez na vida que ele se lembra de ter sido confundido com o irmão. Sua mãe confundiu os nomes e o chamou de John — *Aqui, John, venha aqui, querido* —, e mesmo sendo o mais velho dos irmãos era um momento quando ele via a si mesmo firmemente enraizado na infância, e talvez ainda estivesse lá, agora, hoje, e para sempre, sem encontrar seu irmão morto em nenhum lugar.

Ele praguejou e bateu o pé contra os painéis mais baixos do carro:

— Vamos beber alguma coisa.

Em um viaduto da Park Avenue um garoto estava pendurado com arnês e cordas, pintando a ponte com spray. Pensei nas pinturas de Blaine. Elas eram um tipo de grafite também, nada mais.

Dirigimos o carro para o Upper East Side, ao longo da Lexington Avenue, e encontramos uma espelunca pequena e suja perto da 64th. Um jovem bartender com um avental branco gigante mal nos olhou quando entramos. Piscamos contra a luz do anúncio da cerveja. Nenhuma jukebox. Cascas de amendoim por todo o chão. Alguns homens com poucos dentes sentados a um canto, escutando um jogo de beisebol no rádio. Os espelhos estavam quebrados e manchados pela idade. O cheiro rançoso de óleo de fritar. Um cartaz na parede dizia: A BELEZA ESTÁ NA CARTEIRA DE QUEM OLHA.

Deslizamos para uma cabine, nos bancos de couro vermelho, e pedimos dois Bloody Marys. As costas da minha blusa estavam úmidas contra o assento. Uma vela oscilava entre nós, um pequeno brilho tremulante. Partículas de sujeira nadavam na cera líquida. Ciaran rasgou seu guardanapo de papel em pedaços minúsculos e me contou tudo sobre o irmão. Ele ia levá-lo para casa no dia seguinte, depois da cremação, e espalhá-lo na água em volta da baía de Dublin. Para ele, não parecia nada nostálgico. Parecia apenas a coisa certa a fazer. Levá-lo para casa. Ele caminharia pela beira-mar e esperaria a maré subir, então espalharia Corrigan ao vento. Não era de maneira nenhuma contra a sua fé. Corrigan nunca falou em enterro de nenhum tipo e Ciaran tinha certeza de que ele ia preferir ser uma parte de muitas coisas.

O que ele gostava no irmão, disse, é que ele fazia as pessoas tornarem-se o que elas não achavam que poderiam se tornar. Ele mexia com alguma coisa no coração delas. Dava a elas novos lugares para onde ir. Mesmo morto, ele ainda faria isso. Seu irmão acreditava que o espaço de Deus era uma das últimas grandes fronteiras: homens e mulheres poderiam fazer todo tipo de coisas, mas o mistério real sempre estaria em um além diferente. Ele apenas jogaria as cinzas e as deixaria se assentarem onde quisessem.

— E depois?

— Menor ideia. Talvez viajar. Ou ficar em Dublin. Talvez voltar e conseguir dar certo por aqui.

Ele não tinha gostado muito quando chegou — todo o lixo e a pressa —, mas tinha começado a gostar, não era tão ruim. Vir para a cidade era como entrar em um túnel, ele disse, e descobrir para sua surpresa que a luz no final não tinha importância; às vezes, de fato, o túnel tornava a luz tolerável.

— Nunca se sabe, em um lugar assim — ele disse. — Nunca se sabe.

— Você vai voltar, então? Em algum momento?

— Talvez. Corrigan nunca pensou que fosse ficar aqui. Então ele encontrou uma pessoa. Eu acho que ele iria ficar para sempre.

— Ele estava apaixonado?

— Sim.
— Por que você o chama de Corrigan?
— Aconteceu.
— Nunca de John?
— John era comum demais para ele.

Ele deixou os pedaços do guardanapo esvoaçarem para o chão e disse uma coisa estranha sobre palavras que são boas para dizer o que as coisas são mas às vezes não funcionam para o que as coisas não são. Olhou para o outro lado. O neon na janela ficava mais vivo quando a luz do lado de fora enfraquecia.

A mão dele roçou a minha. A velha brecha do desejo humano.

Eu fiquei mais uma hora. Silêncio a maior parte do tempo. A linguagem usual me escapava. Ergui-me, um vazio em minhas pernas, arrepios em meus braços nus.

— Eu não estava dirigindo — disse.

Ciaran dobrou todo o seu corpo sobre a mesa, me beijou.

— Eu imaginei isso.

Ele apontou para a aliança em meu dedo.

— Como ele é?

Ele sorriu quando não respondi, mas foi um sorriso com todo um mundo de tristeza nele. Virou-se para o bartender, fez um sinal, pediu mais dois Bloody Marys.

— Preciso ir.
— Eu tomo os dois — ele disse.

Um para seu irmão, eu pensei.

— Faça isso.
— Farei — ele disse.

Do lado de fora havia duas multas no vidro do Pontiac — uma por estacionamento e uma pelo farol quebrado. Foi o suficiente para quase me confundir de vez. Antes de dirigir de volta para a cabana, fui até a janela do bar e protegi meus olhos contra o vidro, olhei lá dentro. Ciaran estava no balcão, os braços dobrados e o queixo no pulso, falando com o bartender. Ele olhou em minha direção e fiquei gelada. Rapidamente me virei. Tem pedras enterradas tão fundo na terra que não importa a ruptura, elas nunca verão a superfície.

Existe, eu acho, um medo de amar.

Existe um medo de amar.

DEIXE O GRANDE MUNDO GIRAR PARA SEMPRE LÁ EMBAIXO

O QUE ELE VIU MUITAS VEZES no prado: um ninho de três falcões-de-rabo-vermelho, filhotinhos, na saliência de um ramo de árvore, em um espesso entrelaçamento de galhos. Os filhotes saíam quando a mãe estava voltando, mesmo de muito longe. Começavam a grasnir, uma alegria antecipada. Abriam os bicos como tesouras, e um momento mais tarde ela abaixava as asas em direção a eles, um pombo em um dos pés, seguro pelas garras. Ela pairava e descia, uma asa ainda estendida, protegendo metade do ninho da visão. Rasgava pedaços vermelhos de carne e jogava dentro das bocas abertas dos filhotes. Tudo isso feito com o tipo de desenvoltura para a qual não havia vocabulário. O equilíbrio entre garra e asa. A queda perfeita da carne vermelha dentro das bocas.

Eram momentos como esse que mantinham seu treinamento nos trilhos. Seis anos em tantos lugares diferentes. O prado apenas um deles. A grama estendida por quase um quilômetro, embora o arame cobrisse apenas 75 metros no meio do prado, onde havia o máximo de vento. O arame era estabilizado com outros arames amarrados nos cavaletes bem retesados. Às vezes, afrouxava-os para que o arame pudesse balançar. Ele ia até o meio do arame, onde era mais difícil. Tentava saltar de um pé para outro. Carregava uma vara de equilíbrio que era muito pesada, só para acostumar seu corpo com mudanças. Se algum amigo estivesse de visita ele o fazia balançar o arame com um caibro para aprender a oscilar de um lado a outro. Fazia até o amigo pular no arame para ver se conseguia derrubá-lo.

Seu momento favorito era correr pelo arame sem a vara de equilíbrio — era o mais puro exercício de entrega ao corpo que podia ter. O que ele compreendia, mesmo quando treinava, era isto: não podia estar no alto e embaixo ao mesmo tempo. Não havia uma coisa chamada tentativa. Ele podia se controlar com as mãos, ou passando os pés em volta da corda, mas isso era um fracasso. Procurava novos exercícios incessantemente: o giro completo, o andar nas pontas dos pés, a queda falsa, fazer estrela, quicar uma bola de futebol na cabeça, andar pulando, com os tornozelos amarrados juntos. Mas eram exercícios, não movimentos que consideraria em uma caminhada no cabo.

Uma vez, durante uma tempestade, andou pelo arame como se fosse uma prancha de surfe. Afrouxou os cabos estabilizadores para que o arame ficasse mais mexido que nunca. As ondas que o balanço criava tinham um metro de altura, brutais, erráticas, de lado a lado, para cima e para baixo. Vento e chuva por todo lado. A vara de equilíbrio tocava a ponta da grama, mas nunca o chão. Ele gargalhava na ponta do vento.

Só mais tarde pensou, ao voltar para a cabana, que a vara em sua mão tinha sido um para-raio: podia ter sido eletrocutado na tempestade — um cabo de aço, uma vara de equilíbrio, um prado aberto.

A cabana de madeira estava abandonada havia vários anos. Um único quarto, três janelas, uma porta. Ele teve de desparafusar as venezianas para ter luz. O vento vinha úmido. Um cano de água enferrujado pendia do teto e uma vez ele se esqueceu e nocauteou a si mesmo. Ele observava as acrobacias das moscas nas teias de aranha. Sentia-se à vontade, mesmo com os ratos arranhando as tábuas do piso. Decidiu sair subindo pela janela em vez de pela porta: um hábito esquisito — não sabia de onde vinha. Pôs a vara no ombro e caminhou pela grama comprida em direção ao arame.

Às vezes alces das Montanhas Rochosas vinham pastar na beirada do prado. Erguiam as cabeças e olhavam para ele e desapareciam de volta à linha das árvores. Ele se perguntava o que eles viam, e como o viam. O balanço de seu corpo. A barra estendida no ar. Ele ficou em êxtase quando os alces vieram para ficar. Grupos de dois ou três deles, mantendo-se perto da fileira de árvores, mas se aventurando um pouco mais cada dia. Perguntava-se se eles chegariam e se se esfregariam nos postes gigantes de madeira que ele havia enfiado no chão, ou se os mastigariam e roeriam, deixando o arame arqueado.

Ele voltou no inverno, não para treinar, mas para relaxar e repassar os planos. Ficou na cabana de madeira, em um morro que dava para o prado. Espalhou os planos e fotografias das torres pela mesa tosca perto da pequena janela que dava para o completo vazio.

Uma tarde, ficou estarrecido com um coiote vindo pela neve e pulando brincalhão justo sob seu arame. Em seu ponto mais baixo no verão o arame estava a quatro metros e meio no ar, mas a neve agora estava tão empilhada que o coiote poderia ter pulado por cima.

Depois de um tempo, foi colocar um pouco de lenha no fogão e então subitamente o coiote sumiu, como uma aparição. Ele estava seguro que havia sonhado, só que quando olhou pelos binóculos ainda havia marcas das patas na neve. Ele saiu no frio pelo caminho que havia cavado na neve, usando apenas botas, jeans, uma camisa de lenhador, um lenço. Subiu na cavilha dos postes, caminhou pelo arame sem vara de equilíbrio, procurando as pegadas. A brancura o emocionava. Achava que era como pisar ao longo da espinha de um cavalo em direção a um lago gelado. A neve reinstruía a luz, curvava-a, coloria-a, fazia-a saltar. Ele estava extasiado, quase entorpecido. Eu deveria pular nela e nadar. Mergulhar. Pôs um pé para fora e então saltou, braços esticados, palmas abertas. Mas no meio do voo, compreendeu o que havia feito. Nem mesmo teve tempo de praguejar. A neve estava quebradiça e densa, e ele havia pulado em pé do arame, como um homem em uma piscina. Eu deveria ter pulado de costas, dado a mim mesmo uma forma diferente. Mergulhou até o peito na neve e não conseguia sair. Preso, tentou se mover para a frente e para trás. Suas pernas pareciam erradas, nem pesadas nem leves. Ele estava encaixotado, uma cela de neve. Desvencilhou os cotovelos e tentou agarrar o arame acima dele mas estava muito embaixo. A neve escoava por seus tornozelos, entrando em suas botas. Sua camisa tinha se erguido no corpo. Era como aterrissar em pele fria e úmida. Podia sentir os cristais em sua coluna, seu umbigo, seu peito. Era dever dele viver, lutar por isso — pensou que seria o trabalho de sua vida conseguir sair dali. Rangeu os dentes e tentou se erguer pouco a pouco. Uma dor prolongada, puxando seu corpo. Ele afundou outra vez para sua forma original. A ameaça cinzenta do sol se pondo. A linha distante das árvores como sentinelas, aguardando.

Ele era o tipo de homem que podia se erguer até o queixo com um dedo, mas não havia nada para pegar — o arame estava fora de seu alcance. Houve o pensamento momentâneo de ficar ali, congelado, até o degelo chegar e ele descer se descongelando até ficar outra vez a quatro metros e meio debaixo do arame, putrefazendo-se, o tipo mais demorado de queda, até chegar ao chão, talvez até ser roído pelo mesmo coiote que admirara.

Suas mãos estavam completamente livres e ele as esquentou apertando-as e abrindo-as. Tirou o lenço do pescoço, devagar, com movimento medido — sabia que seu coração trabalhava mais devagar no frio —, e laçou o arame com ele e puxou. Pequenas gotas de neve caíram do lenço. Podia sentir os fios do lenço esticarem. Ele conhecia o arame, a sua alma; ele não iria traí-lo, mas o lenço, pensou, era velho e gasto. Podia se esticar ou rasgar. Chutou seus pés abaixo, pela neve, abrindo espaço, procurando algo compacto. Não caia para trás. Cada vez que ele se erguia, o lenço esticava. Ele agarrou acima e se puxou para mais alto. Agora era possível. O sol mergulhara completamente por trás das árvores. Ele fez círculos com os pés para soltá-los, empurrou seu corpo de lado pela neve, arremessou para cima, arrancou seu pé direito da neve e jogou sua perna, tocou o arame, achou a graça.

Puxou seu corpo para o arame, ajoelhou-se, depois repousou um momento, olhou para o céu, sentiu o arame tornar-se sua medula espinhal.

Nunca mais ele andou na neve: deixava esse tipo de beleza lembrá-lo do que poderia acontecer. Pendurou o lenço em um gancho na porta e na noite seguinte viu o coiote outra vez, farejando sem rumo em volta de onde sua impressão ainda estava.

Às vezes, ia ao vilarejo local, pela rua principal, até o bar onde os fazendeiros se reuniam. Homens duros, olhavam-no como se ele fosse pequeno, ineficaz, estéril. A verdade é que era mais forte do que qualquer um deles. Às vezes um empregado da fazenda o desafiava para uma queda de braço ou uma luta, mas ele tinha que manter seu corpo sintonizado. Um ligamento torcido seria um desastre. Um ombro deslocado o faria regredir seis meses. Ele os apaziguava, mostrava-lhes truques de cartas, fazia malabarismos. Ao sair do bar, batia nas costas deles, furtava suas chaves, movia suas camionetes meio quarteirão, deixava a chave na ignição, voltava caminhando para casa à luz das estrelas, rindo.

Pregado do lado de dentro da porta da sua cabana havia um pequeno cartaz: NINGUÉM CAI PELA METADE.

Ele acreditava em caminhar lindamente, elegantemente. Tinha que trabalhar com um tipo de fé de que chegaria ao outro lado. Havia caído apenas uma vez enquanto treinava — uma vez exatamente, portanto sentia que não poderia acontecer outra vez, estava além da possibilidade. De qualquer maneira, uma única falha era necessária. Em qualquer trabalho de beleza, tinha que haver um pequeno fio para ficar pendurado. Mas a queda havia lhe quebrado várias costelas e às vezes, quando respirava fundo, era como um pequenino lembrete, uma aguilhoada perto de seu coração.

Às vezes praticava nu só para ver como seu corpo trabalhava. Sintonizava a si mesmo com o vento. Escutava não apenas a lufada, mas a antecipação da lufada. Tudo se reduzia a sussurros. Sugestão. Usava a própria umidade em seus olhos para alerta. *Aí vem ela*. Depois de um tempo aprendeu a agarrar qualquer som do vento. Mesmo a marcha dos insetos o instruía. Amava os dias em que o vento investia pelo prado com fúria e ele assobiava dentro dele. Se o vento tornava-se forte demais ele parava de assobiar e preparava todo o seu ser contra ele. O vento vinha de tantos ângulos diferentes, às vezes subitamente, trazendo cheirodeárvores, bafodepântano, borrifodealces.

Havia momentos que ele ficava tão à vontade que podia observar o alce, ou seguir as pequenas colunas de fumaça dos fogos da floresta, ou observar o falcão-de-rabo-vermelho parado em uma só perna sobre o ninho, mas quando estava em sua melhor forma, sua mente ficava livre da visão. O que ele tinha a fazer era reimaginar coisas, gravar uma impressão em sua cabeça, uma torre ao longe em sua visão, o perfil de uma cidade abaixo dele. Podia congelar essa imagem e então concentrar seu corpo no arame. Às vezes ele se chateava por trazer a cidade ao prado, mas tinha que fundir as imagens juntas em sua imaginação, a grama, a cidade, o céu. Era quase como se estivesse caminhando em outro arame acima em sua mente.

Havia outros lugares onde praticava — um campo no interior do estado de Nova York, o lote vazio de um armazém à beira do rio, um trecho isolado de pântano a leste de Long Island —, mas era o prado o mais difícil de deixar. Ele olhava por cima do ombro e via aquela figura, mergulhada até o pescoço na neve, despedindo-se com um aceno dele mesmo.

Ele entrava no barulho da cidade. A algazarra de concreto e vidro. O barulho do tráfego. Os pedestres se mexendo como água em torno dele. Sentia-se como um antigo imigrante: colocara os pés em novas terras. Circulava pelo perímetro da cidade mas raramente perdia de vista as torres. Era o limite do que um homem podia fazer. Ninguém mais sequer sonhara com isso. Podia sentir seu corpo avolumar-se com a ousadia. Secretamente, explorava as torres. Passava pelos guardas. Subia as escadas. A torre sul ainda estava inacabada. Boa parte do edifício ainda estava desocupada, guardada por andaimes. Ele se perguntava quem seriam os outros que passavam a seu lado, que propósitos teriam. Foi até o telhado inacabado, usando um chapéu de operário para evitar que o detectassem. Fez um molde da torre em sua cabeça. A visão dos cavaletes duplos no telhado. O formato em y do cabo como terminaria sendo. Os reflexos das janelas e como elas o espelhariam, em ângulos, desde abaixo. Pôs um pé para fora da beirada e mergulhou o sapato no ar, plantou uma bananeira na própria beirada do telhado.

Quando saiu do telhado sentiu que estava acenando outra vez para seu velho amigo: mergulhado até o pescoço, desta vez em um quarto de milha no céu.

Ele estava checando o perímetro da torre sul uma madrugada, anotando os horários dos caminhões de entrega, quando viu uma mulher de macacão, ajoelhada como se amarrasse os cadarços do sapato, outra e outra vez, ao redor da base das torres. Pequenos jorros de penas saíam das mãos da mulher. Ela estava colocando as aves mortas em pequenos sacos de plástico. Principalmente pardais de garganta branca, algumas aves canoras também. Elas migravam tarde da noite, quando as correntes de ar estavam mais calmas. Fascinadas pelas luzes dos prédios, batiam nos vidros, ou voavam interminavelmente ao redor das torres até que a exaustão as pegasse, suas habilidades naturais de navegação atordoadas. A mulher lhe deu uma pena de um pequeno pássaro de garganta preta, e quando ele deixou a cidade de novo, levou-a para o prado e também a pregou na parede da cabana. Outro lembrete.

Tudo tinha propósito, sinal, significado.

Mas no final ele sabia que tudo se resumia ao arame. Ele e o cabo. Sessenta e quatro metros e a distância que ele cobria. As torres tinham sido desenhadas para oscilar até um metro em uma tempestade. Uma rajada violenta ou mesmo uma mudança repentina de temperatura forçariam os prédios a um vaivém e o cabo poderia se esticar e quicar. Era uma das poucas coisas que dependiam da sorte. Uma vez lá, teria que seguir o arame quicando ou voaria. Um balanço dos prédios poderia partir o arame em dois. A ponta desgastada do arame poderia até cortar a cabeça de um homem no meio da queda. Ele precisava ser meticuloso para fazer tudo certo: o cabrestante, a catraca, as chaves de boca, a tensão, o alinhamento, a matemática, a medida da resistência. Ele queria o fio em tensão de três toneladas. Mas quanto mais esticado um cabo, mais graxa poderia exsudar. Mesmo uma mudança na temperatura poderia fazer um toque de graxa escapar do núcleo.

Ele repassou os planos com amigos. Teriam que entrar na torre sem serem vistos, colocar os cavaletes no lugar, içar firme o arame, vigiar os seguranças, mantê-lo informado com um intercomunicador. De outra maneira, a caminhada seria impossível. Eles espalharam os mapas do edifício e os decoraram. As escadas. Os postos dos seguranças. Sabiam de esconderijos onde nunca seriam encontrados. Era como se estivessem planejando um assalto a banco. Quando ele não conseguia dormir, saía perambulando pelas ruas emudecidas ao redor do World Trade Center: a distância, iluminados, os prédios pareciam um só. Ele parava em uma esquina e se colocava lá em cima, imaginava-se no céu, uma figura mais escura do que a escuridão.

Na noite anterior à caminhada ele estendeu o cabo por todo o comprimento de um quarteirão da cidade. Motoristas olhavam enquanto ele o desenrolava. Precisava limpar o fio. Meticulosamente, continuou e o esfregou com um trapo ensopado de gasolina, depois o friccionou com lixa. Precisava ter certeza que não haveria nenhum filamento solto que pudesse aguilhar seu pé através das sapatilhas. Uma única lasca — um anixo — poderia ser mortal. E havia espaços em todo o cabo onde os fios precisavam se assentar. Não poderia haver surpresas. O cabo tinha suas próprias vontades. O pior de tudo seria um torque interno, quando o cabo se vira para dentro, como uma cobra se movendo em sua pele.

O cabo tinha seis cordões de grossura com 19 fios em cada um. Dois centímetros e vinte e dois milímetros de diâmetro. Perfeitamente trançado. Os cordões tinham sido trançados ao redor do núcleo numa trama larga que dava aos seus pés o máximo de garra. Ele e seus amigos caminhavam pelo cabo e fingiam estar alto no ar.

Na noite da caminhada foi preciso dez horas para amarrar o cabo furtivo. Ele estava exausto. Não havia trazido água suficiente. Pensou que talvez nem pudesse ser capaz de andar, tão desidratado que seu corpo iria se quebrar no movimento. Mas a simples visão do cabo estendido entre as torres o emocionou. A chamada veio pelo intercomunicador da torre ao longe. Eles estavam prontos. Ele sentiu uma descarga de pura energia se mover por ele: estava novo outra vez. O silêncio parecia feito para ele se balançar. A luz da manhã subia pelos estaleiros, o rio, a beira d'água cinza, passando pela esqualidez do East Side, a partir de onde se espalha e se propaga — vãos de portas, toldos, pedaços de cornija, saliências das janelas, tijolos, grades, a linha dos telhados — até dar um longo salto e alcançar o espaço duro do centro comercial. Ele murmurou no intercomunicador e acenou para a figura que esperava na torre sul. Hora de ir.

Um pé no cabo — seu melhor pé, o pé do equilíbrio. Primeiro ele desliza os dedos, depois a sola, depois o calcanhar. O cabo se aninha entre seu dedão e o segundo dedo para agarrar. Suas sapatilhas eram finas, as solas feitas de couro de búfalo. Parou por um momento, puxou a corda mais firme com a força de seus olhos. Jogou a vara de alumínio entre suas mãos. A calma atravessou suas palmas. A vara pesava 25 quilos, quase metade do peso de uma mulher. Ela oscilava dentro de seu revestimento como água. Ele colocara um tubo de borracha bem no centro para evitar que deslizasse. Com a curva dos dedos esquerdos ele era capaz de firmar os músculos da panturrilha direita. O dedo mindinho controlava a forma de seu ombro. Era o polegar que mantinha a vara no lugar. Ele se inclinou para a frente à direita e o corpo foi ligeiramente para a esquerda. O movimento de rotação na mão era tão minúsculo que ninguém poderia enxergar a olho nu. Sua mente deslocou o espaço para receber seu velho eu treinado. Nenhum cansaço em seu corpo agora. Segurou a vara com a memória muscular e em um movimento foi em frente.

O que aconteceu então foi que, por um instante, quase nada ocorreu. Ele nem sequer estava lá. Malogro nem sequer passou por sua mente. Parecia estar flutuando. Poderia estar no prado. Seu corpo se soltou e tomou a forma do vento. O jogo do ombro podia instruir o tornozelo. Sua garganta podia aliviar o calcanhar e umedecer os ligamentos em seu tornozelo. Um toque da língua contra os dentes podia relaxar a coxa. Seu cotovelo podia confraternizar com seu joelho. Se tensionasse o pescoço podia senti-lo corrigindo o quadril. No seu centro ele nunca se mexia. Pensava no seu estômago como uma tigela de água. Se a pegasse de mau jeito, a própria tigela se endireitaria. Sentiu a curva do cabo com o arco e depois com a sola do pé. Um segundo passo e um terceiro. Passou pela primeira corda de retenção, todo ele em sincronia.

Dentro de segundos ele era movimento puro, e podia fazer qualquer coisa que quisesse. Estava dentro e fora de seu corpo ao mesmo tempo, entregando-se ao que significava pertencer ao ar, sem futuro, sem passado, e isso lhe trouxe sua usual petulância para caminhar. Estava levando sua vida de um lado para o outro. De prontidão para o momento quando não tivesse consciência sequer de sua respiração.

O âmago da razão de tudo isso era a beleza. Caminhar era uma delícia divina. Tudo era reescrito quando ele estava lá em cima no ar. Novas coisas seriam possíveis com a forma humana. Muito além do equilíbrio.

Por um momento, ele se sentiu incriado. Outro tipo de despertar.

LIVRO DOIS

MARCAS DE PICHAÇÃO

P<small>EGUE-O AQUI, NO ENGATE</small> dos vagões, com a manhã já um forno e abafada. Nove fotos restando no rolo. Quase todas as fotos tiradas no escuro. Em duas delas, pelo menos, o flash não funcionou. Quatro delas foram de trens em movimento. Outra, tirada na Concourse, era um lixo imprestável, ele tinha certeza disso.

Ele surfa pela plataforma de metal enquanto o trem aponta ao sul da Grand Central. Às vezes fica tonto só de antecipar a próxima curva. Aquela velocidade. Aquela explosão em seu ouvido. A verdade é que ele fica amedrontado. O aço zumbindo através dele. É como se tivesse todo o trem em seus tênis. Controle e esquecimento. Às vezes parece que é ele quem está dirigindo. Muito para a esquerda e o trem pode bater no canto e haverá um milhão de corpos retalhados nos trilhos. Muito para a direita e os vagões deslizarão para o lado e será adeus, muito prazer em te conhecer, te vejo nas manchetes. Ele estava no trem desde o Bronx, uma das mãos na câmera, a outra na porta do carro. Pés abertos para se equilibrar. Olhos firmes na parede do túnel, procurando novas marcas de pichação.

Está a caminho do trabalho, que é no centro da cidade, mas para o inferno com aqueles pentes, aquelas tesouras, aqueles cremes de barbear — ele estava esperando que a manhã se abrisse com uma marca de pichação. É a única coisa que lubrifica as dobradiças de seu dia. Tudo o mais se arrasta, mas as pichações sobem até seus globos oculares. FASE 2. KAVERA. SUPER KOOL. Ele adora a maneira como as letras se curvam, os arcos, as guinadas, as chamas, suas nuvens.

Ele pega o trem parador só para ver quem esteve lá durante a noite, quem veio e deixou sua marca, quão fundo mergulharam no escuro. Já não tem muito tempo para o piso de cima, as pontes férreas, as plataformas, as paredes dos depósitos, nem mesmo para os caminhões de lixo. Trabalho idiota, aquele. Qualquer um pode vomitar numa parede: são as pichações do subterrâneo que ele veio a amar mais. As que você encontra no escuro. Pelas laterais dos túneis. A surpresa delas. Mais escondidas, melhor. Iluminadas pelas luzes do trem em movimento e pegas apenas por um instante, de maneira que nunca tem completa certeza se as viu ou não. JOE 182, TED 144, TOPCAT 126. Algumas são rabiscos apressados. Outras vão do cascalho ao teto, talvez gastando duas ou três latas de spray, letras enlaçadas como se não quisessem chegar ao fim, como se tivessem enchido os pulmões de ar. Outras avançam um metro no túnel. A melhor de todas é um trecho de cinco metros e meio sob a Grand Concourse.

Por um tempo eles pichavam só com uma cor, sobretudo prata, de modo que brilhava na profundeza, mas este verão eles aumentaram para duas, três, quatro cores: vermelho, azul, amarelo, até preto. Isso o confundiu quando viu pela primeira vez — colocar uma pichação de três cores onde ninguém poderia ver. Alguém estava chapado ou inspirado ou ambos. Ele perambulou o dia todo, só remoendo isso na cabeça. O tamanho do fulgor. A profundidade. Eles estavam até usando bicos diferentes nas latas: dava para perceber pela textura do spray. Ele pensava nos pichadores correndo por ali, ignorando o terceiro trilho, os ratos, as toupeiras, a fuligem, o mau cheiro, o pó do aço, os alçapões, os degraus, os faróis, os fios, os canos, as rachaduras, o John 3:16, o lixo, as grades, as poças.

O lado mais foda da coisa toda era que eles faziam isso debaixo da cidade. Como se tudo lá em cima tivesse sido pintado e o único território que restava estivesse ali. Como se abrindo uma nova fronteira. Esta é minha casa. Leia e chore.

Costumava ser assim: ele desencavando o que estava ali enterrado viajando num trem que era engolido, onde ele mesmo era apenas uma outra cor, uma mancha de tinta em uma centena de outras manchas de tinta. Recordando o centro pelos becos dos ratos. Sem saída. Ele fechava os olhos e ficava perto das portas e curvava os ombros, pensando nas cores se movendo a seu redor. Não era qualquer um que podia cobrir todo um trem. Era preciso estar no coração das coisas. Escalar a cerca de um pátio, saltar um trilho, pegar um carro, correr, liberar o projétil em plena manhã radiante sem uma janela pela qual olhar, todo o trem pichado de cabo a rabo. Algumas vezes, ele até pensou em zanzar pela Concourse, onde os pichadores porto-riquenhos e dominicanos ficavam, mas eles não tinham lugar pra ele, nenhum deles, lhe disseram que ele não tinha o jeito da turma, xingaram ele de novo, *Simplón, Cabronazo, Pendejo*. O que pegava era que ele tinha sido um aluno exemplar o ano todo. Não queria ser, mas foi assim que aconteceu — era o único que não matava as aulas. Então eles riam dele e o mandavam passear. Ele se mandou. Até pensou em atravessar e se juntar aos negros do outro lado da Concourse, mas decidiu que não. Retornou com sua câmera, a que ganhou na barbearia, foi até os porto-riquenhos e disse que podia fazer com que ficassem famosos. Eles riram outra vez e ele ainda levou um tapinha na cara de um garoto de gangue de 12 anos.

Mas então, no meio do verão, no caminho para o trabalho, ele se pôs entre os vagões; o trem tinha parado justo fora da 138th e ele estava se equilibrando na placa de metal de engate bem quando o trem se pôs em movimento outra vez, e ele viu o rápido borrão. Não tinha ideia do que era, uma enorme coisa voadora prateada. Ficou em sua retina, uma visão no fundo do olho, durante o dia todo na barbearia.

Estava lá, era dele, ele a possuía. Não seria apagada. Eles não podiam colocar um muro subterrâneo em um banho de ácido. Não dá pra abafar isso. A maior das assinaturas. Era como descobrir o gelo.

De volta para casa nos conjuntos habitacionais, ele viajou no meio do trem outra vez, só para checar, e ali estava de novo, STEGS 33, grossa e solitária no meio do túnel, com nenhuma outra assinatura para lhe fazer companhia. Ele ficou impressionado pra cacete que a pichação tivesse entrado no túnel e se assinalado e depois talvez apenas voltasse direto, pulando o terceiro trilho, subindo os degraus cheios de fuligem, passando pelas grades de metal, para a luz, as ruas, a cidade, seu nome debaixo dos pés.

Ele então atravessou a Concourse todo arrogante, olhou para os pichadores que passavam o dia todo na superfície. *Pendejos*. Ele tinha o segredo. Conhecia os lugares. A chave era dele. Passou por eles, ombros balançando.

Começou a andar de metrô sempre que podia, se perguntando se os pichadores alguma vez traziam uma lanterna, ou se andavam em grupos de dois ou três, como os bombeiros nos pátios de manobras, um vigiando, o outro com a lanterna e um para pichar. Já nem se importava de ir à cidade, para a barbearia do padrasto. Pelo menos o emprego de verão lhe deixava tempo para andar sobre os trilhos. No começo, pressionava o rosto nas janelas, mas então começou a surfar nos vagões, com o olhar fixo nas paredes, procurando um sinal. Preferia pensar que os pichadores trabalhavam sozinhos, sem luz, exceto um fósforo aqui e ali, só pra enxergar o contorno, ou pra animar uma cor, ou preencher um espaço vazio, ou arredondar uma letra. Trabalho de guerrilha. Nunca mais do que meia hora entre os trens, mesmo tarde da noite. O que ele mais gostava era dos grandes painéis de estilo livre. Quando o trem passava, gravava-os bem na cabeça, e brincava com eles em sua mente o dia todo, seguindo as linhas, as curvas, os pontos.

Ele mesmo jamais havia pichado nada sequer uma vez, mas se alguma vez tivesse uma boa chance, sem consequência, sem tapa do padrasto, sem cadeia, inventaria um estilo todo novo, desenharia um pouco de preto no pretume, um pouco de branco no branco intenso, ou misturaria com um pouco de vermelho, branco e azul, acabaria com o esquema de cores, misturaria um tanto de riquenho, de preto, sem regras e os deixaria perplexos, isso era tudo que importava — fazê-los coçar a cabeça, se levantar e prestar atenção. Poderia fazer isso. Genial, eles diriam. Mas só era genial se você pensasse primeiro. Um professor lhe disse isso. O gênio é solitário. Ele teve uma ideia uma vez. Queria pegar uma máquina de slide, um projetor, e colocar dentro uma foto de seu pai. Queria projetar a imagem por toda a casa, assim a cada vez que se virasse sua mãe veria o marido ausente, o que ela chutou pra fora de casa, o que ele não via fazia 12 anos, o que ela havia trocado por Irwin. Ele adoraria projetar o pai ali, como as pichações, para torná-lo fantasmagórico e real na escuridão.

É um mistério para ele se os pichadores alguma vez olhavam os próprios desenhos e assinaturas, com a exceção daquele passo atrás no túnel logo depois de terminar, sem mesmo estar seco. Voltar logo pelo terceiro trilho para uma rápida olhada. Com cuidado, ou pegaria alguns milhares de volts. E mesmo então havia a possibilidade de um trem vir. Ou os guardas surgirem com uma chuva de lanternas e cassetetes. Ou algum puto latino de cabelo comprido saindo das sombras, olhos brancos reluzindo, canivete pronto, para esvaziar seus bolsos, colhões e tripas. Pinte logo essa porra, e caia fora antes de ser pego.

Ele se firma com o sacolejar do vagão. 33th. 28th. 23th. Union Square, onde atravessa a plataforma e muda para o trem 5, se mete entre os vagões, espera pelo balanço do movimento. Nada de novo nas paredes esta manhã. Às vezes ele acha que devia comprar umas latas, saltar do trem e começar a desenhar com o spray, mas bem no fundo sabe que não tem o que é preciso: é mais fácil com a câmera na mão. Pode fotografá-las, tirá-las da escuridão, suspendê-las das passagens. Quando o trem pega velocidade, ele fica com a câmera debaixo da fralda da camisa para que ela não fique pulando. Quinze fotos já tiradas de um filme de 24. Nem mesmo tem certeza se alguma delas vai sair. Um dos fregueses da barbearia lhe deu a câmera no ano passado, um dos figurões da cidade, se exibindo. Simplesmente deu a ele, com estojo e tudo. Ele não tinha ideia do que fazer com ela. No começo, jogou-a atrás da cama, mas depois a pegou uma tarde e a examinou, começou a clicar o que via.

Gostou. Começou a levar a câmera a todo lugar. Depois de um tempo sua mãe até pagava para revelar as fotos. Ela nunca o tinha visto tão interessado antes. Uma Minolta SR-T 102. Ele gostava do jeito que a câmera cabia em sua mão. Quando ficava constrangido — com Irwin, digamos, ou com sua mãe, ou simplesmente saindo do pátio da escola —, podia tapar o rosto com a câmera, se esconder atrás dela.

Se pelo menos ele pudesse ficar lá embaixo o dia todo, no escuro, no calor, indo e voltando entre os vagões, tirando fotos, ficando famoso. Ele escutou falar de uma garota, o ano anterior, que ganhou a primeira página do *Village Voice*. Uma foto de um vagão pichado entrando no túnel na Concourse. Ela o pegou na luz certa, meio sol, meio escuro. O jorro dos faróis vindo direto até ela e todas as pichações se estendendo por trás. Lugar certo, hora certa. Ouviu dizer que ela ganhou um bom dinheiro, 15 dólares ou mais. No começo tinha certeza que era um boato, mas foi à biblioteca e conferiu as edições anteriores e lá estava a foto, em uma página dupla, e o nome dela no canto embaixo das fotos. E ele ouviu dizer que havia dois garotos do Brooklyn correndo os trilhos, um deles com uma Nikon, o outro com uma coisa chamada Leica.

Ele mesmo tentou uma vez. Levou uma foto para o *New York Times* no começo do verão. Uma foto de um cara no alto do viaduto Van Wyck, grafitando. Uma coisa linda toda sombreada, o cara do spray pendurado em cordas, e alguns pares de nuvens cheias ao fundo. Material de primeira página, ele tinha certeza. Tirou meio dia de folga da barbearia, usou até camisa e gravata. Entrou no prédio na 43th e disse que queria ver o editor de fotos, tinha uma foto de sucesso garantido, uma tomada de mestre. Havia aprendido o jargão num livro. O guarda de segurança, um moreno grande e alto, deu um telefonema, se inclinou na escrivaninha e falou:

— Basta enfiar o envelope ali, irmão.

— Mas é que eu queria falar com o editor de fotos.

— Ele está ocupado agora.

— E quando ele vai se desocupar? Vamos, Pepe, por favor.

O segurança deu uma gargalhada e se virou, uma vez, depois duas, e então o encarou:

— Pepe?

— Senhor.

— Que idade você tem?

— Dezoito.

— Vamos, garoto. Quantos anos?

— Catorze — disse ele, olhando para baixo.

— Horatio Jose Alger! — disse o segurança, o rosto aberto com a risada. Fez algumas ligações mas então o olhou, olhos de pálpebras caídas, como se já soubesse: — Sente-se ali, cara. Eu aviso quando ele passar.

O saguão do prédio era todo vidro e ternos e panturrilhas macias. Ficou sentado por duas horas a fio até que o guarda lhe deu uma piscada. Ele se levantou e foi até o editor de foto e enfiou o envelope na mão dele. O cara estava comendo metade de um sanduíche Reuben. Tinha alface num dente. Teria sido ele mesmo um fotógrafo. Resmungou um obrigado e saiu do edifício, descendo a Seventh Avenue, passando pelos cineminhas pornôs e pelos veteranos de guerra sem-teto, com a foto enfiada debaixo do braço. Ele o seguiu por cinco quarteirões, depois o perdeu de vista no tumulto. E então nunca mais teve nenhum retorno sobre isso, nada de nada. Esperou pelo telefonema que não veio. Até voltou ao saguão no final de três turnos, mas o segurança disse que não podia fazer mais nada. "Sinto muito, meu jovem." Talvez o editor a tivesse perdido. Ou ia roubá-la. Ou ia telefonar para ele a qualquer minuto. Ou tivesse deixado um recado na barbearia e Irwin esqueceu. Mas nada aconteceu.

Ele tentou um jornal do Bronx, depois disso, um jornaleco de merda do bairro, e até eles disseram não de cara; ele escutou alguém rindo do outro lado da ligação. Um dia eles viriam rastejando atrás dele. Um dia iriam lamber seus sapatos. Um dia iriam passar um por cima do outro para falar com ele. Fernando Yunqué Marcano. Imagista. Uma palavra de que ele gostava, mesmo em espanhol. Não fazia sentido mas soava muito bem. Se ele tivesse um cartão, seria isto que poria nele. *FERNANDO Y. MARCANO. IMAGISTA. BRONX, EUA.*

Teve um cara que uma vez ele viu na televisão que fez fortuna projetando tijolos dos edifícios. Era engraçado, mas de certo modo ele o entendia. O modo como o edifício ficava diferente depois. O modo como a luz entrava. Fazendo as pessoas olharem de maneira diferente. Fazendo-as pensar duas vezes. Você tem de olhar o mundo com um brilho que ninguém mais tem. É o tipo da coisa que ele pensa a respeito enquanto está varrendo o chão, enxaguando as tesouras, empilhando os cremes de barbear. Todos os corretores figurões vindo para um corte na nuca e nos lados. Irwin diz que há arte em um corte de cabelo. "A maior galeria que você jamais terá. Toda a cidade de Nova York na ponta dos seus dedos." E ele pensa: Ah, cala a boca, Irwin. Você não é meu pai. Cala a boca e varre. Limpa os pentes você mesmo. Mas ele nunca foi capaz de dizer isso. A desconexão entre sua boca e sua mente. Era aí que a câmera entrava. Era a coisa não falada entre ele e os outros, a desencanada.

O trem estremece e, com indiferença, ele pressiona a palma das mãos em cada vagão para se firmar, e a máquina continua em movimento, mas então faz outra vez uma parada rápida, os freios rangendo, e ele é jogado de lado, seu ombro pegando o impacto do golpe, suas pernas apertadas nas correntes. Rapidamente ele confere a câmera. Perfeita. Nenhum problema. Seu momento favorito, este. Completamente parado. No túnel, perto da saída. Porém ainda no escuro. Pega na beirada de metal da porta com os dedos. Endireita-se e se apoia outra vez na porta.

Indiferença. Desenvoltura. No escuro do túnel agora. Entre Fulton e Wall Street. Todos os ternos e cortes de cabelo ficando prontos para saltar fora.

Agora não há novos ruídos no trem, e ele gosta desses silêncios, dá tempo para examinar todas as paredes. Dá uma olhada rápida ao longo do vagão para se certificar de que não tem guardas, coloca um pé nas correntes e se ergue, agarra a beirada do vagão, ergue-se para o topo com um braço. Se ficar de pé na capota conseguirá tocar a curvatura do túnel — bom lugar para uma pichada —, mas ele se segura na beirada do vagão e espia por cima da quina. Umas marcas vermelhas e brancas nas paredes onde elas se curvam. Algumas luzes sulforosas amarelas à distância.

Espera seus olhos se ajustarem, para que as pequenas estrelas da retina desapareçam. Ao longo da traseira distante do trem, pequenas barras de cor se derramam das bordas de cada vagão e se espalham em volta. Nada nas paredes, no entanto. Uma Antártica em matéria de pichação. O que ele esperava? Difícil ter algum grafiteiro no centro. Mas nunca se sabe. Isso seria genial. Essa seria a sacada. Apaga essa, *maricón*.

Sente as correntes sacudirem-se sob seus pés, o primeiro aviso de movimento, e ele segura um pouco mais firme na beirada do vagão. Nenhum dos pichadores nunca chega ao teto. Território virgem. Ele próprio deveria começar um movimento, um espaço novo em folha. Olha ao longo do comprimento do trem, depois levanta-se um pouco mais alto na ponta dos dedos. Na ponta distante do túnel vê um pedaço do que pode estar pintado na parede leste, uma pichação que não tinha visto antes, uma coisa rápida e oval, com o que parece um tipo de matiz vermelho ao redor de prata, um *P* ou um *R* ou um *8*, talvez. Fumaças e chamas. Ele devia voltar para trás pelos vagões — pelo meio dos mortos e dos sonhadores — e chegar mais perto da parede, decifrar a marca, mas justo então o trem dá um segundo solavanco e é um sinal de alerta — ele sabe disso —, ele abaixa rapidamente, se equilibra. Quando as rodas rangem, passa o que viu em sua cabeça, compara com todas as outras pichações das outras partes do túnel e constata que é novo em folha, deve ser, sim, e ele celebra em silêncio sacudindo o punho — alguém veio e pichou no centro da cidade.

Em segundos o trem está na luz mortiça da estação de Wall Street e as portas sibilam ao se abrir, mas seus olhos estão fechados e ele está mapeando a altura, a cor, a profundidade da pichação nova, tentando colocá-la dentro da geografia do caminho de casa, onde ele pode pegá-la de novo, possuí-la, fotografá-la, torná-la dele.

Um som de rádio. O movimento de estática em direção a ele. Ele se desencosta. Guardas. Vindo do final da plataforma. Eles o viram, com certeza. Vindo para tirá-lo dali, tascar uma multa. Quatro deles, cinturões balançando. Ele desliza pela porta do vagão, enfia-se dentro. Espera pelo tapa de uma mão em seu ombro. Nada. Encosta-se outra vez no metal frio da porta. Consegue vê-los passar correndo pela borboleta. Como se tivesse algum fogo para socorrer. Todos eles tilintando. Algemas e armas e cassetetes e cadernetas e lanternas e Deus sabe o que mais. Alguém virou presunto, ele pensa. Alguém passou e virou presunto.

Ele se espreme na lateral pelas portas que se fecham, segurando a câmera de lado para que ela não se arranhe. Atrás dele, a porta assobia se fechando. Uma animação em seus passos. Sai pela borboleta e sobe as escadas. Que a barbearia vá para o inferno. Irwin pode esperar.

ETEROESTE

É DE MANHÃ CEDO E AS LUZES fluorescentes estão bruxuleando. Estamos dando um descanso da programação gráfica. Dennis está rodando um programa de comutação telefônica pelo PDP-10 para ver se podemos pegar alguém.

Somos Dennis, Gareth, Compton e eu. Dennis é o mais velho, quase 30. Gostamos de chamá-lo de Vovô — ele serviu duas vezes no Vietnã. Compton se formou na UC em Davis. Gareth tem feito programas desde com certeza uns 10. Eu, eu tenho 18. Eles me chamam de Garoto. Tenho passado um tempo no instituto desde que tinha 12.

— Quantos toques, caras? — diz Compton.
— Três — diz Dennis, como se já estivesse de saco cheio.
— Vinte — diz Gareth.
— Oito — digo.

Compton me dá uma olhadela.
— O Garoto fala — diz.

É verdade, a maior parte do tempo eu simplesmente deixo meu trabalho de hacker falar por mim. Tem sido assim desde que entrei sorrateiramente pela porta do porão do instituto, anos atrás, em 1968. Eu estava matando aula, um garoto de calças curtas e óculos quebrados. O computador estava cuspindo uma fita de teletipo e os caras no console me deixaram olhar. Na manhã seguinte eles me encontraram dormindo no degrau da porta: "Ei, olhem, é o Garoto."

Atualmente fico aqui o dia todo, todo dia, e a verdade é que sou o melhor hacker que eles têm, o que faz todos os remendos para o programa de comutação de ligações.

A chamada é atendida no nono toque e Compton dá uma palmada no meu ombro, inclina-se para o microfone e diz para o cara, com sua fala mansa, para que ele não se assuste e fuja:

— Alô, por favor, não desligue, aqui é Compton.
— Quem?
— Compton. E você, quem é?
— Telefone público.
— Não desligue.
— Este é um telefone público, senhor.
— Quem está falando?
— Que número você está procurando...?
— É Nova York, não é?
— Estou ocupado, cara.
— Você está perto do World Trade Center?
— Sim, cara, mas...
— Não desligue.
— Você deve estar com o número errado, cara.

A linha fica muda. Compton bate no teclado e a discagem rápida dispara e alguém pega a linha no décimo terceiro toque.

— Por favor, não desligue. Estou ligando da Califórnia.
— Hein?
— Você está perto do World Trade Center?
— Vá se foder.

Podemos escutar uma risadinha enquanto ele bate o fone. Compton imediatamente tecla seis números, espera.

— Alô, senhor?
— Sim?
— Senhor, o senhor está nos arredores do centro de Nova York?
— Quem está falando?
— Estamos aqui imaginando se o senhor poderia olhar para cima para nós?

— Muito engraçado, há-há.
A linha fica muda outra vez.
— Alô, senhora?
— Receio que tenha discado o número errado.
— Alô! Não desligue.
— Sinto muito, senhor, mas estou com um pouco de pressa.
— Me desculpe...
— Tente a telefonista, por favor.
— Me morda — diz Compton para a linha muda.

Estamos pensando que devíamos desistir daquilo e voltar para a programação gráfica. São 4 ou 5 horas, o sol logo vai aparecer. Acho que devíamos até voltar para casa, se quiséssemos, dar uma dormidinha por lá em vez de capotar debaixo das escrivaninhas como é de costume. Caixas de pizza como travesseiros e sacos de dormir entre os fios.

Mas Compton tecla outra vez.

É uma coisa que fazemos o tempo todo por pura diversão, discando aleatoriamente pelo computador, para um disque-pizza em Londres, digamos, ou para a moça do clima em Melbourne ou do relógio em Tóquio, ou para uma cabine telefônica que encontramos nas ilhas Shetland, só por diversão, para aliviar a pressão da programação. Fazemos um atalho e definimos as chamadas, roteamos e rerroteamos para despistar. Entramos primeiro em um número 0800 só para não ter de pagar nada: Hertz e Avis e Sony e até o centro de recrutamento do exército na Virgínia. Isso era pura diversão para Gareth, uma vez que ele tinha saído do Vietnã com uma despensa por maluquice. Mesmo Dennis, que usa sua camiseta MORTE OCIDENTAL desde que voltou para casa da guerra, também se divertia muito com isso.

Uma noite estávamos todos descansando por ali e hackeamos as palavras do código para chegar ao presidente, então ligamos para a Casa Branca. Fizemos a chamada de Moscou só para enganá-los. Dennis disse: "Eu tenho uma mensagem muito urgente para o presidente." Então disse rapidamente as palavras do código. Espere um momento, senhor, o operador disse. Nós quase mijamos nas calças. Passamos por dois operadores e estávamos quase chegando ao próprio Nixon, mas Dennis ficou nervoso e disse para o cara: "Apenas diga ao presidente que nosso papel higiênico acabou em Palo Alto." Isso nos fez vir abaixo, mas durante semanas depois ficamos esperando pela batida na porta. Virou uma piada durante um tempo: começamos a chamar o rapaz da pizza de Agente Secreto Número Um.

Foi Compton que pegou a mensagem no ARPANET esta manhã — veio pelo serviço da Associated Press na caixa de mensagens de 24 horas. Não acreditamos no começo, um cara andando na corda bamba bem em cima de Nova York, mas então Compton entrou na linha como um operador, fingindo que era um telefonista testando umas linhas telefônicas de verificação nos telefones públicos, disse que precisava de alguns números perto dos edifícios do World Trade, para uma análise de linhas de emergência, ele disse, e então programamos os números, introduzimos no sistema, e cada um de nós apostou se ele ia cair ou não. Simples assim.

Os sinais quicavam no computador, bips de multifrequência, como uma flauta, e pegamos o cara no nono toque.

— Ah. Alô.

— O senhor está próximo ao World Trade Center?

— Alô? Como é?

— Isto não é um trote. O senhor está perto das torres do World Trade?

— Este telefone estava tocando aqui, cara. Eu só... eu só atendi.

Ele tinha uma daqueles sotaques de Nova York, jovem mas mal-humorado, como se tivesse fumado cigarros demais.

— Eu sei — disse Compton —, mas você consegue ver os edifícios, de onde você está? Tem alguém lá em cima?

— Quem está falando?

— Tem alguém lá no alto?

— Estou olhando para ele nesse momento.

— Você o quê?

— Estou olhando para ele.

— Que legal! Você pode vê-lo?

— Já estou olhando para ele há vinte minutos, cara, ou mais. E você...? Esse telefone tocou e eu só...

— Ele está vendo o cara!

Compton bate as mãos na escrivaninha, tira seu protetor de canetas de bolso e o arremessa pela sala. Seu cabelo comprido voa pelo rosto. Gareth faz uma dancinha perto da impressora e Dennis vem até mim e me dá uma leve chave de pescoço e bate os dedos no meu crânio, como se realmente não importasse, mas ele gosta de nos ver dar esses trotes, como se ainda fosse o sargento do exército ou coisa parecida.

— Eu falei! — grita Compton.

— Quem está falando? — diz a voz.

— Que legal!
— Quem está falando, porra?
— Ele está na corda bamba?
— O que está acontecendo? Você está me zoando, cara?
— Ele ainda está lá?
— Ele está lá em cima há uns vinte, 25 minutos!
— Sei! Ele está andando?
— Ele vai se matar.
— Ele está andando?
— Não, agora ele parou!
— Lá no alto?
— Sim!
— Ele está apenas parado lá? No meio do ar?
— Sim, ele está mexendo com a barra. Para cima e para baixo nas mãos.
— No meio do arame?
— Perto da beirada.
— Perto quanto?
— Não perto demais. Perto o bastante.
— Tipo o quê? Uns quatro metros? Dez metros? Ele está firme?
— Firme pra cacete! Quem quer saber? Qual o seu nome?
— Compton. E o seu?
— José.
— José? Ótimo. José. ¿Qué onda, amigo?
— Hã?
— ¿Qué onda, carnal?
— Eu não falo espanhol, cara.
Compton bate no botão mudo e dá um soco no ombro de Gareth.
— Você pode imaginar um cara desses?
— Não vá perdê-lo.
— Já vi perguntas de vestibular com mais cérebro do que esse tipo.
— Apenas mantenha esse sujeito na linha, cara!
Compton inclina-se para o console e pega o microfone outra vez.
— Dá para você nos contar o que está acontecendo, José?
— Contar o quê, cara?
— Tipo, descrever a coisa.
— Ah, bom. Ele está lá no alto...
— E?

— Ele só está de pé.
— E...?
— Afinal, de onde você está ligando?
— Califórnia.
— Sério?
— Eu sou sério.
— Você está querendo me foder, certo?
— Não.
— Isso é um trote, cara?
— Nada de trote, José.
— Estamos na TV? Estamos na TV, não é?
— Não temos TV. Temos um computador.
— O quê?
— É complicado, José.
— Você está me dizendo que estou falando com um computador?
— Não se preocupe com isso, cara.
— O que é isso? É uma câmera escondida? Você está me vendo agora? Estou no ar?
— No quê, José?
— Eu estou no programa? Ah, vamos, você está com uma câmera aqui em algum lugar. Apareça, cara. De verdade. Adoro esse programa, cara! Adoro!
— Isto não é um programa.
— Você é o Allen Funt, cara?
— Quê?
— Onde estão as câmeras? Não estou vendo nenhuma câmera. Ei, cara, você está no Woolworth? É você lá em cima? Ei!
— Estou lhe dizendo, José, estamos na Califórnia.
— Você está querendo me dizer que estou falando com um computador?
— Mais ou menos.
— Você está na Califórnia...? Pessoal! Ei, pessoal!

Ele diz isso bem alto, puxando o bocal, e escutamos vozes conversando, e o vento, e eu imagino que seja um daqueles telefones públicos no meio da rua, coberto de adesivos de garotas sexy e tudo, e podemos ouvir sirenes passando ao fundo, berros altos, e uma mulher rindo, e alguns gritos abafados, uma buzina de carro, um vendedor gritando amendoim, um cara dizendo que está com a lente errada, precisa de um ângulo melhor, e outros caras gritando: "Não caia!"

— Pessoal! — ele grita outra vez. — Estou com um maluco aqui. Cara da Califórnia. Imaginem. Ei. Você está aí?
— Estou aqui, José. Ele ainda está lá em cima?
— Você é amigo *dele*?
— Não.
— Então, como ficou sabendo? Afinal, você está ligando...
— É complicado. Estamos hackeando o telefone. Nós hackeamos o sistema... Cara, ele ainda está lá? Isso é tudo que eu quero saber.
Ele estende o bocal outra vez e sua voz vacila.
— De onde você é mesmo? — grita.
— Palo Alto.
— Sem brincadeira?
— Sinceramente, José.
— Ele diz que o cara é de Palo Alto! Qual é o nome dele?
— Compton.
— O nome do cara é Compton! Sim, Comp-ton! Sim. Sim. Só um momento. Ei, cara, tem um cara aqui que quer saber, Compton o quê? Qual é o sobrenome?
— Não, não, quem se chama Compton sou eu.
— Qual é o nome dele, cara, o nome dele?
— José, dá para você me dizer o que está acontecendo?
— Você pode me dar um pouco dessa droga que está tomando? Você está chapado, não está? Você é mesmo um amigo dele? Ei! Escutem! Estou aqui com um doidão no telefone ligando da Califórnia. Ele diz que o cara é de Palo Alto. O cara da corda bamba é de Palo Alto.
— José! José! Me escute um momento, por favor, está bem?
— A ligação está ruim. Qual é o nome dele?
— Eu não sei!
— Acho que a ligação está ruim. Temos um maluco, eu não sei, ele está falando besteira, cara. Computadores e um monte de merda. Cara, puta merda! Puta merda!
— O quê, o quê?
— Meu Deus, puta merda.
— O quê? Alô?
— Não!
— José? Você está aí?
— Je-sus.

— Alô, você está aí?
— Jesus santíssimo.
— Alô?
— Não dá para acreditar.
— José!
— Sim, estou aqui! Ele acabou de dar um pulo. Você viu isso?
— Ele o quê?
— Ele, tipo, deu um pulo em um pé só.
— Ele saltou?
— Não!
— Ele caiu?
— Não, cara.
— Ele morreu?
— Não, cara.
— O quê, então?
— Ele pulou de um pé para o outro! Ele está de preto, cara. Dá para ver. Ele ainda está lá em cima! O cara é de arrepiar! Puta merda! Achei que ele já era. Ele só deu um pulo de um pé para o outro, caramba!
— Ele pulou de um pé para o outro?
— Issoaê.
— Como o pulo de um coelho?
— Mais como uma tesoura. Ele só... cara! Que fodido. Cara... O fodido está correndo de costas. Ele deu um salto, abriu as pernas, tipo uma tesoura. No arame, cara!
— Legal.
— Dá para acreditar numa porra dessa! Ele é algum tipo de ginasta? Ele parece que está dançando. Ele é um dançarino? Ei, cara, seu amigo é dançarino?
— Ele não é meu amigo, José.
— Juro por Deus que ele deve estar amarrado em alguma coisa, ou outra. Amarrado no arame. Aposto que ele está amarrado. Ele está lá no alto e acabou de fazer a coisa tipo tesoura! Muito louco.
— José. Me escute. Estamos com uma aposta aqui. Como ele está?
— Ele está dominando a coisa, cara, dominando.
— Você está enxergando ele direito?
— Ele é uma mancha daqui. Uma coisinha! Está bem lá em cima. Mas pulou num pé só. Está de preto. Dá para ver as pernas dele.

— Está ventando?
— Não. Está um bafo da porra.
— Não está ventando?
— Lá no alto deve estar ventando, cara. Jesus! Ele está, tipo, bem lá no alto. Não sei com o quê vão tirá-lo de lá. Tem uns porcos lá em cima. Um montão.
— Hein?
— Policiais. Que nem enxame, no topo. De ambos os lados.
— Eles estão tentando pegá-lo?
— Não. Ele está muito fora do alcance desses porras todos. Está de pé, agora. Apenas segurando a vara. Oh, não é possível! Não!
— O quê? O que foi? José?
— Ele está agachando. Olha só essa porra.
— Hã?
— Sabe como é, ajoelhando.
— Ele está o quê?
— Agora ele está sentando, cara.
— O que você quer dizer sentando?
— Ele está sentando no arame. Esse cara é doente!
— José?
— Olha só!
— Alô!
Outro silêncio, a respiração dele no bocal.
— José. Ei, amigo. José. Meu amigo...
— Não é possível.
Compton se inclina mais para o computador, o microfone nos lábios.
— José, amigão? Você está me escutando? José? Você está aí?
— Mentira.
— José.
— Não estou brincando, cara...
— O quê?
— Ele está deitando.
— No arame?
— É, na porra do arame.
— E?
— Ele está com os pés dobrados debaixo dele. Ele está olhando para o céu. Ele parece... sobrenatural.

— E a barra?
— O quê?
— A vara?
— Atravessada na barriga dele, cara. Esse cara não existe, porra.
— Ele está apenas deitado lá?
— É.
— Como se estivesse tirando uma soneca?
— O quê?
— Como uma sesta?
— Você está tentando gozar com a minha cara?
— Eu o... quê? Claro que não, José. Não, de jeito nenhum. Não.

Há um longo silêncio na linha, como se o próprio José tivesse se transportado até lá no alto, ao lado do equilibrista da corda bamba.

— José? Ei. Alô. José. Como ele vai se levantar outra vez, José? José. Quero dizer, se ele está deitado, como vai se levantar de novo? Você tem certeza que ele está deitado? José? Você está aí?
— Você está dizendo que sou um mentiroso?
— Não, eu só estou, tipo, falando.
— Me diga uma coisa, cara. Você está na Califórnia?
— Sim, cara.
— Prove.
— Eu realmente não posso...

Compton emudece outra vez.

— Alguém me passe a cicuta?
— Consiga outra pessoa — diz Gareth. — Diga a ele para passar o fone para outra pessoa.
— Alguém que saiba ler, pelo menos.
— O nome dele é José e o idiota não sabe nem falar espanhol!

Ele se inclina outra vez.

— Me faz um favor, José. Você pode passar o telefone para outra pessoa?
— Por quê?
— Estamos fazendo uma experiência.
— Você está ligando da Califórnia? Sem brincadeira? Você acha que sou retardado? É isso que você acha?
— Passe para outra pessoa, por favor?
— Por quê? — ele diz outra vez, e o escutamos outra vez afastar o telefone da boca e há uma multidão em volta dele, emitindo exclamações de ad-

miração, e então ouvimos o fone cair, e ele diz alguma coisa sobre um cara esquisitão, e alguma outra coisa baixa e sussurrada, e depois está gritando enquanto o bocal balança, e as vozes são pegas pelo vento.

— Alguém quer falar com esse engraçadinho que diz que está ligando da Califórnia???

— José! Apenas passe o fone, cara, por favor?

O fone deve estar balançando no ar mas está diminuindo o balanço, as vozes mais firmes, e atrás delas, algumas sirenes, alguém agora gritando cachorro-quente, e eu posso ver com o olho da minha mente, todos estão lá embaixo, se mexendo na multidão, e os táxis estão parados e os pescoços estão erguidos para cima e José está deixando o fone balançar perto de seus joelhos.

— Oh, eu não sei, cara! — ele diz. — É algum cretino da Califórnia. Não sei. Acho que ele quer alguém pra dizer alguma coisa. Sim. Sobre, tipo, o que está acontecendo. Você quer...?

— Ei! José! José! Passe o fone adiante, José.

Depois de um ou dois segundos, ele pega o fone e diz:

— Um cara aqui vai falar com você.

— Ai, graças a Deus.

— Alô — diz um cara com uma voz muito baixa.

— Olá, aqui é Compton. Estamos aqui na Califórnia...

— Olá, Compton.

— Será que você poderia descrever as coisas para nós aqui?

— Bom, isso é difícil no momento.

— Por quê?

— Uma coisa terrível aconteceu.

— Hã?

— Ele caiu.

— Ele o quê?

— Esborrachou no chão. Tem uma comoção terrível aqui. Está escutando a sirene? Dá para ouvir? Escute.

— É difícil escutar.

— Tem policiais correndo por aqui. Eles estão rastejando por todo canto.

— José? José? É você? Alguém caiu?

— Ele se esborrachou aqui. Bem aqui nos meus pés. É tudo sangue e merda.

— Quem está falando? É José?

— Escute as sirenes, cara.
— Saia daí.
— Tem pedacinhos por toda parte.
— Você está brincando?
— Cara, é horrível.

O fone bate, a linha fica muda, e Compton olha para nós, olhos esbugalhados.

— Você acha que ele morreu?
— Claro que não.
— Era o José! — diz Gareth.
— Era uma voz diferente.
— Não, não era. Era o José. Ele estava fodendo com a gente! Não acredito que ele nos fodeu assim.
— Tente de novo!
— Você não sabe. Pode ser verdade. Pode ter caído.
— Tente!
— Eu não vou pagar nada — grita Compton —, a menos que escute isso ao vivo!
— Oh, vamos — diz Gareth.
— Caras! — diz Dennis.
— Temos de escutar ao vivo. Aposta é aposta.
— Caras!
— Você está sempre trapaceando suas apostas, cara.
— Tente o número outra vez.
— Caras, temos um trabalho a fazer — diz Dennis. — Estou achando que podemos talvez conseguir fazer aquele remendo esta noite.

Ele me dá um tapinha no ombro e diz:
— Certo, Garoto?
— Esta noite já é amanhã, cara — diz Gareth.
— E se ele tiver mesmo caído?
— Ele não caiu. Aquele era o José, cara.
— A linha está ocupada!
— Tente outra.
— Tente o ARPANET, cara.
— Se manca.
— Tente um telefone público!
— Dê um jeito.

— Não acredito que está ocupado.
— Bem, desocupe.
— Eu não sou Deus.
— Então descubra alguém que seja, cara.
— Ahhh, cara. Eles ficam só tocando!

Dennis dá uns passos por cima das caixas de pizza no chão e passa pela impressora, bate no lado do PDP-10, depois bate no peito, bem na sua MORTE OCIDENTAL.

— Ao trabalho, caras!
— Ah, vamos lá, Dennis.
— São cinco da manhã!
— Não, vamos descobrir.
— Trabalho, caras, trabalho.

Afinal, a companhia é do Dennis e ele é quem distribui a grana no fim da semana. Não que alguém compre alguma coisa a não ser revistas em quadrinhos e exemplares da *Rolling Stone*. Dennis fornece tudo o mais, até as escovas de dentes no banheiro do porão. Ele aprendeu tudo que precisava saber lá no Vietnã. Gosta de dizer que está no *mode* de poupar energia, que está fazendo sua própria xerocópia da Xerox. Ele ganha dinheiro com nossos programas para o Pentágono, mas gosta mesmo é dos programas de transferência de arquivos.

Num desses séculos vamos todos ter o ARPANET em nossa cabeça, ele diz. Haverá um pequeno chip de computador em nossas mentes. Vão implantá-lo na base de nossos crânios e seremos capazes de enviar um ao outro mensagens eletrônicas, só pensando. É eletricidade, ele diz. É Faraday. É Einstein. É Edison. É o Wilt Chamberlain do futuro.

Eu gosto dessa ideia. É legal. É possível. Desse jeito não teríamos que pensar em linhas telefônicas. As pessoas não acreditam em nós, mas é verdade. Um dia você vai só pensar uma coisa e ela acontece. *Apague a luz*, a luz apaga. *Faça o café*, a máquina faz.

— Vamos, cara, só cinco minutos.
— Está bem — diz Dennis —, cinco. E acabou.
— Ei, todos os frames estão linkados? — diz Gareth.
— Sim.
— Tente ali também.
— Se der linha, disque.

— Vamos, Garoto, mexa esse seu traseiro. Ligue no programa de comutação telefônica.

— Vamos fazer uma pescaria!

Eu construí meu primeiro rádio de cristal quando tinha 7 anos. Um arame, uma lâmina de barbear, um pedaço de lápis, um fone de ouvido, um rolo vazio de papel higiênico. Fiz um condensador variável com camadas de folha de alumínio e plástico, todos pressionados juntos usando um parafuso. Sem baterias. Peguei o projeto de um quadrinho do Super-Homem. Só pegava uma estação, mas isso não importava. Eu escutava tarde da noite debaixo das cobertas. No quarto ao lado escutava meus pais brigando. Todos os dois eram pirados. Iam das risadas aos gritos e de volta às risadas. Quando a estação saía do ar eu colocava minha mão sobre o fone de ouvido e apreciava a estática.

Aprendi mais tarde, quando construí outro rádio, que você podia colocar a antena na boca e a recepção ficava melhor e dava para abafar facilmente todo o barulho.

Sabe, quando você também está programando, o mundo fica menor e parado. Você esquece tudo o mais. Você está em uma zona. Não tem como olhar pra trás. O som e as luzes ficam empurrando você pra frente. Você pega o ritmo. Continua em frente. As variações obedecem. O som afunila pra dentro até um ponto, como uma explosão vista ao contrário. Tudo acaba em um único ponto. Pode ser um programa de reconhecimento de voz, ou uma programação de xadrez, ou escrever linhas de programação para o radar de um helicóptero Boeing — não importa: a única coisa com que você se importa é a próxima linha vindo em sua direção. Em um dia bom podem ser milhares de linhas. Em um dia ruim você não consegue descobrir onde é que a coisa pega.

Eu nunca tive muita sorte em minha vida, não estou me queixando, é só como as coisas são. Mas, desta vez, depois de apenas dois minutos, pegaram o gancho.

— Estou na Cortlandt Street — diz ela.

Girei na cadeira e sacudi meu punho.

— Peguei alguém!

— O Garoto pegou alguém.

— Garoto!

— Um momento — eu digo a ela.

— Como é? — diz ela.

Havia pedaços de pizza no chão em volta dos meus pés e garrafas vazias de refrigerante. Os caras vieram correndo e chutaram tudo pro lado e uma barata saiu correndo de uma das caixas. Eu tinha aparelhado o computador com um microfone duplo, com pontas de espuma de material de embalagem, o suporte com um cabide de metal. Eram altamente sensíveis, pouca distorção, eu mesmo os fiz, só dois pequenos capacitores, mas perto um do outro, insulados. Meus alto-falantes também, eu os fiz com sucata de rádio.

— Olhe só essas coisas — diz Compton, pegando nas grandes pontas de espuma do microfone.

— Perdão? — diz a moça.

— Me desculpe. Olá, eu sou Compton — diz ele, me empurrando para fora do meu assento.

— Olá, Colin.

— Ele ainda está lá no alto?

— Ele está usando uma roupa preta de ginástica.

— Eu disse que ele não tinha caído.

— Bem, não exatamente uma roupa de ginasta. Uma coisa que é mais um macacão. Com uma gola em V. Calças boca de sino. Está extremamente *aprumado*.

— Como é?

— Quequeéisso — diz Gareth. — Aprumado? Ela está falando sério? Aprumado? Quem diz aprumado?

— Cala a boca — diz Compton, e se vira para o microfone. — Senhora? Alô? É só um homem lá em cima, certo?

— Bem, ele deve ter alguns cúmplices.

— Como assim?

— Bom, com certeza é impossível colocar um fio de um lado para o outro. Sozinho, quer dizer. Ele deve ter uma equipe.

— Você está vendo mais alguém?

— Só a polícia.

— Há quanto tempo ele está lá em cima?

— Deve fazer uns 43 minutos — ela diz.

— Não sabe ao certo?

— Eu saí do metrô às 7h50.

— Ah, tá certo.

— E ele tinha acabado de começar.

— Tá certo. Entendi.

Ele tentou cobrir os dois microfones de uma vez, mas em vez disso se afastou um pouco e circulou o dedo perto da testa como se estivesse falando com uma maluca.

— Obrigado por nos ajudar.
— Não há de quê — disse ela. — Oh.
— Você está aí? Alô?
— Lá vai ele outra vez. Está atravessando outra vez.
— Quantas vezes foi isso?
— Essa é a sexta ou sétima vez que ele atravessa. Está incrivelmente rápido agora. Muito, muito rápido.
— Ele está, tipo, correndo?

Uma grande salva de palmas veio dos fundos e Compton se afastou do micro, girou a cadeira um pouco para o lado.

— Essas coisas parecem um maldito pirulito — ele diz.

Volta para o microfone e finge que o está lambendo.

— Parece que há uma confusão aí, senhora. Tem muita gente?
— Só nesta esquina, bem, deve ter seiscentas, setecentas pessoas ou mais.
— Quanto tempo você acha que ele vai ficar lá em cima?
— Meu Deus.
— O que foi?
— Bom, estou atrasada.
— Fique aí só mais um pouco, pode ser?
— Não posso ficar aqui conversando o tempo todo...
— E os policiais?
— Tem uns policiais se inclinando na beirada. Acho que estão tentando fazê-lo voltar. Hummm — ela diz.
— O quê? Alô?

Nenhuma resposta.

— O que foi? — diz Compton.
— Desculpe — ela diz.
— O que está acontecendo?
— Bom, tem dois helicópteros. Estão chegando muito perto.
— Quão perto?
— Espero que eles não o derrubem com o vento das hélices.
— Quão perto eles estão?
— Sessenta metros mais ou menos. Noventa, no máximo. Bom, eles estão se afastando nesse momento. Oh, nossa.

— O que é?
— Bem, o helicóptero da polícia se afastou.
— Sim.
— Minha nossa.
— O que é?
— Bem agora, neste exato momento, ele está na verdade acenando. Está se curvando com a vara pousada no joelho. Na coxa, na verdade. Na coxa direita.
— Sério?
— E balançando o braço.
— Como você sabe?
— Acho que isso é chamado de saudação.
— É o quê?
— Um tipo de show. Ele se curva sobre o arame e se balança e tira uma das mãos da vara e ele, bem, sim, ele está nos cumprimentando.
— Como você sabe?
— Upa, caramba — ela diz
— O quê? Você está bem? Senhora?
— Não, não, eu estou bem.
— Ainda está aí? Alô!
— Perdão?
— Como pode vê-lo tão claramente?
— Binóculos.
— Hein?
— Estou olhando para ele com binóculos. É difícil equilibrar binóculos e telefone ao mesmo tempo. Um segundo, por favor.
— Ela está olhando para ele de binóculos — diz Dennis.
— Você está com binóculos? — pergunta Compton. — Alô. Alô. Você está com binóculos?
— Bem, sim, binóculos de teatro.
— Quequeéisso — diz Gareth.
— Fui ver Marakova a noite passada. No ABT. Me esqueci deles. Os binóculos, quero dizer. Ela é maravilhosa, por falar nisso. Com Barishnikov.
— Alô? Alô?
— Na bolsa, eu os deixei a noite inteira. *Fortuitamente*, na verdade.
— Fortuitamente? — diz Gareth. — Essa dona é uma piada.

— Cale essa boca, desgraçado — diz Compton, cobrindo meu microfone. — Madame, consegue ver o rosto dele?

— Um momento, por favor.

— Onde está o helicóptero?

— Ah, está bem longe.

— Ele ainda está fazendo a saudação?

— Só um momento, por favor.

Parece que ela segura o fone distante de si mesma por um momento, e escutamos uns vivas altos e alguns suspiros maravilhados, e de repente eu não quero nada mais a não ser que ela volte para nós, esqueça o equilibrista, eu quero a mulher dos binóculos de teatro e o som rico de sua voz e o jeito engraçado como ela diz fortuitamente. Eu diria que ela é velha, mas isso não importa, não é uma coisa de sexo, não é desse jeito que gosto dela. Não é como se eu fosse dar em cima dela ou coisa assim. Nunca tive uma namorada, não é grande coisa, eu não acho, é só que eu gosto da voz dela. Além disso, fui eu que a encontrei.

Imagino que ela deve ter uns 35 ou mais, até, com um pescoço comprido e uma saia justa, mas quem sabe ela poderia ter 40 ou 45, mais velha até, com o cabelo no lugar com laquê e um par de antigas dentaduras na bolsa.

Dennis está em um canto, sacudindo a cabeça e rindo. Compton está fazendo a mímica dos círculos com o dedo e Gareth está morrendo de rir. Tudo que eu quero fazer é tirá-los do meu lugar e que parem de usar minhas coisas — tenho direito a minhas próprias coisas.

— Pergunta por que ela está lá — murmurei.

— O Garoto fala outra vez!

— Você está bem, Garoto?

— Pergunte a ela.

— Não seja chato — diz Compton.

Ele se inclina para trás e ri, cobrindo meu microfone com as duas mãos, começa a balançar pra frente e pra trás na minha cadeira. Suas pernas estão batendo pra cima e pra baixo e as caixas de pizza estão se esparramando a seus pés.

— Como é? — diz a senhora. — Tem um barulho na linha.

— Pergunta que idade ela tem. Anda.

— Cale a matraca, Garoto.

— Cale você, Compton, seu maldito egoísta.
Compton dá um tapa na minha testa com a parte de cima da mão.
— Escutem só o Garoto!
— Anda, pergunte a ela.
— O amado direito americano de buscar o tesão.
Gareth começa a se mijar de rir e Compton inclina-se para o micro outra vez e diz:
— Madame, ainda está aí?
— Estou aqui — ela diz.
— Ele ainda está fazendo a saudação?
— Bom, agora ele está de pé. Os policiais estão se inclinando para fora. Por cima da beirada.
— O helicóptero?
— Não está por perto.
— Mais pulos de coelho?
— Como é?
— Ele deu mais algum pulinho de coelho?
— Eu não vi isso. Ele não deu nenhum pulo de coelho. Quem deu pulos de coelho?
— Tipo de um pé a outro?
— Ele é um verdadeiro artista.
Gareth dá uma risadinha.
— Você está me gravando?
— Não, não, sinceramente.
— Estou escutando vozes ao fundo.
— Estamos na Califórnia. Somos legais. Não se preocupe. Somos caras de computação.
— Desde que não estejam me gravando.
— Ah, não. Você é legal.
— Existem problemas legais em relação a isso.
— Com certeza.
— De qualquer forma, eu realmente devia...
— Só um momento — eu digo, me inclinando completamente sobre o ombro de Compton.
Compton me empurra pra trás e pergunta se o equilibrista está parecendo nervoso e a mulher demora um bocado para responder, como se estivesse mastigando toda a ideia e se perguntando se deveria ou não engoli-la.
— Bom, ele parece bem calmo. O corpo, quer dizer. Ele parece calmo.

— Você não consegue ver o rosto dele?

— Não exatamente, não.

Ela está começando a murchar, como se não quisesse mais falar conosco, evaporando na linha, mas eu quero que ela continue, não sei por quê, é como se ela fosse minha tia ou algo assim, como se a conhecesse há muito tempo, o que é impossível, claro, mas não me importo mais, e agarro o microfone e o afasto de Compton e digo:

— A senhora trabalha lá?

Compton joga a cabeça para trás pra rir outra vez e Gareth tenta me deixar maluco com cócegas e eu articulo sem som a palavra *cuzão* pra ele.

— Bom, sim, eu sou bibliotecária.

— Verdade?

— Hawke Brown and Wood. Na biblioteca de pesquisas.

— Qual é o seu nome?

— No 59º andar.

— Seu nome?

— Eu na verdade não sei se deveria...

— Não estou querendo ser grosseiro.

— Não, não.

— Eu sou Sam. Estou aqui em um laboratório de pesquisa. Sam Peters. Nós trabalhamos com computadores. Eu sou um programador.

— Entendo.

— Tenho 18 anos.

— Parabéns.

Ela ri. É quase como se pudesse me escutar ficando vermelho do outro lado do fone. Gareth está se dobrando de tanto rir.

— Sable Senatore — ela diz por fim, uma voz como água natural.

— Sable?

— Exato.

— Posso perguntar...?

— Sim?

— Que idade você tem?

Outra vez silêncio.

Eles todos estão se rachando de rir, mas tem um ponto doce na voz dela, e eu não quero desligar. Continuo tentando imaginá-la ali, debaixo daquelas grandes torres, olhando pra cima, os binóculos de teatro em volta do pescoço, pronta pra ir pro trabalho em uma firma de advocacia com painéis de madeira e bules de café.

— São 8h30 da manhã — ela diz.
— Perdão?
— Uma hora nada boa para um encontro.
— Desculpe.
— Bom, eu tenho 29, Sam. Um pouco velha para você.
— Oh.

Sem vacilar, Gareth começa a mancar em volta como se estivesse usando uma bengala, e Compton está dando uns gemidos de troglodita, até Dennis se aproxima de mim e diz:

— Garotão.

Então Compton me empurra de lado e diz alguma coisa sobre sua aposta, ele tem que resolver a aposta.

— Onde ele está? Sable? Onde o cara está agora?
— É Colin outra vez?
— Compton.
— Bom, ele está na beirada da torre sul.
— Qual é a distância entre as torres?
— Difícil calcular. Algumas centenas... oh, lá vai ele!

Um enorme barulho em torno dela e gritos de admiração e vivas e é como se tudo tivesse sido desfeito e estivesse virando um murmúrio, e penso em todos os milhares de ônibus e trens, vendo isso pela primeira vez, e eu queria estar lá, com ela, e tenho uma sensação trêmula nos joelhos.

— Ele deitou? — perguntou Compton.
— Não, não, claro que não. Ele terminou.
— Ele parou?
— Ele acabou de ir direto para o telhado. Ele cumprimentou outra vez e acenou e depois caminhou direto para dentro. Muito rápido. Correu. Mais ou menos.
— Ele terminou?
— Merda.
— Eu ganhei! — diz Gareth.
— Ahhh, ele terminou? Tem certeza? Foi isso?
— Os policiais na beirada estão puxando ele para dentro. Pegaram a vara. Oh, escutem.

Escutam uma enorme vaia e uma tremenda salva de palmas perto do telefone. Compton parece chateado e Gareth estala os dedos como se estivesse estalando dinheiro. Eu me inclino e pego o microfone.

— Ele terminou? Alô? Você está me escutando?

— Sable — eu digo.
— Bom — ela diz —, eu realmente preciso...
— Antes de você ir.
— É Samuel?
— Posso te fazer uma pergunta pessoal?
— Bom, acho que você já fez.
— Você pode me dar o número de seu telefone? — pergunto.
Ela ri, não diz nada.
— Você é casada?
Outra risada, uma tristeza nela.
— Desculpe — eu digo.
— Não.
— Como é?

E eu não sei se ela disse não pelo número do telefone ou por não estar casada, ou talvez pelos dois de uma vez, mas então ela dá uma risadinha que esvoaça.

Compton está procurando o dinheiro no bolso. Desliza uma nota de 5 dólares para Gareth.

— Eu estava só imaginando...
— É sério, Sam, preciso ir.
— Eu não sou um desses tipos estranhos, não.
— Até loguinho.

E a linha fica muda. Ergo os olhos e Gareth e Compton estão olhando para mim.

— Até loguinho — ruge Gareth. — Olhem só o cara! Ele está aprumado!
— Cala a boca, cara.
— Isto é fortuito!
— Cala a boca, limpador de bunda.
— Melindroso, irritadinho.
— Alguém se apaixonou — Compton diz, rindo.
— Só estava mexendo com ela. Passando o tempo.
— Até loguinho!
— Você pode me dar o número de seu telefone, por favor?
— Cala essa boca.
— Ei. O Garoto está furioso.

Eu vou até o telefone e bato na tecla *enter* outra vez, mas só toca e toca e toca. Compton tem um olhar estranho no rosto, como se nunca tivesse me visto antes, como se eu fosse um tipo de cara recém-chegado, mas não me importo. Disco outra vez: continua tocando. Posso ver Sable, no olho da minha mente, indo embora, descendo a rua, subindo para as torres do World Trade Center, até o 59º andar, todo de painéis de madeira e fichários, dizendo olá para os advogados, sentando-se em sua escrivaninha, colocando um lápis atrás da orelha.

— Qual era mesmo o nome da firma de advogados?
— Até loguinho — diz Gareth.
— Esqueça isso, cara — diz Dennis.
Ele está parado ali com sua camiseta, cabelo todo torto.
— Ela não vai voltar — diz Compton.
— Por que essa certeza?
— Intuição feminina — ele diz com uma risadinha.
— Temos de trabalhar naquele remendo — diz Dennis. — Vamos lá.
— Eu, não — diz Compton. — Eu vou para casa. Faz séculos que não durmo.
— Sam? E você?

É sobre o programa do Pentágono que ele está falando. Assinamos um contrato sigiloso. É uma coisa bem fácil de fazer. Qualquer garoto pode fazer. É isso que estou pensando. Basta usar o programa de radar, inserir a força gravitacional, usar talvez alguns diferenciais de rotação, e você pode descobrir onde qualquer míssil vai parar.

— Garoto?

Quando tem um monte de computadores trabalhando de uma vez, o lugar zumbe. É mais do que um ruído de fundo. É o tipo do zumbido que faz você sentir que é o chão real sob o céu, um zumbido melancólico que está por toda parte, acima e em volta de você, mas se pensar muito ele fica barulhento demais ou alto, e faz você se sentir não mais do que só um pontinho. Você está selado dentro dele, os fios, os tubos, os elétrons se movendo, mas nada realmente está se movendo, nada mesmo.

Vou até a janela. É a janela de um porão que não pega nenhuma luz. Isso é uma coisa que eu não entendo, janelas em porões — por que alguém colocaria uma janela em um porão? Uma vez tentei abri-la, mas ela não se mexe.

Aposto que o sol está nascendo lá fora.

— Até loguinho! — diz Gareth.

Tenho vontade de atravessar a sala e bater nele, um soco, um soco de verdade, uma coisa que realmente iria machucá-lo, mas não faço nada.

Eu me arrumo no console, teclo *Escape*, depois a tecla *N*, depois a *Y*, me desconecto do sistema. Basta de pescar ligações por hoje. Abro o programa gráfico, uso minha senha. SAMUS17. Há seis meses estamos trabalhando nisso, mas o Pentágono o vem desenvolvendo há anos. Se outra guerra acontecer, eles estarão usando este programa, isso com certeza.

Eu me viro para Dennis. Ele já está debruçado sobre seu console.

O programa entra. Escuto seu tinido.

Tem um barato que você atinge quando está escrevendo um código. É legal. É fácil de fazer. Você esquece sua mãe, seu pai, tudo. Você tem todo o país conectado à máquina. Isto é a América. Você chega à fronteira. Pode ir aonde quiser. Envolve estar conectado, ter acesso, interligações, como um telefone sem fio em que, se você entender uma coisa errado, tem de voltar atrás, até o começo.

ESTA É A CASA QUE O CAVALO MONTOU

Não me deixaram ir ao funeral do Corrigan. Pra estar lá, eu teria topado fazer qualquer agrado pros guardas. Em vez disso, me botaram de volta no xadrez. Eu nem chorei. Me deitei no banco com as mãos cobrindo os olhos.

Vi minha folha corrida, é amarela, com 54 entradas. Não muito bem datilografada. Você vê sua vida nas cópias de papel-carbono. Guardadas num arquivo. Hunts Point, Lex e 49th, West Side Highway, lá para trás em Cleveland. *Vadiagem. Delito de Prostituição. Contravensão Categoria A. Posse criminosa de substância controlada de sétimo grau. Infração criminoso de segundo grau. Posse criminosa de droga narcótica. Delito grave categoria E. Indussão a prostituição, Categoria A, Contravensão Grau O.*
    Os tiras deveriam tirar zero em ortografia.
    Os do Bronx escrevem pior do que qualquer outro. Deveriam ganhar nota zero em tudo, a não ser em tirar a gente das nossas casas.

Tillie Henderson vulgo Miss Bliss vulgo Puzzle vulgo Rosa P. vulgo Sweet-Cakes.

Raça, sexo, altura, peso, cor do cabelo, tipo de cabelo, pele, cor do olho, cicatrizes, marcas, tatuagens (nenhuma).

Gosto de bolos de supermercado. Você não vai encontrar isso na minha folha corrida.

O dia que eles prenderam a gente, Bob Marley cantava no rádio. *Get up, stand up, stand up for your rights.* Um policial engraçadinho de merda aumentou mais o volume e sorriu, olhando pra trás. Jazzlyn gritou: "Quem vai cuidar das bebês?"

Deixei a colher no leite em pó da bebê. Trinta e oito anos. Não vou ganhar nenhum prêmio.

A prostituição nasceu comigo. Não é exagero. Nunca quis emprego certo. Eu morava bem do outro lado do passeio da Prospect Avenue com a 30th East. Da janela do meu quarto via as garotas trabalhando. Eu tinha 8 anos. Elas usavam saltos altos vermelhos e penteados altos.

Os paizinhos passavam a caminho do hotel Turkish. Arrumavam encontros pras garotas. Usavam chapéus tão altos que dava pra dançar dentro deles.

Todo cafetão que você vê nos filmes fica pra lá e pra cá num Cadillac. É verdade. Os paizinhos dirigem belezuras. Gostam de pneus com banda branca. Mas dados grandes pendurados não são lá tão comuns.

Passei meu primeiro batom quando tinha 9 anos. Brilhava no espelho. As botas azuis da minha mãe eram grandes demais pra mim aos 11. Eu podia me esconder dentro delas e pôr a cabeça pra fora.

Com 13 anos eu já tava botando as mãos nos quadris de um homem de terno cor de cereja. A cintura dele parecia a de uma mulher, mas ele me batia pra valer. Chamava Fine. Ele me amava muito, não me mandava pra rua, dizia que tava me preparando.

Minha mãe lia livros religiosos. A gente ia à Igreja de Israel Espiritual. Você tinha que jogar a cabeça pra trás e falar outras línguas. Ela também era da rua. Isso foi anos atrás. Ela saiu quando os dentes dela caíram. Ela disse: "Não faça o que eu faço, Tillie."

Aí eu fiz exatamente a mesma coisa. Mas meus dentes ainda não caíram.

Eu nunca trepei por dinheiro até os 15 anos. Entrei no saguão do hotel Turkish. Alguém assobiou baixinho. Todo mundo virou a cabeça e eu mais ainda. Aí eu percebi que tavam assobiando era pra mim. Ali mesmo comecei a andar requebrando a bunda. Eu tava começando. Meu primeiro paizinho disse: "Assim que terminar com seu primeiro cliente, lindinha, volta pra casa, pra mim."

Meias compridas, shortinhos, saltos altos. Entrei na rua pra valer.

Uma das coisas que você aprende cedo é não deixar o cabelo cair dentro do carro com a janela aberta. Se você faz isso, os malucos te agarram pelos cabelos e te puxam para dentro e aí descem o pau em você.

Seu primeiro paizinho você não esquece. Ama ele até apanhar com uma chave de fenda. Dois dias depois você tá trocando as rodas com ele. Ele te compra uma blusa que faz seu corpo aparecer e brilhar nos lugares certos.

Eu deixava Jazzlyn bebê com a minha mãe. Ela batia as pernas e olhava pra mim. A pele dela era das mais brancas quando ela nasceu. Pensei no começo que ela não era minha. Nunca soube quem era o pai. Podia ser qualquer um de uma lista comprida que nem um dia de domingo. As pessoas diziam que ele devia ser mexicano, mas eu não me lembro de nenhum Pablo suando em cima de mim. Peguei ela nos braços e foi quando eu disse pra mim mesma: *Eu vou tratar bem dela a vida inteira.*

A primeira coisa que você faz quando tem uma filha é dizer: "Ela nunca vai trabalhar na rua." Você jura. Minha filha, não. Ela nunca vai pra lá. Então você trabalha na rua pra ela ficar fora da rua.

Eu fiquei assim quase três anos, na rua, correndo pra casa pra ela, pegando ela nos braços, e aí eu soube o que tinha que fazer. Eu disse: "Toma conta dela, mãe. Eu já volto."

O cachorro mais magro que já vi na vida é o que está na lateral dos ônibus Greyhound.

A primeira vez que vi Nova York, deitei no chão do lado de fora da Port Authority só pra ver o céu inteiro. Um cara passou por cima de mim sem nem olhar pra baixo.

Comecei a catar freguês logo no meu primeiro dia. Fui pra um dos hotéis pulgueiros da 9th. Mas se a vida te dá um limão, você vai e faz uma limonada, não tem problema. Tinha um montão de marujos em Nova York.
 Eu gostava de dançar usando os quepes deles.

Em Nova York você trabalha pro seu homem. Seu homem é seu paizinho, mesmo se ele for só um cafetão meia-boca. É fácil achar um paizinho. Eu logo tive sorte e achei TuKwik. Ele me pegou e eu trabalhei na melhor rua. A 49th com a Lexington. Foi lá que a saia da Marilyn voou pro alto. Com o vento do metrô. A segunda melhor rua era bem longe no West Side, mas TuKwik não gostava de lá, então eu não ia muito. Não tinha tanta grana dando sopa no West Side. E os policiais passavam o tempo todo exibindo os distintivos, como se fossem os donos do pedaço. Eles viam quanto tempo tinha passado desde que você tinha saído da cadeia perguntando a data na sua folha. Se você tivesse passado um tempo fora, eles estalavam os dedos e diziam: *Vem comigo.*
 Eu gostava do East Side, mesmo os policiais sendo uns pé no saco.
 Não tinha muitas garotas de cor na 49th com a Lex. As garotas eram branquelas de dentes bons. Roupas bonitas. Cabelos penteados. Elas nunca usavam brincos grandes porque brincos grandes atrapalhavam. Mas arrumavam lindamente as mãos, e as unhas dos pés delas cintilavam. Elas me olhavam e gritavam: "Que merda que você tá fazendo aqui?" E eu dizia: "Eu só tô aqui, garotas, mais nada." Depois de um tempo, a gente não brigava mais. Nada de arranhões na carne. Nada de tentar quebrar os dedos umas das outras.

 Fui a primeira crioula a trabalhar regularmente naquela rua. Eles me chamavam de Rosa Parks. Diziam que eu era um chiclete grudado: preto, e na calçada.

É assim que é na vida, juro. Você tira onda de montão.

Eu dizia pra mim mesma, eu dizia, vou ganhar bastante dinheiro pra voltar pra casa e ficar com Jazzlyn e comprar pra ela uma casa grande com lareira e com uma varanda no fundo com um monte de móvel legal. Era isso que eu queria.

Eu sou tão fodida. Ninguém é mais fodida do que eu. Mas ninguém vai saber disso. Esse é o meu segredo. Eu ando pelo mundo como se ele fosse meu. Vê só este lugar. Vê como ele se rende aos meus pés.

Aqui, eu tenho uma companheira de cela, ela cria um camundongo numa caixa de sapato. O camundongo é o melhor amigo que ela tem. Ela fala com ele e faz carinho nele. Até dá beijos. Uma vez foi mordida na boca. Ri até não me aguentar mais.

Ela pegou oito meses por ter dado facadas. Não fala comigo. Logo ela vai pro norte. Ela diz que não tenho miolos. Eu, eu não vou pro norte, de jeito nenhum. Eu fiz negócio com o diabo — ele era um homenzinho careca de capa preta.

Quando eu tinha 17, eu tinha um corpo que faria Adão deixar Eva por mim. Corpão. Era de primeira, sério mesmo. Tudo no lugar. Pernas de quilômetros de comprimento e uma bunda pra ninguém botar defeito. Adão ia dizer pra Eva: *Eva, vou te deixar, querida,* e o próprio Jesus ia estar lá atrás dizendo: *Adão, você é um filho da mãe de um sortudo.*

Tinha uma pizzaria na Lexington. Uma foto na parede com todos aqueles caras de calção apertado e pele boa e uma bola nos pés — eles eram legais. Mas os caras lá dentro eram gordos e cabeludos e sempre fazendo piada sobre pepperonis. Você tinha que tirar a gordura da pizza deles com o guardanapo. As gangues também viviam aparecendo. Você não ia querer se misturar com as gangues. Eles usavam ternos com vincos nas calças, e cheiravam a brilhantina. Podiam te levar pra um belo jantar de carcamano e depois você acabava tendo que deitar nas caixas de pizza.

TuKwik era pintoso. Ele me pegava no braço como se eu fosse um tipo de joia. Tinha cinco esposas, mas eu era a Esposa Número Uno, no topo da árvore de Natal, a carne mais fresca que estava na pilha. Você faz o que pode pelo seu paizinho, solta fogos pra ele, faz amor com ele até o pôr do sol, e depois vai pra rua. Eu ganhava mais dinheiro do que todas, e ele me tratava legal. Me punha no banco da frente do carro enquanto as outras esposas ficavam olhando da rua, fervendo.

A única coisa é, se ele ama mais você, ele também bate mais em você. É assim que funciona.

Um dos médicos da enfermaria de emergência tinha uma paixonite por mim. Ele costurou meu olho depois que TuKwik me bateu com um bule de prata. Então o médico se inclinou e beijou meu olho. Fez cócegas justo na parte onde o fio estava saindo.

Num dia parado, na chuva, a gente brigava um monte, eu e as outras esposas. Corri pela rua com a peruca da Susie com um pedaço dela ainda preso lá dentro. Mas a maior parte do tempo, a gente era uma grande família, juro. Ninguém acredita, mas é verdade.

Na Lexington, eles tinham hotéis com papel de parede e serviço de quarto e pintura dourada de verdade na borda dos pratos. Tinham quartos onde punham chocolates nos travesseiros. Tinha homens de negócios que vinham por um dia. Branquelas. De sunguinhas. Eles erguiam as camisas, você podia cheirar o pânico de marido saindo deles, como se suas mulheres fossem saltar do aparelho de TV.

As camareiras colocavam mentas nos travesseiros. Eu tinha uma bolsa cheia de embalagens verdes. Eu saía do quarto com as embalagens verdes e os homens já estavam arrancando as alianças do dedo.

Eu era estritamente uma garota papai-mamãe, a deitadinha. A foda simples era tudo que eu sabia, mas eu fazia com que eles se sentissem os maiorais. *Oh, amorzinho, deixa eu tocar você. Você me deixa louca. Vê se não dá esse osso pra outra cachorra.*

Eu tinha milhões de coisas estúpidas pra falar. Era como se eu tivesse cantando uma música velha. Eles engoliam tudo.

"Você está bem aí, SweetCakes?" "Cacete, como você me faz sentir bem!" (Um minuto e trinta, já ganhou, isso é um recorde.)

"Quero o seu açúcar, docinho." "Humm, você é bom demais de beijar." (Eu preferia lamber o cano da pia.)

"Ei, garota, eu sou bom, não sou?" "Ah, você é ótimo, aham, é sim, bom demaaaaais." (Mas pena que a sua linguiça de porco é um tiquinho de nada.)

Ao sair do Waldorf-Astoria, eu dava gorjeta pros detetives do hotel, o mensageiro e o garoto ascensorista. Eles conheciam todas as garotas da rua. O garoto ascensorista tinha uma coisa pra mim. Uma noite eu chupei ele no armazém frigorífico. Na saída, ele roubou um pedaço de filé. Escondeu debaixo da camisa. Saiu, dizendo que sempre gostou de bife mal passado.

Ele era uma gracinha. Piscava pra mim, mesmo se o elevador estivesse cheio.

Eu era maníaca por limpeza. Gostava de tomar uma chuveirada antes de cada vez. Quando levava o freguês pro chuveiro, eu ensaboava ele inteiro e via a massa crescendo. Eu dizia pra ele: "Amorzinho, quero um pouco desse pão." Aí eu colocava ele no forno, e ele logo estourava.

Você tenta fazer ele acabar em 15 minutos, no máximo. Mas você tenta fazer ele continuar pelo menos uns dois minutos. Os caras não gostam quando gozam muito cedo. Se sentem sem valor. Se acham sujos e baratos. Nunca peguei um cara que não gozasse, nem uma vez. Quer dizer, não exatamente nunca, mas se o freguês não tava conseguindo eu arranhava as costas dele e falava umas coisas bem legais, nunca sujeira, e às vezes ele chorava e dizia: "Eu só quero conversar com você, meu bem, isso é tudo que eu quero, eu só quero conversar." Mas então, às vezes, ele se virava e ficava todo cheio de raiva e gritava: "Vai se foder, eu sabia que nunca ia conseguir com você, sua puta preta."

E eu ficava toda mal como se ele tivesse me partido o coração, então me encostava bem pertinho e sussurrava pra ele que meu paizinho era do Panteras, com um monte de pretos do cão, e ele não ia querer ouvir esse tipo de conversa, entende? E então ele enfiava a calça num minuto e saía dali rapidinho, rapidinho.

TuKwik gostava de arrumar briga. Levava um soco-inglês na meia. Tinha que ser derrubado antes de poderem pegar nele. Mas era esperto. Engraxava as mãos dos tiras e engraxava a gangue e ficava com todo o resto.

O paizinho esperto vai atrás da garota que anda sozinha. Eu andei sozinha duas semanas. *Olálá, O-lá-lá.*

Virei uma mulher moderna. Comecei a tomar pílula. Não queria nenhuma outra Jazzlyn. Eu mandava cartões-postais pra ela do correio da 43th. O cara lá no balcão não me reconheceu no começo. Ficou todo mundo gritando porque eu tava furando a fila, mas fui direto até ele, balançando a bunda. Ele corou e me deu selos de graça.

Eu sempre reconheço meus fregueses.

Encontrei um novo paizinho que era um jogador famoso. O nome dele era Jigsaw. Tinha um terno bacana. Ele chamava o terno de sua indumentária. Colocava um lencinho no bolso. O segredo era que dentro desse lenço ele grudava uma fileira de lâminas de gilete. Podia puxar o lenço e fazer um quebra-cabeça no seu rosto. Ele andava de um jeito atrapalhado. Tudo que é perfeito tem um defeito. Os tiras odiavam ele. Eles passaram a me prender mais quando ficaram sabendo que Jigsaw era meu.

Eles odiavam a ideia de um negro ganhando dinheiro, ainda mais se o dinheiro vem de um branco, e era quase tudo branquelo na 49th. Era a Cidade de Giz.

Jigsaw tinha mais grana que Deus. Ele me comprou uma corrente trançada e um cordão de contas de jade. Ele pagava em grana viva. Ele meteu a mão até num Cadillac. Tinha um Rolls-Royce. Prateado. Não é mentira. Era velho mas andava. Tinha um volante de madeira. Às vezes a gente passeava pra cima e pra baixo na Park Avenue. Isso era na época em que ser da vida era bom. A gente passava de janela abaixada na frente do Colony Club. A gente dizia: "Ei, senhoras, alguém quer uma foda?" Elas ficavam aterrorizadas. Nosso carro seguia, e a gente gritava: "Vamos lá, vamos arrumar uns sanduíches de pepino."

A gente ia até a Times Square gritando: "Tira a casca deles, meu bem!"

Jigsaw me dava as coisas mais lindas. Ele tinha um apartamento na 1st com a 58th. Tudo era caro, inclusive os carpetes. Vasos em todo canto.

E espelhos com moldura dourada. Os fregueses, eles gostavam de ir lá. Entravam e diziam *Uau*. Era como se pensassem que eu era mulher de negócios.

Todo o tempo eles ficavam procurando a cama. A coisa é que a cama vinha de dentro da parede. Era eletrônico.

Era um lugar da moda.

Os caras que pagam 100 dólares, a gente chamava de Champanhes. Susie dizia: "Aí vem meu Champanhe", quando um carro de luxo encostava no meio-fio.

Uma noite peguei um dos caras do futebol americano, do New York Giants, um zagueiro com um pescoço tão grande que era chamado de Sequoia. Também tinha uma carteira como eu nunca havia visto, cheia de notas graúdas de cem. Eu pensei: Aqui estão dez Champagnes tudo de uma vez. Aqui vem ela, borbulhando, a grana poderosa.

Acabou que ele só queria uma de graça, então eu sentei no chão, me inclinei, olhei por entre minhas pernas, disse "Passe adiante!" e joguei nele um cardápio do serviço de quarto.

Às vezes eu mesmo me mato de rir.

Eu estava me chamando de Miss Êxtase nessa época, "porque estava muito feliz". Os homens eram só corpos se mexendo em cima de mim Pedaços de cor. Não tinham a menor importância. Às vezes eu me sentia como uma agulha em uma jukebox. Eu só caía no lugar e tocava durante um tempo. Depois, tirava o pó e caía outra vez.

Uma coisa que notei nos tiras da Homicídios é que eles usavam ternos muito bonitos. E os sapatos deles estavam sempre engraxados. Um deles tinha uma caixa de engraxar sapatos de três pernas direto debaixo da mesa. Flanela e graxa preta e tudo. Ele era bonitinho. Não estava procurando uma de graça. Só queria saber quem tinha mandado o Jigsaw pra geladeira. Eu sabia, mas não ia dizer. Quando alguém é apagado, você fica de boca calada. Essa é a lei da rua, zip zip fecha sua boca, zip zip nem uma palavra zip zip zip zip zip.

Jigsaw ganhou três balas caprichadas. Eu vi ele jogado lá, no chão molhado. Tinha uma no meio da testa, no lugar onde estourou e abriu seus miolos. E quando os paramédicos abriram a camisa dele era como se tivesse dois olhos vermelhos extras no peito.

Tinha sangue esparramado no chão e no poste de luz e também na caixa de correio. O cara da pizzaria saiu da loja pra limpar o espelho retrovisor do lado do passageiro da van dele. Esfregou com o avental, balançando a cabeça e resmungando alguma coisa, como se alguém tivesse queimado seus calzones. Como se Jigsaw tivesse *feito questão* de deixar os miolos no retrovisor do cara! Como se tivesse feito isso de propósito!

Ele voltou pra dentro da pizzaria e, da vez seguinte que a gente foi na loja comprar uma fatia, ele meio que disse: "Ei, nada de puta aqui, saiam daqui, ponham suas bundas vendidas pra F-O-R-A, especialmente você, sua C-R-I-O-U-L-A." A gente disse: "Uau, ele sabe soletrar", mas eu juro por Deus, eu queria torcer aquelas bolas do carcamano até a garganta dele e espremer as duas em uma só e dizer que era o pomo de adão.

Susie disse que odiava racistas, ainda mais racistas carcamanos. Morremos de rir e fomos direto pra Second Avenue e compramos uma fatia na Ray's Famous. Estava tão deliciosa que nem precisamos tirar o óleo com o guardanapo. Depois disso nunca voltamos à pizzaria da Lex.

A gente não ia fazer negócios com nenhum porco racista.

Jigsaw tinha toda aquela grana, mas foi enterrado em Potter's Field. Já vi funerais demais. Acho que não sou diferente dos outros. Não sei quem ficou com a grana de Jigsaw, mas eu acho que foi a gangue.

Só tem uma coisa que se move na velocidade da luz e é o dinheiro vivo.

Meses depois que Jigsaw foi executado, eu vi Andy Warhol vindo pelo quarteirão. Ele tinha uns olhos que eram grandes e azuis e esquizoides, como se tivesse passado o dia chupando fichas de metrô nas ranhuras. Eu disse: "Ei, Andy, amorzinho, que tal sair comigo?" Ele disse: "Eu não sou Andy Warhol, sou só um cara usando uma máscara de Andy Warhol, haha." Belisquei a bunda dele. Ele pulou pra trás e disse "Aahhhh". Ele era um pouco careta, mas então conversou comigo, deve ter sido por uns dez minutos ou mais.

Eu pensei que ele fosse me colocar em um filme. Fiquei pulando pra cima e pra baixo nos meus stilettos. Teria dado um beijo nele se ele me enfiasse num filme. Mas acabou que ele não queria nada, só queria encontrar algum garoto. Era só isso que ele queria, um garoto jovem que pudesse levar pra casa e fazer suas coisas. Eu disse a ele que poderia grudar um pênis cor-de-rosa bem grande e ele disse: "Ah, para, você está me fazendo ficar com tesão."

Passei a noite toda dizendo: "Eu fiz Andy Warhol ficar com tesão!"

Teve outro freguês que acho que reconheci. Era moço mas careca no topo. A parte careca era muito branca, como um pequeno rinque de patinação no gelo na cabeça dele. Tinha um quarto no Waldorf-Astoria. A primeira coisa que ele fez foi puxar as cortinas bem puxadas e cair na cama e dizer: "Vamos lá."

Eu meio que disse:

— Uau, e eu não te conheço, benzinho?

Ele olhou firme pra mim e disse:

— Não.

— Tem certeza? — eu insisti, toda gracinha e atrevida. — Você não me é estranho.

— Tenho — disse ele, furioso à beça.

— Ei, toma uma pílula pra relaxar, amor — eu disse. — Só estou perguntando.

Puxei o cinto dele e baixei o zíper e ele gemeu, *Aiissoissoisso*, como todos eles fazem, e fechou os olhos e continuou gemendo e então eu não sei como mas descobri. Era o cara do clima da CBS! Só que não estava com o topete postiço! Esse era o disfarce dele. Eu terminei e me vesti e dei tchauzinho mas me virei na porta e disse pra ele:

— Ei, cara, no leste está nublado com vento a dez nós e probabilidade de neve.

Lá estava eu, me mijando de rir outra vez.

Eu gostava da piada que terminava com: *Meritíssimo, eu só estava armado com um pedaço de frango frito.*

Os hippies eram ruins pro negócio. Eles defendiam o amor livre. Eu ficava longe deles. Eles fediam.

Os soldados eram meus melhores clientes. Quando eles voltavam só queriam foder — foder era a única coisa na cabeça deles. Eles tinham sido despachados por um bando de porras filhos da puta de olhos puxados e agora só precisavam esquecer. E não tem muita coisa melhor pra fazer esquecer do que trepar com a Miss Êxtase.

Eu fiz um pequeno distintivo que dizia: *A SOLUÇÃO DA MISS ÊXTASE: FAÇAM GUERRA, NÃO AMOR*. Ninguém achava engraçado, nem mesmo os garotos que estavam voltando do Vietnã pra casa, então joguei o distintivo na lata de lixo na esquina da Second Avenue.

Eles tinham o cheiro de pequenos cemitérios ambulantes, esses garotos. Mas precisavam fazer amor. Eu era tipo uma assistente social, juro. Fazendo minha parte pela América. Às vezes eu cantarolava aquela musiquinha infantil enquanto ele arranhava minhas costas com os dedos. *E a doninha disparou!* Eles achavam graça nisso.

Bob era um tira da Costumes especialmente durão com garotas negras. Perdi a conta de quantas vezes vi o distintivo dele. Ele me prendia mesmo quando eu não estava trabalhando. Eu tava num café e ele jogava o distintivo e dizia: "Você vem comigo, Sambette."

Ele achava engraçado. Eu dizia: "Beija a minha bunda preta, Bob." Seja como for, ele me levava pro curral. Ele tinha sua cota. Ganhava hora extra. Eu queria fatiar ele com a minha unha.

Uma vez fiquei com um homem a semana toda no Sherry-Netherlands. Tinha um candelabro no teto rodeado de uvas e vinhos e violinos entalhados no gesso e tudo. Ele era pequeno e gordo e careca e moreno. Pôs um disco na vitrola. Parecia música de serpente. Ele disse:

— Isso não é uma divina comédia?

Eu disse

— Que coisa estranha de se dizer.

Ele apenas sorriu. Tinha um sotaque bonito.

Ele tinha cocaína em pedra e caviar e champanhe num balde. Era um encontro pra chupar, mas ele só me fez ficar lendo pra ele. Poemas persas. Eu pensei que talvez já estivesse no céu e flutuando numa nuvem. Dizia um monte de coisas sobre a Síria e a Pérsia antigas. Eu deitei na cama nuinha em pelo e só fiz ler pro candelabro. Ele não quis nem me tocar. Ficou sentado na cadeira me vendo ler. Saí com 800 dólares e um exemplar do Rumi. Nunca tinha lido nada assim antes. Me fez querer ter uma figueira.

Isso foi muito antes de ir pra Hunts Point. E isso foi muito antes de eu terminar na Deegan. E isso foi muito antes de Jazz e Corrie entrarem naquela van direto pra destruição.

Mas, se me dessem uma semana pra viver, só uma semana outra vez, seria essa a minha escolha, aquela semana no Sherry-Netherlands é a que eu repetiria. Eu ficava só deitada na cama, pelada e lendo, e ele sendo legal comigo, e me dizendo que eu era bonita, que me sairia bem na Síria e na Pérsia. Nunca vi a Síria nem a Pérsia nem o Irã ou seja lá como for que eles chamem. Um dia vou, mas vou levar as bebês de Jazzlyn e me casar com um xeque do petróleo.

Só que ando pensando no laço.

Qualquer desculpa é uma boa desculpa. Quando eles te mandam embora da prisão, te fazem um teste de sífilis. Saí limpa. Estou achando que talvez não esteja limpa dessa vez. Talvez essa seja uma boa desculpa.

Detesto esfregão. Detesto vassoura. Não dá pra você bolar um jeito de sair da prisão. Você tem que lavar janelas, limpar o chão, limpar chuveiros com esponja. Sou a única puta no C-40. Todas as outras estão no norte. Uma coisa é certa, não tem pôr do sol bonito pra ver da janela.

Todas as sapatonas estão no C-50. Todas as moças estão onde eu estou. As lésbicas são chamadas de fanchonas, não sei por quê — às vezes as palavras são esquisitas. Na cantina, tudo que as fanchonas querem fazer é pentear meu cabelo. Eu não estou a fim disso. Nunca estive. Não vou usar nenhum sapato. Gosto de meu uniforme curto, mas também não vou usar laço no cabelo. Mesmo se você vai morrer, pode muito bem morrer bonita.

Eu não como. Pelo menos posso me conservar esbelta. Ainda tenho orgulho disso.

Posso estar fodida mas ainda tenho orgulho do meu corpo.

De qualquer maneira, eles não dariam essa comida pros cachorros. Os cachorros se estrangulariam depois de ler o menu. Começariam a uivar e se matariam se furando com os garfos.

Fiquei com o chaveiro que tem as bebês. Gosto de pendurar no meu dedo e fico vendo elas rodarem. Tenho também esse pedaço de papel-alumínio. Não é como um espelho, mas dá pra olhar nele e perceber que ainda estou bonita. É melhor que conversar com um camundongo. Minha companheira de cela raspou o lado da cama pra pôr o rato na serragem. Eu li um livro uma vez sobre um cara com um rato. Seu nome era Steinbeck — o cara, não o rato. Não sou estúpida. Não uso o chapéu de asno só porque sou puta. Eles fizeram um teste de Q.I. e tirei 124. Se não acredita em mim, pergunte ao psicanalista da cadeia.

O carrinho da biblioteca passa chiando uma vez por semana. Eles não têm nenhum livro de que eu gosto. Pedi Rumi e eles disseram: "Que diabos é isso?"

No ginásio joguei pingue-pongue. As machonas mandaram: "Ooooohh, olha só o saque dela!"

A maioria das vezes, eu e Jazz, a gente nunca roubou ninguém. Não vale a pena. Mas esse cuzão, ele levou a gente do Bronx até Hell's Kitchen e prometeu grana e mais grana. Acabou que não era nada daquilo, então a gente aliviou ele desse peso, essa é a palavra, a gente aliviou ele, mesmo. Deixamos os bolsos dele mais leves. Eu assumi a parada pela Jazzlyn. Ela queria voltar pras bebês. Ela também precisava da heroína. Eu queria que ela largasse, mas ela não conseguia ficar limpa. Não assim. Eu, eu tava limpa. Eu podia aguentar. Eu tava limpa havia seis meses. Tava cheirando coca aqui e ali, e às vezes vendia um pouco de heroína que pegava com Angie, mas em geral eu tava limpa.

No distrito policial, Jazz tava se acabando de tanto chorar. O detetive se inclinou pra mim por cima da mesa e disse:

— Escuta, Tillie, você quer fazer as coisas direito pra sua filha?

Então eu disse:

— Claro, querido.
Ele disse:
— Está bem, então me faça uma confissão e eu deixo ela ir. Você pega seis meses, não mais do que isso, garanto.
Então eu sentei e cantei. Era uma acusação antiga, roubo em segundo grau. Jazz tinha afanado 200 dólares daquele cara e passado tudo direto na seringa.
É assim que acontece.
Tudo voa pelo para-brisa.

Eles me falaram que Corrigan quebrou todos os ossos do peito quando bateu no volante. Eu pensei: Bem, pelo menos no céu a garota latina dele vai poder esticar a mão e pegar no seu coração.

Sou uma fodida. É isso que eu sou. Eu paguei o pato da acusação e Jazzlyn pagou o preço. Eu sou a mãe e minha filha não existe mais. Só queria que no último minuto pelo menos ela estivesse sorrindo.
Eu sou tão fodida como você jamais viu antes.

Nem as baratas gostam daqui de Rikers. As baratas têm uma aversão. As baratas são como juízes e promotores e a merda toda. Elas se arrastam pelas paredes com aquelas capas pretas e dizem: Senhorita Henderson, por meio desta a sentencio a oito meses.
Qualquer um que conhece as baratas sabe que elas *chacoalham*. Essa é a palavra. Elas chacoalham pelo chão.

A cabine do chuveiro é o melhor lugar. Dá pra pendurar um elefante nos canos.

Às vezes bato a cabeça na parede o tempo suficiente pra não sentir mais. Posso bater bem forte pra finalmente conseguir dormir. Acordo com dor de cabeça e bato outra vez. Ela só arde no chuveiro quando todas as machonas estão olhando.

Deram um talho numa garota branca ontem. Com o lado limado de uma bandeja da cantina. Ela mereceu. Mais branca do que sua brancura. Fora do xadrez isso nunca me incomodou: branca ou preta ou morena ou amarela ou cor-de-rosa. Mas acho que o xadrez é o outro lado da vida real — negros demais e poucos branquelos, todos os branquelos dão um jeito de comprar a saída pra fora daqui.

Essa foi a vez que fiquei mais tempo dentro. Isso faz você pensar sobre as coisas. Principalmente por ser tão fodida. E principalmente sobre pendurar o laço da forca.

Quando eles primeiro me falaram sobre Jazzlyn, eu fiquei lá batendo a cabeça na grade que nem um pássaro. Eles me deixaram sair pro funeral e depois me trancaram de novo. As bebês não estavam lá. Eu ficava perguntando sobre as meninas mas todo mundo só dizia: "Não se preocupe com as bebês, elas estão sendo cuidadas."

Em meus sonhos, estou de volta no Sherry-Netherlands. Por que eu gostei tanto dele, realmente não sei. Ele não era um cliente qualquer, era um queridinho — mesmo careca ele era legal.

Homens do Oriente Médio adoram putas. Gostam de mimá-las e comprar coisas pra elas e andar por aí com lençóis amarrados em volta do corpo. Ele me pediu pra ficar junto da janela, em silhueta. Posicionou a luz como queria. Eu ouvi ele ofegar. Tudo que eu tava fazendo era ficar de pé. Nada nunca me fez sentir melhor do que ele só olhar pra mim, apreciando o que via. Isso é o que os homens bons fazem — eles apreciam. Ele não tava batendo uma nem nada, só ficou lá sentado na cadeira me olhando, quase sem respirar. Disse que eu o fazia delirar, que ele me daria qualquer coisa só pra ficar ali eternamente. Eu disse alguma coisa engraçadinha, mas realmente tava pensando exatamente a mesma coisa. Eu me odiei por dizer uma coisa desrespeitosa. Queria que o chão se abrisse debaixo dos meus pés.

Depois de um tempo ele relaxou, e aí suspirou. Disse alguma coisa sobre o deserto na Síria e sobre como os limoeiros parecem pequenas explosões de cor.

E então, de repente — bem ali, olhando pro Central Park — eu senti uma saudade da minha filha como nunca antes. Jazzlyn tinha 8 ou 9 anos na época. Eu só queria segurá-la nos braços. O amor não é menor se você é uma puta, o amor não é menor mesmo.

O parque ficou escuro. As lâmpadas acenderam. Só algumas delas tavam funcionando. Elas iluminavam as árvores.

— Leia o poema sobre o mercado — disse ele.

Era um poema em que um homem compra um tapete no mercado, e é um tapete perfeito, sem uma falha, então traz pra ele todo tipo de desgraça e merda. Tive que ligar a luz pra ler e isso estragou a atmosfera, percebi na hora. Aí ele disse:

— Então apenas me conte uma história.

Eu apaguei a luz e fiquei lá de pé. Eu não queria dizer nada vulgar.

Não consegui pensar em nada a não ser numa história que escutei de um freguês umas semanas antes. Então fiquei lá com a cortina na mão e disse:

— Tinha um casal de velhos andando perto do Plaza. Era no começo da noite. Eles tavam de mãos dadas. Tavam quase entrando no parque quando um tira apitou alto e parou os dois. O tira disse: "Vocês não podem entrar, logo vai escurecer, é muito perigoso andar pelo parque, vocês serão agredidos." O casal de velhos disse: "Mas queremos entrar, é nosso aniversário, estivemos aqui exatamente há quarenta anos." O guarda disse: "Vocês estão malucos. Ninguém mais passeia pelo Central Park." Mas o velho casal continuou entrando, de qualquer maneira. Eles queriam fazer exatamente a mesma caminhada que fizeram tantos anos antes, em volta do pequeno lago. Pra lembrar. Então eles foram de mãos dadas, direto pelo escuro. E adivinhe o quê? Aquele tira, ele foi uns vinte passos atrás, por toda a volta do lago, só pra ter certeza de que os dois não seriam atacados, não é uma coisa e tanto?

Essa foi a minha história. Fiquei quieta. A cortina tava toda úmida na minha mão. Eu podia quase escutar o homem do Oriente Médio sorrir.

— Conte outra vez — ele disse.

Eu fiquei um pouco mais perto da janela, onde a luz tava entrando bem bonita. Contei tudo pra ele outra vez, até com mais detalhes, como o som dos passos deles e tudo.

Eu nunca nem contei pra Jazzlyn essa história. Queria contar pra ela, mas nunca contei. Tava esperando a hora certa. Ele me deu o livro do Rumi quando saí. Enfiei o livro na bolsa, não pensei muito nele no começo, mas ele foi me invadindo, que nem uma lâmpada de rua.

Eu gostava dele, meu gordinho moreno e careca. Fui no Sherry-Netherlands pra ver se ele estava lá, mas o gerente me expulsou. Tava com uma pasta na mão. Ele usou a pasta como se estivesse tocando gado. Disse: "Fora, fora, fora!"

Comecei a ler Rumi o tempo todo. Eu gostava porque ele falava dos detalhes. Tinha lindos versos. Comecei a falar merda com meus clientes. Falava pras pessoas que eu gostava dos versos por causa do meu pai e como ele tinha estudado poesia persa. Às vezes eu dizia que era meu marido.

Eu nunca nem tive pai nem marido. Nenhum que eu soubesse, pelo menos. Não estou me lamentando. Isso é só um fato.

Eu sou uma fodida e minha filha não existe mais.

Jazzlyn uma vez me perguntou sobre o pai dela. O pai verdadeiro — não um pai paizinho. Ela tinha 8 anos. A gente tava conversando pelo telefone. Interurbano, de Nova York pra Cleveland. Não me custava nada porque todas as garotas sabiam como pegar a moeda de volta. Aprendemos com os veteranos que voltavam do Vietnã todos zoados da cabeça.

Eu gostava do conjunto de telefones da 44th. Eu ficava aborrecida e ligava pro telefone bem na minha direita. Aí atendia e falava comigo mesma. Achava uma graça danada nisso. *Alô, Tillie, como você está, querida? Nada mal, Tillie, e você? Me virando, Tillie, como está o tempo aí, garota? Chovendo, Tilliezinha. Que merda, aqui também tá chovendo, Tillie, não é um barato?*

Eu tava no telefone da farmácia na 50th com a Lex quando Jazzlyn disse: "Quem é meu pai verdadeiro?" Eu disse a ela que o pai era um cara legal mas que um dia ele tinha saído pra comprar cigarro. É isso que você fala pra uma criança. Todo mundo diz isso, não sei por quê — acho que todo cuzão que não quer ficar com os filhos é fumante.

Ela nunca mais me perguntou por ele outra vez. Nem uma vez. Eu achava que ele tinha passado um tempo desgraçado de longo comprando cigarros, fosse ele o puto que fosse. Talvez ainda estivesse lá parado, Pablo, esperando o troco.

Voltei pra Cleveland pra pegar Jazzlyn. Isso foi em 1964 ou 1965, um desses anos. Ela tinha então 8 ou 9. Tava me esperando no degrau da porta. Com um casaco com um pequeno capuz e sentada lá toda amuada, quando ergueu os olhos e me viu. Juro que foi como ver um fogo de artifício explodindo. "Tillie!", ela gritou. Ela nunca me chamou de mãe. Ela pulou do degrau. Ninguém nunca me deu um abraço tão grande. Ninguém. Ela quase que me amassou. Eu sentei bem ali no degrau ao lado dela e até chorei. Eu disse: "Espere até ver Nova York, Jazz, você vai ficar maluca."

Minha própria mãe estava na cozinha me lançando olhares venenosos. Eu passei pra ela um envelope com 2 mil dólares. Ela disse: "Oh, querida, eu sabia que você voltaria bem, eu sabia!"

A gente queria cruzar o país de carro, Jazzlyn e eu, mas em vez disso pegamos um ônibus do cachorro magro desde Cleveland. O tempo todo ela dormiu no meu ombro e chupou o dedão, 9 anos e ainda chupava o dedo. Ouvi dizer mais tarde, no Bronx, que isso era uma das suas coisas. Ela gostava de chupar o dedo quando estava fazendo com algum cliente. Isso me faz doente da alma. Eu sou uma fodida e isso é tudo. Isso é tudo que importa.

Tillie Fodida Henderson. Essa sou eu sem meus enfeites.

Não vou me matar até ver as bebês da minha bebê. Eu disse pra supervisora hoje que eu era avó e ela não disse nada. Eu disse: "Quero ver minhas netinhas — por que eles não me trazem minhas netas?" Ela sequer mexeu a pálpebra. Talvez eu esteja ficando velha. Vou fazer 39 anos aqui dentro. Vou levar uma semana inteira só pra soprar as velas.

E implorei a ela e implorei e implorei. Ela disse que as bebês estavam bem, estavam sendo cuidadas, estavam com o serviço social.

Foi um paizinho que me pôs no Bronx. Ele queria ser chamado de L.A. Rex. Não gostava dos negros, mas ele mesmo era negro. Dizia que Lexington era pras branquelas. Disse que eu estava velha. Disse que eu era inútil. Disse que eu tava perdendo muito tempo com Jazzlyn. Disse pra mim que eu parecia um pedaço de sebo de boceta. Ele disse: "Não passe perto da Lex outra vez ou vou quebrar seus braços, Tillie, tá me ouvindo?"

Então foi isso o que ele fez — quebrou meus braços. Também quebrou meus dedos. Ele me pegou na esquina da 3rd com a 48th e estalou meus ossos como se fossem ossos de galinha. Ele disse que o Bronx era um bom lugar pra aposentadoria. Riu e disse que era exatamente como a Flórida sem as praias.

Tive de voltar pra casa pra Jazzlyn com os braços engessados. Fiquei de molho não sei quanto tempo.

L.A. Rex tinha uma estrela de diamante no dente, não é mentira. Parecia um pouco com aquele tal de Cosby da TV, só que Cosby tinha umas costeletas maneiras. L.A. até pagou minha conta do hospital. Ele não me pôs pra fora na rua. Eu pensei: *O que o puto tá querendo com isso*? Às vezes o mundo é um lugar que você não consegue entender.

Então fiquei limpa. Tomei conta da casa. Desisti da rua. Foram anos bons. Tudo que precisava pra me fazer feliz era encontrar um níquel no fundo da minha bolsa. As coisas tavam indo tão bem. Era como se eu estivesse de pé, olhando pela janela. Coloquei Jazzlyn na escola. Arrumei um emprego pregando etiquetas nas latas de supermercado. Eu voltava pra casa, ia pro trabalho, voltava pra casa outra vez. Fiquei longe da rua. Nada ia me fazer voltar pra lá outra vez. E então um dia, sem motivo nenhum, eu não me lembro por quê, fui até a Deegan, levantei o dedão e procurei um cliente. Ganhei um soco na nuca de um paizinho chamado Birdhouse — ele tava usando um chapéu bem porreta que nunca tirava porque não queria que ninguém visse seu olho de vidro. Ele disse: "Ei, boneca, qual é a sua?"

Jazzlyn precisava de livros pra escola. Tenho quase certeza que foi por isso.

Eu não era a garota da sombrinha lá na 49th com a Lex. A sombrinha foi uma coisa que comecei no Bronx. Sempre tive um corpo bom. Mesmo com todos aqueles anos que enfiei droga nele, era bonito e cheio de curvas e superdelicioso. Nunca tive uma doença de que não conseguisse me livrar. Foi quando fui pro Bronx que peguei a sombrinha. Eles não viam meu rosto mas viam meu traseiro. Eu tinha eletricidade suficiente na bunda pra fazer ligação direta pra toda a cidade de Nova York.

No Bronx eu entrava rápido no carro e então eles não podiam dizer não. Tenta botar uma garota pra fora do carro sem pagar: é mais fácil cuspir pra cima.

Sempre eram as garotas mais velhas que trabalhavam no Bronx. Todas, exceto Jazzlyn. Eu ficava com Jazz perto pra companhia. Ela só ia pra cidade de vez em quando. Era a mais popular das garotas na rua. Todas as outras cobravam 20 dólares, mas Jazzlyn podia subir pra 40, até 50. Ela pegava os caras jovens. E os caras mais velhos com tutu de verdade, os gordos que queriam se sentir bacanas. Eles ficavam todos de olhos vidrados nela. O cabelo dela era liso e tinha lábios bonitos e pernas que subiam até o pescoço. Alguns dos caras chamavam ela de *Rafa*, porque era assim que ela parecia. Se tivesse alguma árvore na Deegan ela estaria lá no alto girafando com a língua.

Esse era um dos apelidos em sua folha corrida. Rafa. Ela tava com esse cara inglês uma vez e ele tava fazendo todos aqueles sons de bombardeiro de mergulho enquanto tava lá trepando, dizendo merdas tipo: "Aqui vou eu, missão de resgate, Flanders um-o-um, Flanders um-o-um! Descendo!" Quando terminava ele dizia: "Tá vendo? Salvei você." E Jazzlyn meio que: "Você me salvou, não é mesmo?" Porque os homens gostam de pensar que podem salvar você. Como se você tivesse uma doença e eles tivessem a cura especial ali esperando você. *Venha aqui, meu bem, você não quer alguém que entende você? Eu, eu entendo você. Eu sou o único cara que conhece uma belezinha como você. Meu pinto é tão grande quanto um menu da Third Avenue mas meu coração é maior do que o Bronx.* Eles fodem você como se estivessem te fazendo um grande favor. Todo homem quer uma puta pra salvar, essa é a verdade arrasadora. É como uma doença, se você quer saber. Então, depois que disparam a bucha eles simplesmente fecham o zíper e vão embora e esquecem você. Isso é uma coisa fodida, realmente.

Alguns desses cuzões acham que você tem um coração de ouro. Ninguém tem coração de ouro. Eu não tenho nenhum coração de ouro, nem pensar. Nem mesmo Corrie. Até Corrie foi pegar aquelazinha latina com aquela tatuagenzinha boba no tornozelo.

Quando Jazzlyn tinha 14 anos ela voltou pra casa com sua primeira marca vermelha no lado de dentro do braço. Eu quase tirei o preto dela de tanto bater, mas ela voltou com a marca entre os dedos do pé. Ela não tinha sequer fumado um cigarro e lá estava, marcada pelo "cavalo", ela tava andando com os Immortals na época. Eles tinham uma bronca com os Ghetto Brothers.

Tentei manter ela na linha fazendo com que ficasse na rua. Era isso que eu achava.

Big Bill Broonzy tinha uma música de que eu gostava, mas não gosto de escutar: *Estou tão lá embaixo, baby, eu digo, que quando olho pra cima estou olhando é pra baixo.*

Quando ela tava com 15 anos, eu via ela se drogar. Eu sentava na calçada e pensava: Essa é minha garota. E então eu dizia: Espera a porra de um maldito segundo, essa é minha garota? É realmente minha garota?

E então eu pensava: Sim, essa é minha garota, essa é sangue do meu sangue, é ela sim, ela mesma.

Foi feita por mim.

Houve tempo em que eu enrolava o elástico em volta do braço dela pra fazer a veia aparecer. Eu tava fazendo com que ela ficasse segura. Isso era tudo que eu tava tentando fazer.

Esta é a casa que o Cavalo montou. Esta é a casa que o Cavalo montou.

Jazz voltou pra casa numa sexta-feira e disse:

— Ei, Till, o que você acha de ser avó?

Eu disse:

— Sim, vovó T., essa sou eu.

Ela caiu no choro. E então ela tava chorando no meu ombro — podia ser legal se não fosse de verdade.

Fui até o Foodland mas eles só tinham a porcaria dos pães doces Entenmann's.

Ela comia e eu olhava pra ela e pensava: "Essa é a minha garota e ela vai ter uma bebê." Eu nem sequer peguei nenhuma fatia até Jazz ir pra cama e então engoli aquela porra, as migalhas se esparramaram no chão.

Da segunda vez que fui avó, Angie organizou uma festa pra mim. Ela convenceu Corrie a emprestar uma cadeira de rodas e me empurrou na cadeira pela Deegan. Estávamos cheias de coca, arrastando as bundas no chão de tanto rir.

Ah, mas o que eu devia ter feito — eu devia ter engolido um par de algemas quando Jazzlyn estava na minha barriga. Era isso que eu devia ter feito. Pra dar logo um aviso pra ela! Sobre o que viria no caminho dela. Dizer: Aí está você, já presa, você é sua mãe e a mãe dela antes dela, uma longa linha de mulheres que vai até Eva, francesa e negra e holandesa e mais o que veio antes de mim.

Ai, Deus, eu devia ter engolido algemas. Devia ter engolido elas inteiras.

Eu passei os últimos sete anos fodendo dentro de carros frigoríficos. Passei os últimos sete anos fodendo dentro de carros frigoríficos. Exato. Eu passei os últimos sete anos fodendo dentro de carros frigoríficos.

Tillie Fodida Henderson.

Fui chamada porque tinha uma visita. Estou, tipo, preparada. Arrumando meu cabelo e passando batom e me fazendo ficar cheirosa, perfume de cadeia e tudo. Escovando os dentes e fazendo as sobrancelhas e até dando um jeito de os meus trapos do xadrez ficarem apresentáveis. Pensei: Só tem duas pessoas no mundo que alguma vez poderiam vir me ver. Fui descendo os degraus da prisão dando pulinhos. Era como descer pela escada de emergência. Eu sentia o cheiro do céu. Atenção, garotas, aqui vem a Mamãe da sua Mamãe.

Cheguei ao Salão do Portão. É assim que eles chamam a sala de visitas. Estou procurando por elas por todo lado. Tem um monte de cadeiras e janelinhas de plástico e uma grande nuvem de fumaça de cigarro. É como passar por uma neblina deliciosa. Estou nas pontas dos pés olhando em volta e todo mundo tá se sentando e encontrando suas queridas. Tem grandes oohs e ahhs e risadas e gritos acontecendo, por todo o lugar, e crianças gritando, e eu nas pontas dos pés pra ver minhas bebês. Logo, só tem um lugar livre nas cadeiras. Uma puta branca tá sentada do outro lado do vidro. Estou pensando que meio que conheço ela, mas não sei de onde, talvez seja uma agente de condicional, ou uma trabalhadora social ou algo assim. Ela tem cabelo louro e olhos verdes e pele branca perolada. E então ela disse:

— Oh, *oi, Tillie.*

Fico pensando: Não me venha com Oi, Tillie, quem diabos você pensa que é? Esses brancos, eles chegam todo amigos. Como se nos entendessem. Como se fossem seu melhor amigo.

Mas eu só disse "Oi" e me enfiei na cadeira. Senti que tiraram o ar de mim. Ela me disse seu nome e dei de ombros porque não significava nada pra mim.

— Você tem cigarro? — perguntei, e ela disse não, deixou de fumar.

E fiquei pensando: Ela serve ainda menos pra mim do que cinco minutos atrás, e cinco minutos atrás ela já não servia pra nada.

Aí eu disse:

— É você que tá cuidado das minhas bebês?

Ela disse:

— Não, é outra pessoa que está cuidando das bebês.

Então ela ficou apenas sentada lá e começou a me perguntar sobre a vida na cadeia, se eu tava me alimentando bem, e quando eu ia sair. Olhei pra ela como se ela fosse 20 quilos de merda embrulhada em um pacote de 10. Ela estava toda nervosa e dura. Aí, eu finalmente me soltei e disse, tão devagar que ela levantou as sobrancelhas, surpresa:

— Quem... diabos... é... você?

E ela disse:

— Conheço Keyring, ele é meu amigo.

E eu, tipo, disse:

— Quem diabos é Keyring?

Aí ela soletrou:

— C-i-a-r-a-n.

Então a ficha caiu e eu pensei: "Ela é aquela que foi no enterro da Jazzlyn com o irmão de Corrigan. O engraçado é que foi ele quem me deu o chaveiro".*

— Você é alguma papa-hóstia? — perguntei.

— Sou o quê?

— Está numa onda de Jesus?

Ela balançou a cabeça, negando.

— Então por que veio aqui?

— Eu só queria ver como você estava.

— Verdade?

---

* Referência intraduzível. Ela entendeu *Keyring* em vez de *Ciaran*. *Keyring* significa também chaveiro.

E ela disse:
— Verdade, Tillie.
Então eu fiquei mais mansa com ela. Eu disse:
— Tudo bem, como quiser.
E ela foi se inclinando pra frente, dizendo que era bom me ver de novo, a última vez que ela me viu se sentiu super mal por mim, o jeito como os "porcos" me algemaram e tudo, do lado do túmulo. Ela realmente disse "porcos", mas dava pra ver que não tava acostumada com isso, como se estivesse tentando ser durona mas sem ser. Mas eu pensei: Tudo bem, isso é legal, vou deixar passar, vou deixar passar 15 minutos, o que são 15, vinte minutos?

Ela era bonita. Loura. Legal. Eu tava contando a ela sobre a garota da C-40 com o camundongo, e como era ser uma moça e não uma fanchona, e como a comida ali tinha um gosto horrível, e como sentia falta das minhas bebês, e como tinha havido uma briga na TV, de noite, sobre o show do Chico e Scatman Crothers e se ele era um merda de um canadense. E ela ficava balançando a cabeça e fazendo há-há, humm, oh, entendo, isso é muito interessante, Scatman Crothers, ele é bonitinho. Como se ela tivesse algum caso com ele. Mas pra mim ela tava era querendo se chegar. Tava sorrindo e rindo. Ela era esperta também — dava pra ver que era esperta, uma garota rica. Ela me disse que era artista e que tava saindo com o irmão de Corrigan, embora fosse casada, ele foi pra Irlanda pra jogar as cinzas de Corrigan e voltou logo depois, eles se apaixonaram, ela tava dando um jeito na vida, era viciada antes, e ainda gostava de beber. Disse que ia botar um dinheiro na minha conta da prisão e talvez eu conseguisse cigarros.

— O que mais posso fazer por você? — perguntou ela.
— Minhas bebês.
— Vou tentar — disse. — Vou ver onde elas estão. Vou ver se consigo trazê-las pra visitas. Algo mais, Tillie?
— Jazz — eu disse.
— Jazz — ela repete.
— Traz Jazzlyn de volta também.
E ela, completamente branca.
— Jazzlyn está morta — ela disse, como se eu fosse uma idiota da porra.
Ela ficou com um olhar de quem tinha acabado de ser chutada. Aí a maldita campainha tocou. O tempo de visita estava terminando e dissemos tchau uma pra outra atrás do vidro, e eu virei pra ela e disse:
— Por que você veio aqui?

Ela olhou pro chão e aí sorriu pra mim, os lábios ainda tremendo, mas balançou a cabeça, e apareceram gotinhas de lágrima no canto dos olhos dela.

Ela deslizou dois livros pela mesa e eu, tipo, Uau, Rumi, como diabos ela sabia?

Ela disse que ia voltar outra vez, e eu implorei outra vez pra ela trazer as bebês. Ela disse que ia perguntar por aí, elas estão com o serviço social ou algo assim. Então ela deu tchau, secando os olhos enquanto ia embora. Fiquei pensando: Que porra é essa?

Eu tava subindo as escadas outra vez, ainda me perguntando como ela sabia sobre Rumi, e então me lembrei. Comecei a rir comigo mesma, mas fiquei feliz de não ter dito nada a ela sobre Ciaran e sua linguicinha de porco — pra quê? Ele era um bom cara, Keyring. Seja lá quem for, irmão de Corrie é irmão meu.

Nada é justo. Corrigan sabia disso. Ele nunca se importou. O irmão era meio cuzão. Isso é só um fato. Mas um punhado de gente é cuzona e ele me pagou bem pela única vez e eu deixei ele tonto com o Rumi. Ele tinha grana séria no bolso — era bartender ou algo assim. Olhei pra baixo e me lembrei de ter pensado: Aí está meu peito preto na mão do irmão de Corrigan.

Nunca vi Corrigan nu, mas imagino que ele era bem-dotado, mesmo seu irmão sendo um Piu-Piu.

Da primeira vez que vimos Corrigan, a gente encucou de cara que ele tava disfarçado. Eles têm disfarces de irlandês. A maioria dos policiais é irlandesa — caras um pouco acima do peso, com dentes ruins mas ainda um jeito de fazer o mundo engraçado.

Um dia, a van de Corrigan tava suja e Angie escreveu com seu dedo na sujeira: VOCÊ IA QUERER QUE SUA MULHER FOSSE SUJA ASSIM? Isso fez a gente chorar de tanto rir. Corrie não notou. Então Angie desenhou uma carinha sorridente e ME VIRE no outro lado. Ele ficava circulando pelo Bronx com essa merda maluca escrita na van e nunca nem reparou. Ele tinha um mundo só dele, Corrie. Angie foi falar com ele no fim da semana e mostrou as palavras. Ele ficou todo vermelho como os caras irlandeses e começou a gaguejar.

— Mas eu não entendo, não tenho esposa — ele disse pra Angie.

Nos nunca rimos tanto desde que Cristo saiu de Cincinnati.

Todo dia a gente ficava brincando com ele, pedindo pra ele nos prender. E ele só dizia: "Meninas, meninas, meninas, por favor." Quanto mais a gente aporrinhava ele, mais ele dizia: "Meninas, meninas, parem com isso, agora, meninas."

Uma vez o paizinho de Angie nos dispersou e agarrou Corrie pelo cangote e falou pra ele ir praquele lugar. Ele pôs a faca debaixo do pescoço de Corrie. Corrie só ficou olhando pra ele. Os olhos dele eram grandes mas era como se ele não tivesse medo nenhum. A gente ficou, tipo: "Ei, vai embora, cara, vai embora." O paizinho de Angie moveu rápido a faca e Corrie foi embora com sangue descendo pela camisa preta.

Alguns dias depois ele tava lá embaixo outra vez, levando café pra gente. A gente falou, tipo: "Ei, vai embora, Corrie, você tem que dar no pé, você vai levar um pau." Ele deu de ombros, disse que ia ficar bem. Lá veio o paizinho de Angie e o de Jazzlyn e o de Succhie, todos de uma vez, como os Três Reis Magos. Vi o rosto de Corrie ficar branco. Nunca tinha ficado tão branco antes. Tava que nem leite.

Ele levantou as mãos e disse:

— Ei, caras, eu só estou dando café pra elas.

E o paizinho de Angie deu um passo à frente. Ele disse:

— Tá bem, eu só vou te dar o creme.

Corrie viu a luz do dia se apagar eu não sei quantas vezes. Essa merda dói. Dói muito. Até Angie se pendurava nas costas do seu paizinho, tentando arrancar os olhos dele, mas a gente não conseguia pará-lo. Mesmo assim Corrie voltava, todo dia. Chegou a fazer os paizinhos realmente respeitarem ele por isso. Corrie nunca, nem uma vez, chamou os tiras, ou a Guarda, era assim que Corrie dizia, essa era sua palavra irlandesa pra polícia. Ele dizia: "Eu não vou chamar a Guarda." Mesmo assim os paizinhos acabavam com ele de vez em quando, só pra ele não sair da linha.

Descobrimos depois que ele era padre. Não um padre de verdade, mas um desses caras que viviam em algum lugar porque achavam que deviam, como se tivesse uma coisa de dever, moral, um tipo de merda dessa, um monge, com votos e merda, e aquele troço de castidade.

Eles dizem que os rapazes sempre querem ser os primeiros com as garotas, e as garotas sempre querem ser a última com os rapazes. Mas com Corrie todas nós queríamos ser a primeira. Jazz dizia: "Fiquei com Corrie a noite passada, ele foi superdelicioso, ele ficou feliz porque eu fui a primeira." Aí vinha Angie: "Mentira, eu almocei aquele filho da mãe, comi ele todinho." Aí então vinha Suchie: "Merda, vocês todas, eu espalhei ele na minha panqueca e engoli junto com o café."
Qualquer um podia escutar a gente rindo, a quilômetros de distância.

Ele fez aniversário uma vez, acho que era 39, ele era só um garoto, e comprei um bolo pra ele e todos nós comemos o bolo juntos lá na Deegan. Era coberto de cerejas, devia ter um milhão e seis cerejas, e Corrie nem entendeu a malícia, e a gente ia pipocando as cerejas na boca dele, por todo canto, e ele falando: "*Meninas, meninas, por favor. Vou ter que chamar a Guarda.*"
A gente quase se mijou de tanto rir.
Cortamos o bolo e demos um pedaço pra todo mundo. Ele mesmo pegou o último pedaço. Eu segurei uma cereja perto da boca dele e fiz ele tentar dar uma mordida. Eu ficava mexendo e ele tentando pegar com os dentes. Ele ia descendo a rua atrás de mim. Eu tava de maiô. A gente devia parecer um casal, Corrie e eu, o rosto dele todo sujo de cereja.
Não deixe ninguém lhe dizer que tudo é merda e sujeira e praga de branco na rua. Tudo bem, é isso às vezes, claro, mas também às vezes é engraçado. Às vezes você apenas segura uma cereja na frente de um homem. Você tem que fazer isso, às vezes, pra pôr um sorriso no seu rosto.
Quando Corrie ria, o rosto dele se enrugava todo.

— Diz *coémermão*, Corrie.
   — Qual é, meu irmão.
   — Não não não, diz *coémermão*.

— *Qualémeuirmão.*
— Ai, cara, *coémermão.*
— O.k., Tillie — ele disse —, eu realmente não sei dizer *coé.*

O único branco — de verdade — com quem alguma vez eu teria dormido era Corrigan. Sem brincadeira. Ele me dizia que eu era boa demais pra ele. Ele dizia que eu ia fazer cosquinhas nele e pedir coisa melhor. Dizia que eu era bonita demais pra um cara que nem ele. Corrigan era um pedaço de mau caminho. Eu teria me casado com ele. Ele ficaria falando comigo o tempo todo com aquele sotaque. Eu levava ele pro norte e cozinhava uma boa refeição com carne e repolho e ia fazer ele se sentir como o único branco na Terra. Eu ia beijar a orelha dele se ele tivesse me dado a chance. Ia derramar meu *amor* sobre ele. Ele e o cara do Sherry-Netherlands. Eles eram demais.

A gente enchia a lata de lixo dele sete, oito, nove vezes por dia. Isso era asqueroso. Até Angie achava isso asqueroso e ela era a mais asquerosa de todas nós — ela deixava os absorventes internos lá dentro. Tipo, nojento. Não posso acreditar que Corrie via aquela coisa e nunca nem uma vez ele falou merda sobre isso, só jogava a lata fora e seguia o caminho dele. Um padre! Um monge! O mijadouro!

E aquelas sandálias! Cara! A gente escutava as batidas dele chegando.

Ele me disse uma vez que na maioria das vezes as pessoas usam a palavra amor apenas como outra maneira de dizer que estão famintas. A maneira como ele disse isso soou mais ou menos tipo: *Glória ao apetite delas.*

Ele disse isso desse jeito mas com o sotaque delicioso dele. Me dava vontade de comer qualquer coisa que Corrie dissesse, dava vontade de devorar tudo. Ele dizia: "Toma o café, Tillie", e eu achava que era a coisa mais linda que eu já tinha escutado. Meus joelhos ficavam bambos. Ele, ele era como um Motown branquelo.

Jazzlyn dizia que gostava dele tanto quanto de chocolate.

Já passou um bom tempo desde que aquela garota Lara veio me visitar, talvez 10 ou 13 dias. Ela disse que ia trazer minhas bebês. Ela prometeu. Você se acostuma com as pessoas, mas... Elas sempre prometem. Até Corrie fazia promessas. Aquela merda daquela ponte levadiça e tudo mais.

Uma coisa engraçada pra caralho aconteceu com Corrie uma vez. Nunca vou esquecer. A única vez que ele nos trouxe um freguês. Lá vinha ele, bem tarde uma noite, abriu a traseira da van e tirou de lá um velho numa cadeira de rodas. Corrie estava todo sem graça. Afinal, ele era padre ou sei lá o quê, e estava trazendo um cliente! Ele olhou pra trás. Tava preocupado.

Se sentindo culpado, talvez. Eu disse: "Ei, papaizinho", e seu rosto ficou branco, então eu fiquei quieta e não disse mais nada. Corrie chegou até a se engasgar. Acontece que era o aniversário do velho e ele tava implorando e implorando e implorando pra Corrie sair com ele. Disse que não ficava com uma mulher desde a Grande Depressão, o que foi, tipo, 800 milhões de anos atrás. E o velho estava mesmo abusando, chamando Corrie de todo tipo de nomes e tudo. Mas nada pegava com o nosso Corrie. Ele deu de ombros e puxou o freio de mão da cadeira e deixou o Matusalém lá na calçada.

— Não é pra mim, mas Albee aqui quer os serviços de vocês.

— Já falei pra não dizer meu nome — gritou o velho.

— Fecha a matraca — disse Corrie, e se afastou.

Aí ele se virou uma vez mais e olhou pra Angie e disse:

— Mas não vá roubá-lo, por favor.

— Eu, tirar vantagem dele? — disse Angie, com os olhos todos estrelados e toda aquela onda.

Corrie ergueu os olhos pro céu e balançou a cabeça.

— Me promete — ele disse, e aí bateu a porta da van marrom e ficou lá dentro, esperando.

Corrie ligou o rádio bem alto.

Nós começamos o trabalho. Acontece que Matusalém tinha grana suficiente pra manter nós todas ocupadas um tempo. Devia estar economizando havia anos. Resolvemos fazer uma festa pra ele. Então levantamos a cadeira pra enfiar na traseira de um caminhão de frutas e vegetais, vimos se o freio estava puxado e tiramos nossas roupas e começamos a dançar. Balançando as coisas na cara dele. Esfregando nele pra cima e pra baixo. Jazzlyn pulando pra cima e pra baixo nos caixotes de fruta. E nós todas peladas, brincando de jogar pedaços de alface e tomates. Foi hilário.

O engraçado é que o velho tinha uns 1.900 anos no mínimo, ele só fechava os olhos e se inclinava pra trás na cadeira de rodas, como se estivesse respirando todas nós, um sorriso no rosto. A gente ofereceu pra ele o que ele quisesse, mas ele só ficava de olhos fechados, como se estivesse se lembrando de uma coisa, e com aquele sorriso na cara o tempo todo, tipo estou-no-paraíso. Olhos fechados e narinas abertas. Ele era tipo um desses caras que só gostam de cheirar tudo. Disse pra gente alguma coisa sobre estar faminto e como ele conheceu a esposa quando ele tava faminto e então eles atravessaram uma fronteira juntos pra Áustria e aí ela morreu.

Ele tinha uma voz de Uri Geller. Na maioria das vezes quando um cliente diz alguma coisa, a gente diz "aham", como se a gente entendesse perfeitamente. Ele tinha lágrimas rolando no rosto, metade eram lágrimas de alegria, e metade eram de outra coisa, não sei o quê. Angie esfregou os peitos dela na cara dele e gritou: "Pode babar, filho da mãe."

Algumas garotas gostam dos velhos porque eles não querem muita coisa. Angie não se importa com eles. Mas eu, eu detesto velhos, ainda mais quando eles tiram as camisas. Eles têm esses peitinhos caídos tipo cobertura caindo dos lados do bolo. Mas, ei, ele tinha grana e a gente continuou a dizer como ele era bonitão. O rosto dele começou a ficar todo vermelho.

Angie estava gritando:

— Cuidado pra ele não enfartar, garotas; eu odeio a enfermaria do pronto-socorro!

Ele soltou o freio da cadeira de rodas e quando terminamos ele pagou duas vezes mais do que tínhamos pedido. Levantamos a cadeira pra tirar do caminhão e o velho começou a procurar Corrie:

— Cadê aquele bichinha cuzão?

Angie disse:

— Quem você está chamando de bichinha, seu bunda-caída, pinto-murcho?

Corrie desligou o rádio e saiu da van marrom, onde tinha ficado esperando, e disse obrigado a todas nós, e empurrou o velho de volta pra van. O engraçado é que havia um pedaço de alface grudada na cadeira de rodas do velho, por dentro da roda. Corrie o empurrou pra van e o pedaço de alface rodava e rodava e rodava.

Corrie disse, algo como:

— Me lembrem de nunca mais comer salada, nunca nunca nunca mais.

Nisso a gente se arrebentou de rir. Essa foi uma das melhores noites que tivemos debaixo da Deegan. Acho que Corrie queria nos ajudar. Aquele velho era feito de dinheiro. Ele cheirava mal, mas valia a pena.

Agora toda vez que pego um pedaço de alface no rango da cadeia, dou uma gargalhada.

A carcereira-chefe gosta de mim. Ela me levou ao escritório dela. Disse:
— Abra seu macacão, Henderson.
Abri e deixei meus peitos pendurados. Ela ficou simplesmente sentada na cadeira e não se mexeu, só fechou os olhos e começou a respirar pesado. Depois de um minuto, disse:
— Dispensada.

As moças têm uma hora diferente das fanchonas no chuveiro. Isso não faz diferença. Tem todo tipo de merda acontecendo nos chuveiros. Pensei que já tivesse visto tudo, mas às vezes parece uma casa de massagens. Alguém uma vez trouxe manteiga da cozinha. Já derretida. As carcereiras com seus cassetetes ficam todas molhadinhas. É ilegal mas às vezes elas trazem os guardas da prisão masculina. Não me importo de bater uma punheta neles só por um maço de cigarros. Você pode escutar os ooohs e ahhs quando eles gozam por ali. Mas eles não trepam nem estupram. Param por aí. Só olham e ficam com tesão, que nem a carcereira-chefe.
Tive um freguês britânico uma vez, e ele chamava a coisa de "vir me alegrar". "Ei, benzinho, quer vir me alegrar?" Eu gostava disso. Vou me alegrar também. Vou me enforcar nos canos do banheiro dos chuveiros e então vou me alegrar.
Me veja dançar pendurada no cano da alegria.

Uma vez escrevi uma carta pro Corrie e deixei no banheiro dele. Eu disse: *Eu realmente adoro você, John Andrew.* Essa foi a única vez que chamei ele pelo nome verdadeiro. Ele tinha me contado e dito que era um segredo. Disse que não gostava do nome — era o nome do pai, que era um imbecil irlandês.

"Leia o bilhete, Corrie", eu disse. Ele abriu. Corou. Era a coisa mais linda, ele corando. Me dava vontade de beliscar suas bochechas.

Ele disse "Obrigado", mas parecia Brigado, e ele acrescentou algo sobre como tinha que se portar bem com Deus, mas ele gostava de mim, ele disse que realmente gostava, mas tinha realmente uma coisa com Deus. Disse isso como se ele e Deus estivessem numa luta de boxe. Eu disse: "Vou ficar na coxia." Ele tocou meu pulso e disse: "Tillie, você é uma palhaça."

Onde estão minhas bebês? Uma coisa eu sei, eu enchia elas de açúcar. Dezoito meses e já chupavam pirulitos. Isso é ser uma péssima avó, se você me perguntar. Elas vão ter dentes ruins. Vou encontrar as duas no céu e elas vão ter aparelhos nos dentes.

Na primeira vez que fiquei com um cliente, eu fui e comprei um bolo de supermercado pra mim. Um bolo grande branco com cobertura. Enfiei o dedo nele e lambi. Dava pra sentir o cheiro do homem no meu dedo.

A primeira vez que mandei Jazzlyn pra rua eu também comprei um bolo de supermercado pra ela. Foodland especial. Só pra ela, pra fazer ela se sentir melhor. Quando ela chegou em casa, ele já tava na metade. Ela ficou parada lá no meio do quarto, lágrimas nos olhos:

— Você comeu a porra do meu bolo, Tillie.

E eu lá sentada com a cobertura por todo o rosto, dizendo:

— Não, não comi, Jazz, eu não, não mesmo.

Corrie sempre falava naquela merda de levar Jazz pra um castelo e tudo. Se eu tivesse um castelo eu baixava a ponte levadiça e deixava todo mundo sair. Eu desmoronei no enterro. Devia ter mantido a pose, mas não consegui. As bebês não foram lá. Por que elas não foram lá? Eu teria dado um braço pra ver as duas. Era tudo que eu queria. Alguém disse que elas tavam sendo cuidadas pelo serviço social, mas outra pessoa disse que tava tudo bem, disseram que as bebês ficavam com uma boa babá.

Essa sempre foi a coisa mais difícil. Conseguir uma babá pra gente poder ir pra rua. Às vezes, era Jean e, às vezes era Mandy, e às vezes Laticha, mas a melhor de todas seria nenhuma, sei disso.

Eu devia ter só ficado em casa e comido todos os bolos de supermercado até não poder nem levantar da cadeira.

Não sei quem é Deus, mas se eu me encontrasse com Ele em algum momento eu ia encostar Ele logo contra a parede até que Ele me dissesse a verdade.

Eu ia esbofetear Ele por ser estúpido, e empurrar Ele até Ele não poder escapar. Até Ele erguer os olhos pra mim e então eu conseguir que me diga por que Ele fez o que fez comigo e por que Ele fez com Corrie e por que faz todas as pessoas boas morrerem e onde Jazzlyn está agora e por que ela foi parar lá e como Ele me deixou fazer o que eu fiz com ela.

Ele vai chegar na Sua linda nuvem branca com todos os Seus anjinhos lindos batendo suas lindas asas brancas e eu vou pegar e dizer pra Ele, séria: "Por que caralhos você me deixou fazer o que eu fiz, Deus?"

E Ele vai abaixar os olhos e olhar pro chão e me responder. E se Ele disser que Jazz não está no céu, se Ele disser que ela não conseguiu chegar lá, Ele vai ganhar um chute no rabo. É isso que Ele vai ganhar.

Um chute no rabo como Ele jamais ganhou antes.

Eu não vou choramingar nem antes nem *depois*. Bom, acho que não vai haver mesmo nenhum choro depois. Se você pensar no mundo sem pessoas é mais ou menos a coisa mais perfeita que jamais existiu. É tudo equilibrado e toda essa merda. Mas então vêm as pessoas, e elas fodem com tudo. É como Aretha Franklin estar tocando no seu quarto e ela tá dando tudo que tem, tá cantando só pra você, está inspirada, esse é um pedido especial pra Tillie H., e então de repente Barry Manilow aparece por trás das cortinas.

No fim do mundo vai ter baratas e discos de Barry Manilow, era isso que Jazzlyn dizia. Ela também me fazia morrer de rir, minha Jazz.

Não foi culpa minha. A Peaches da C-49 veio pra cima de mim com um pedaço de cano. Ela acabou na enfermaria com quinze pontos nas costas. As pessoas acham que sou mole porque sou bonita.

Se você não quer que chova, não futuque as nuvens sobre a cabeça da Tillie H. Eu só acertei uma boa pancada nela. Não foi culpa minha.

A carcereira-chefe veio pra cima de mim. Disse que eu ia ter de ir pro norte. Ela disse:

— Vamos te mandar pro norte pros últimos meses de sua sentença.

Eu tipo:

— Como é que é?

Ela disse:

— Você me ouviu, Henderson, nada de xingamentos neste escritório.

Eu disse:

— Eu tiro tudo pra você, chefa, fico nua em pelo.

Ela gritou:

— Que ousadia! Não me insulte! Isso é nojento.

Eu disse:

— Por favor, não me manda pra lá. Quero ver minhas bebês.

Ela não disse nada e eu fiquei nervosa e disse alguma coisa não muito educada outra vez. Ela disse:

— Vá já pros quintos do inferno, fora daqui!

Eu fui pro lado dela da mesa. Eu ia só abrir meu macacão pra agradá-la, mas ela apertou o botão de pânico. Os merdas entraram. Eu não queria fazer o que fiz, eu não queria bater na cara dela, eu só dei um chute. Arranquei o dente da frente dela. Acho que não importa. Agora vou pro norte com certeza. Já estou no trem expresso.

A carcereira-chefe nem me arrebentou de pancada. Ficou estendida lá no chão por um momento e juro que ela quase sorriu, e aí ela disse:

— Tenho uma coisa realmente legal pra você, Henderson.

Eles me algemaram e me denunciaram, todos formais e tudo. Me puseram na van e autuaram e me levaram pra corte do Queens.

Eu me declarei culpada da agressão e eles me deram mais 18 meses. Isso é quase dois anos juntando tudo com o tempo cumprido. O advogado de defesa me disse que foi um bom acordo, eu podia ter pego três, quatro, cinco anos, até sete. Ele disse:

— Querida, aceite.

Odeio advogados. Ele era do tipo que anda com um bastão enfiado tão alto no cu que dava pra esticar uma bandeira em seu nariz. Disse que protestou com o juiz e tudo. Disse pro juiz: "É uma tragédia atrás da outra, Meritíssimo."

Eu disse pra ele que a única tragédia é que agora não vou ver minhas bebês. Por que minhas bebês não foram ao tribunal? É isso que eu quero saber. Gritei:

— Por que elas não estão aqui?

Eu esperava que alguém estivesse lá, aquela moça Lara ou alguém, mas não tinha absolutamente ninguém.

O juiz, ele era negro desta vez, ele deve ter estudado em Harvard ou coisa assim. Pensei que ele entenderia, mas às vezes os pretos podem ser piores com os pretos. Eu disse a ele:

— Meritíssimo, o senhor pode trazer minhas bebês? Eu só queria ver as duas uma vez.

Ele deu de ombros e disse que as meninas estavam em um bom lugar. Ele nunca nem uma vez me olhou na cara. Ele disse:

— Descreva exatamente o que aconteceu.

E eu disse:

— O que aconteceu é que eu tinha uma filha e ela também teve filhos.

E ele disse:

— Não, não, com a agressão.

E eu disse:

— Ah, quem se importa com a porra de uma agressão, caralho?? Que essa porra desse maldito Deus foda com isso e me foda e coma o seu cu e o cu da sua mulher.

Então o advogado fechou minha boca. O juiz olhou pra baixo pra mim por cima dos óculos e deu um suspiro. Disse alguma coisa sobre Booker T. Washington, mas eu não tava escutando muito bem. Finalmente, ele disse que havia um pedido específico de um supervisor do presídio pra me colocar em uma penitenciária no norte. Ele disse a palavra *penitenciária* como se estivesse sendo um cavalheiro comigo. Eu disse pra ele:

— E que se foda também seu papagaio, babaca de merda.

Aí ele bateu o martelo na mesa e ponto final.

Tentei arrancar os olhos deles. Tiveram que me segurar e me levaram pra ala do hospital. Então, no ônibus pra penitenciária tiveram que me segurar outra vez. Foi pior, eles não disseram que tavam me levando pra fora de Nova York. Eu fiquei gritando pelas bebês. No norte teria sido tranquilo, mas Connecticut? Não sou uma garota do interior. Eles fizeram uma psico-qualquer-coisa me ver e depois me deram um macacão amarelo. Com certeza você precisa de uma psico-qualquer-coisa se quiser usar um macacão amarelo.

Me levaram pro escritório e eu disse pra ela que eu tava realmente feliz por estar na suburbana Connecticut. Muito muito feliz. Eu disse que se ela me desse uma faca lhe mostraria o quanto eu tava feliz. Passava direto nos pulsos.

— Tranquem ela — disse a psico-qualquer-coisa.

Eles me deram pílulas. De cor laranja. Ficaram olhando eu engolir. Às vezes eu finjo e enfio uma delas no buraco do fundo dos meus dentes. Um dia vou pegar todas elas juntas como uma grande e deliciosa laranja, e então vou agarrar meu cano da alegria e dizer *sayonara*.

Eu nem sei o nome da minha companheira de cela. Ela é gorda e usa meias verdes. Contei pra ela que ia me enforcar e tudo o mais sobre o cano da alegria e ela disse: "Oh." Então uns minutos mais tarde, ela perguntou: "Quando?"

Suponho que aquela mulher branca, Lara, fez alguma coisa, ou alguém fez, de alguma maneira, em algum lugar. Desci pra sala de espera. As bebês! As bebês! As bebês!

Elas tavam lá sentadas no joelho de uma grande mulher negra, de luvas brancas compridas e uma bolsa vermelha da moda, com cara de quem tinha acabado de acordar na cama do Senhor.

Desci correndo direto pra parede de vidro e enfiei minhas mãos na abertura embaixo.

— Bebês! — eu disse. — Pequena Jazzlyn! Janice!

Elas não me reconheceram. Estavam sentadas no colo da mulher, chupando os dedões e olhando por cima do ombro dela. Tipo pra partir meu coração. Ficaram se aconchegando no peito dela, sorrindo. Eu fiquei dizendo:

— Venham com a vovó, venham com a vovó, me deixem pegar nas suas mãozinhas.

É só isso que você pode fazer pela abertura no vidro — elas têm alguns centímetros e você pode pegar nas mãos de alguém. É cruel. Eu só queria abraçá-las. Mas elas não se mexiam — talvez fosse a roupa da cadeia, não sei. A mulher tinha um sotaque do sul, mas eu conhecia o rosto dela do conjunto habitacional, eu tinha visto ela antes. Sempre havia pensado que era uma quadradona, costumava ficar no elevador e se virar. Ela disse que tinha ficado com muitas dúvidas se devia ou não trazer as meninas, mas ouviu falar que eu realmente queria muito ver as duas e elas agora moravam em Poughkeepsie numa casa legal com uma cerca legal e não era muito longe. Ela estava cuidando delas havia um tempo já, teve de passar pelo Departamento de Bem-Estar das Crianças, elas tiveram que ficar uns dias no Lar dos Marinheiros ou algo assim, mas agora estavam sendo bem cuidadas, ela me disse, não se preocupe.

— Venham com a vovó — eu disse outra vez.

A pequena Jazzlyn virou o rosto pro ombro da mulher. Janice tava chupando o dedão. Reparei que os pescoços delas foram bem lavados. As unhas também pareciam perfeitas e redondas.

— Sinto muito — disse ela. — Acho que as duas estão só com vergonha.

— Elas parecem bem — eu disse.

— Estão comendo comida saudável.

— Não dê muita merda pra elas comerem — eu disse.

Ela me olhou um segundo por baixo das sobrancelhas, mas ela era legal, ela era. Não ia dizer nada sobre meu palavrão. Gostei dela por isso. Ela não era uma metida, não ficava julgando nada.

Ficamos sem falar nada um tempinho e então ela disse que as meninas tinham um lindo quarto numa casinha numa rua tranquila, muito mais tranquila que no conjunto, ela pintou os rodapés pra elas, colocaram papel de parede com sombrinhas.

— De que cor?

— Vermelha — ela disse.

— Legal — eu disse, porque não queria que elas tivessem nenhuma sombrinha cor-de-rosa. — Venha com a Tillie e pegue na minha mão — eu disse outra vez, mas as bebês não despregaram do colo dela nenhuma vez. Eu pedi e pedi mas quanto mais eu pedia, mais elas se viravam pra mulher. Suponho que talvez o xadrez amedrontasse as duas, os guardas e tudo.

A mulher deu um sorriso que apertou um pouco seu rosto e disse que era hora delas irem andando. Eu não tinha certeza se a odiava ou não. Às vezes minha mente oscila entre o bem e o mal. E eu queria me abaixar e quebrar o vidro e agarrar o cabelo encarapinhado dela, mas por outro lado ela tava cuidando das minhas bebês, elas não viviam em nenhum orfanato horrível, morrendo de fome, e eu queria beijar a mulher por não encher as duas de pirulitos e apodrecer os dentes delas.

Quando a campainha tocou ela segurou as bebês em minha direção pra elas me beijarem através do vidro. Eu não acho que alguma vez vá esquecer o cheiro delas entrando pela pequena fenda embaixo no vidro, tão delicioso. Estendi meu dedinho e a pequena Janice o tocou. Foi como uma mágica. Pus meu rosto outra vez contra o vidro. Elas cheiravam como bebês de verdade, tipo talco e leite e tudo.

Quando eu tava voltando pro pátio da cadeia, eu senti como se alguém tivesse vindo e arrancado meu coração, depois tivesse deixado ele andando na minha frente. Foi isso que eu pensei — aí está meu coração indo bem na minha frente, todo por conta própria, escorregando no sangue.

Chorei a noite toda. Não senti vergonha. Eu não quero que elas trabalhem na rua. Por que eu fiz o que fiz com Jazzlyn? Isso é o que eu quero saber. Por que eu fiz o que fiz?

O que eu odiava mais: ficar parada debaixo da Deegan entre todas aquelas manchas de merda de pombo no chão. Só olhando pra baixo e vendo as manchas como se fossem meu tapete. Eu odiava pra cacete aquilo. Não quero que as bebês vejam isso.

Corrie dizia que há mil razões pra viver esta vida, cada uma delas boa, mas acho que agora isso não adiantou nada pra ele, adiantou?

Minha colega de cela me dedou. Disse que tava preocupada comigo. Mas eu não preciso de nenhuma psico-qualquer-coisa da cadeia vir me dizer que eu não vou continuar viva se deixar meus pés pendurados no ar. Eles pagam por essa merda? Errei de profissão. Podia ter ficado milionária.

Aqui está Tillie Henderson com seu chapéu de psico-qualquer-coisa. Você foi uma péssima mãe, Tillie, e é uma avó de merda. Sua própria mãe também foi uma merda. Agora me dê 100 paus, obrigada, muito bem, o próximo da fila, por favor, não, eu não recebo cheques, só dinheiro vivo, por favor.

Você é maníaco-depressiva e você é maníaco-depressiva também e você, você é definitivamente maníaco-depressiva, garota. E você, ali no canto, você é só uma porra de uma depressiva fodida.

Eu queria ter uma sombrinha no dia que eu for embora. Eu ia me pendurar no cano da alegria e ficar toda linda por baixo.
    Vou fazer isso pelas meninas. Elas não precisam de ninguém como eu. Elas não precisam ir pra rua. Elas vão ficar melhor assim.
    Cano da alegria, aqui vou eu.
    Por baixo, vou ficar parecida com Mary Poppins balançando.

Eles têm esses encontros religiosos que acontecem na Portaria. Fui lá hoje de manhã. Estava falando com o capelão sobre Rumi e essa merda, mas ele tipo, "Isso não é espiritual, isso é poesia". Deus Que Se foda. Que Se foda. Que Se foda de lado e por trás e de todo jeito. Ele não vai vir por mim. Não existe nenhum arbusto queimando nem nenhum pilar de luz. Não me fale da luz. Ela não é nada mais do que um brilho na ponta de uma lâmpada de rua.
    Sinto, Corrie, mas Deus merece um chute no rabo Dele.

Uma das últimas coisas que vi Jazz fazer, ela gritou e deixou o chaveiro cair na porta do camburão. Ele foi retinir no chão e nós vimos Corrigan vindo pela rua pisando duro. Seu rosto todo vermelho. Gritando com os tiras. A vida era bem boa na época. Devo dizer que esse foi um dos bons momentos — não é estranho? Lembro disso como ontem, sendo presa.

Não existe isso de voltar pra casa. Esta é a lei da vida pelo que posso ver. Aposto que eles não têm nenhum Sherry-Netherlands no paraíso. O Sherry-Terra-do-Nunca.

Uma vez dei um banho na Jazzlyn. Ela tava com poucas semanas de vida. Pele brilhando. Olhei pra ela e pensei que ela havia parido a palavra *linda*. Eu a embrulhei numa toalha e prometi que ela nunca iria trabalhar na rua.

Às vezes quero apunhalar meu coração com um salto alto. Eu via os homens com ela quando ela já tava toda crescida. E eu dizia pra mim mesma: Ei, essa que você está comendo é a minha filha. Essa é a minha menina, essa aí em quem você está metendo no banco da frente. Essa é o meu sangue.

Eu era viciada na época. Acho que sempre fui. Isso não é desculpa.

Não sei se o mundo alguma vez vai me perdoar pelo mal que botei no caminho dela. Mas não vou botar o mal no caminho das minhas bebês, eu não.

Esta é a casa que o Cavalo montou.

Eu diria tchau, só que não sei pra quem dizer. Não estou me queixando. Esta é só a porra da verdade. Deus merece um chute no rabo Dele.

Aqui vou eu, Jazzlyn, sou eu.

Estou com um soco-inglês na meia.

FOTO: © FERNANDO YUNQUÉ MARCANO

AS TRILHAS RUIDOSAS DA MUDANÇA

A̲ntes da travessia, ele ia para a Washington Square Park fazer performances. A praça marcava o começo do lado perigoso da cidade. Ele queria o burburinho, preencher o corpo com um pouco de tensão, estar completamente em sintonia com a sujeira e o bramido. Amarrava sua corda do lado nervurado de um poste de luz ao outro. Apresentava-se para os turistas, caminhando por sobre a corda com sua cartola. Puro teatro. O balanço e a queda falsa. Desafiando a gravidade. Ele podia se inclinar em um ângulo e ainda voltar à posição de pé. Equilibrava uma sombrinha no nariz. Jogava uma moeda no ar com o dedão do pé: ela aterrissava perfeitamente na parte superior de sua cabeça. Saltos-mortais para a frente e para trás. Bananeiras. Fazia malabarismos com pinos e bolas e tochas flamejantes. Inventava uma brincadeira parecida com Slinky, o brinquedo de mola — era como se o brinquedo de metal se desenrolasse por todo seu corpo. Os turistas ficavam absorvidos. Jogavam moedas em um chapéu para ele. Na maior parte das vezes eram moedas de 10 e cinco centavos, mas às vezes ganhava 1 dólar, ou até 5. Por 10 dólares, ele pulava no chão, tirava o chapéu, se curvava, dava um salto-mortal para trás.

No primeiro dia os traficantes e drogados ficaram rondando perto do seu show. Viram o quanto ele estava ganhando. Ele enfiou tudo nos bolsos das roupas, mas sabia que eles viriam atrás. No truque final ele agarrou o resto do seu dinheiro, pôs o chapéu na cabeça, andou com um uniciclo sobre a corda e simplesmente pedalou para fora, pela descida de três metros até o chão e atravessou a praça, em direção a Washington Place. Acenou por cima dos ombros. Voltou no dia seguinte atrás da corda — mas os traficantes tinham gostado do truque o suficiente para deixá-lo ficar, e os turistas que ele atraía eram alvos fáceis.

Ele alugou um apartamento de água-furtada em St. Marks Place. Uma noite, esticou uma corda simples do seu quarto à saída de incêndio de uma japonesa do lado oposto: ela acendera velas para ele na grade. Ficou lá oito horas, e quando saiu viu que alguns moleques tinham jogado sapatos na corda, um costume da cidade, os cadarços amarrados juntos. Ele engatinhou pela corda, que tinha ficado solta e perigosa, mas ainda esticada o bastante para sustentá-lo, e voltou para sua janela. Viu imediatamente que o lugar tinha sido saqueado. Tudo. Até suas roupas. Todo o dinheiro dos bolsos de suas calças também tinha sido levado. Ele nunca mais viu a japonesa; quando olhou para o outro lado as velas tinham desaparecido. Nunca ninguém o roubara antes.

Esta era a cidade para a qual ele se arrastara — ficou surpreso ao descobrir que havia asperezas abaixo de sua própria aspereza.

Às vezes, era contratado para festas. Precisava do dinheiro. Havia tantas despesas e suas economias tinham sido roubadas. O próprio cabo custava mil dólares. E ainda havia os cabrestantes, as falsas identidades, a vara de equilíbrio, as manobras elaboradas para levar tudo até o telhado. Ele faria qualquer coisa para juntar o dinheiro, mas as festas eram terríveis. Era contratado como mágico, mas dizia aos anfitriões que não podia garantir nada. Eles tinham que pagá-lo, mas ainda assim ele podia ficar lá só sentado a noite toda. A tensão funcionava. Ele se tornou um participante regular de festas. Comprou um smoking e uma gravata-borboleta e uma faixa de cetim.

Apresentava-se como um belga negociante de armas, ou um avaliador da Sotheby's, ou um jóquei que havia participado do Kentucky Derby. Sentia-se confortável com os papéis. De qualquer maneira, o único lugar onde ele era completamente ele mesmo era no alto de uma corda. Puxava uma comprida fieira de aspargos do guardanapo do vizinho. Encontrava uma rolha de vinho atrás da orelha do anfitrião, ou puxava um lenço interminável do bolsinho do colete de um homem. No meio da sobremesa, podia girar um garfo no ar, fazendo-o aterrissar em seu nariz. Ou balançava para trás na cadeira até ficar sentado em apenas uma perna, fingindo estar tão bêbado que atingira um nirvana de equilíbrio. Os convidados se entusiasmavam. Cochichos passavam pelas mesas. Mulheres se aproximavam mostrando os decotes. Homens timidamente tocavam seu joelho. Ele desaparecia das festas por uma janela, ou pela porta do fundo, ou disfarçado de ajudante do bufê, uma bandeja de *hors d'oeuvres* fresquinhos sobre a cabeça.

Em uma festa no número 1.040 da Fifth Avenue ele anunciou, no começo do jantar, que diria, no final da noite, as datas exatas do nascimento de cada homem na sala. Os convidados ficaram encantados. Uma senhora que estava usando uma tiara cintilante inclinou-se toda para ele. *Então, por que não também das mulheres?* Ele se esquivou. *Porque é indelicado dizer a idade de uma dama.* Já havia conquistado metade da sala. Não disse mais nada a noite toda: nem uma única palavra. *Vamos,* os homens diziam, *diga nossa idade.* Ele olhava para os convidados, trocava de lugar, examinava cuidadosamente os homens, até passava os dedos pelo contorno de seus cabelos. Franzia a testa e balançava a cabeça, como se desconcertado. Quando veio o *sorbet*, ele subiu enfastiado no meio da mesa, apontou para cada hóspede um por um e falou rapidamente as datas de nascimento de todos na sala, exceto um. 29 de janeiro de 1947. 16 de novembro de 1898. 7 de julho de 1903. 15 de março de 1937. 5 de setembro de 1940. 2 de julho de 1935.

As mulheres aplaudiram e os homens ficaram sentados, atônitos.

O único homem que não tinha sido citado, sentado presunçoso em sua cadeira, disse: *Sim, mas e quanto a mim?* O equilibrista da corda bamba agitou rapidamente a mão no ar: *Ninguém quer saber a data em que você nasceu.*

A sala explodiu em gargalhadas e o equilibrista se inclinou sobre as mulheres à mesa e, uma a uma, retirou a carteira de motorista dos esposos de suas bolsas, dos guardanapos, de baixo dos seus pratos, e de uma de entre seus seios. Em cada carteira, a data exata de nascimento. O único homem que não tinha sido indicado recostou-se na cadeira e anunciou para a mesa que nunca levava sua carteira, nunca levaria: nunca seria pego. Silêncio. O equilibrista da corda bamba desceu da mesa, enrolou o lenço no pescoço e disse para o homem enquanto saía da sala: 28 de fevereiro de 1935.

O rosto do homem ficou ruborizado enquanto a mesa aplaudia, e a esposa do homem dava uma meia piscadela para o equilibrista que desaparecia pela porta.

HAVIA UMA ARROGÂNCIA nisso, ele sabia, mas na corda bamba a arrogância virava sobrevivência. Era o único momento em que ele podia se soltar completamente. Às vezes pensava em si mesmo como um homem que queria se odiar. Livre-se desse pé. Desses dedos. Dessa panturrilha. Encontre o lugar da imobilidade. Tanto disso tinha a ver com a velha cura do esquecimento. Tornar-se anônimo para si mesmo, ter seu próprio corpo absorvendo-o. E no entanto havia realidades sobrepostas: também queria que sua mente estivesse naquele lugar onde seu corpo estava à vontade.

Era tão parecido com fazer sexo com o vento. O vento complicava as coisas e soprava e gentilmente separava-se e deslizava de volta em torno dele. A corda tinha também algo a ver com a dor: sempre estaria lá, saliente sob seus pés, o peso da barra, a secura em sua garganta, o latejar de seus braços, mas a alegria amenizada a dor de tal maneira que ela já não importava. A mesma coisa também com sua respiração. Queria que sua respiração entrasse na corda para que ele não fosse nada. Essa sensação de perder a si mesmo. Cada nervo. Cada cutícula. Ele atingiu isso nas torres. A lógica se soltou. Era o ponto onde não havia tempo. O vento estava soprando e seu corpo já poderia ter experimentado isso anos antes.

Ele estava mergulhado em sua travessia quando o helicóptero da polícia veio. Outro pequeno inseto no ar, mas não o perturbou. Juntos os dois helicópteros soavam como estalidos de ligamentos. Ele estava completamente seguro de que não seriam tão estúpidos a ponto de tentar se aproximar. Espantava-o como as sirenes podiam dominar todos os outros sons; pareciam drená-los para cima. E agora havia dúzias de policiais no telhado, gritando para ele, correndo de um lado para o outro. Um deles estava se inclinando para fora ao lado das colunas da torre sul, seguro por um equipamento de segurança azul, sem chapéu, seu corpo inclinado para fora, chamando-o de filho da mãe, que era melhor ele sair da porra daquele cabo imediatamente, porra, antes que ele mandasse o filho da mãe do helicóptero arrancá-lo da porra daquele cabo, está me escutando, porra, imediatamente!, agora! — e o equilibrista pensou: "Que língua estranha." Riu e se virou no cabo e havia policiais também do lado oposto, esses mais quietos, inclinando-se sobre seus walkie-talkies, e ele teve certeza de escutar o estalido deles, e não queria desafiá-los mas queria continuar: talvez nunca mais caminhasse assim outra vez.

Os gritos, as sirenes, os sons surdos da cidade. Ele os deixou virarem um zumbido branco. Procurou seu último silêncio e o encontrou: e ficou lá, no exato meio do cabo, a 33 metros de cada torre, olhos fechados, corpo parado, sem o cabo. Inspirou o ar da cidade em seus pulmões.

Alguém em um megafone gritava agora para ele:

— O helicóptero será acionado, estamos enviando o helicóptero. Saia daí!
O equilibrista sorriu.
— Saia daí agora!
Ele se perguntou se era disso que se tratava o momento da morte, o barulho do mundo e então o sossego distante.
Compreendeu que havia pensado apenas no primeiro passo, nunca imaginara o último. Precisava de um floreio. Virou-se para o megafone e esperou um momento. Deixou a cabeça cair como se concordasse. Sim, ele estava saindo. Ergueu sua perna. A forma escura de seu corpo exibindo-se para as pessoas embaixo. Perna esticada no alto para mais drama. Colocou o lado de seu pé no cabo. O passo do pato. E depois o pé seguinte e o seguinte e depois o seguinte até ser pura maquinaria e então ele correu — tão rapidamente quanto jamais correra em um cabo alto — usando o centro das solas dos pés para se firmar, os dedos de lado, a vara de equilíbrio firme a sua frente, foi do meio do cabo até a saliência da beirada.
O policial precisava dar um passo atrás para agarrá-lo. O equilibrista correu para seus braços.
— Filho da mãe — disse o policial, mas com um sorriso.
Anos depois ele ainda estaria lá no alto: escorregadio, pés de aranha, ágil. Aconteceria em momentos estranhos, ao dirigir em uma rodovia, ou fechar a janela da cabine com tábuas antes de uma tempestade, ou caminhar pelos campos de mato alto em volta do pântano cada vez menor em Montana. Em pleno ar outra vez, o cabo entre seus pés. Atravessado pelo vento. Um sentido súbito da altura. A cidade abaixo dele. Podia estar com qualquer humor ou em qualquer lugar e, sem que fosse conjurado, retornava. Podia estar simplesmente tirando um prego de seu cinto de carpinteiro para martelá-lo em um pedaço de madeira, ou se abaixando para abrir o porta-luvas do carro, ou colocando um copo debaixo de uma corrente de água, ou fazendo um truque de cartas em uma festa de amigos, e de repente seu corpo se drenava de tudo, exceto o fluxo sanguíneo de um único passo. Era como uma fotografia que seu corpo havia tirado, e o álbum tivesse sido aberto outra vez sob seus olhos, depois outra vez fechado. Às vezes era a amplitude da cidade que ele via, as alamedas de luz, o cravo antigo da ponte do Brooklyn, o bojo cinza achatado da fumaça sobre Nova Jersey, a rápida interrupção de um pombo fazendo o voo parecer tão fácil, os táxis abaixo. Nunca se via em algum perigo ou risco, portanto não retornava ao momento em que se deitou no cabo, ou quando deu o pulo, ou meio que correu entre a torre do norte e a do sul. Na

verdade, eram os passos ordinários que o revisitavam, os que foram dados sem refletir. Esses eram os que pareciam completamente verdadeiros, que não se esquivavam em sua memória.

Depois de tudo, ele ficou imediatamente sedento. Tudo que queria era água e que eles recolhessem o cabo; era perigoso deixá-lo ali. Disse: "Vocês precisam tirar o cabo." Eles acharam que ele estivesse brincando. Eles não tinham noção. O cabo podia se esticar ao vento, bater, cortar a cabeça de um homem. Eles o empurraram para o meio do telhado. "Por favor", ele pediu. Viu um homem dar um passo em direção ao cabrestante para soltá-lo, afrouxar a tensão. Sentiu um enorme alívio e cansaço, fazendo-o voltar para sua vida outra vez.

Quando emergiu das torres, algemado, os espectadores deram vivas. Ele ia flanqueado por policiais, repórteres, câmeras, homens sisudos de ternos. Os flashes espocaram.

Pegou um clipe de papel no posto de comando do World Trade Center e foi muito fácil abrir as algemas: elas estalaram com um pouco de pressão lateral. Ele sacudiu as mãos enquanto caminhava, depois as levantou em um viva. Antes que os policiais compreendessem o que havia feito, ele fechou as algemas outra vez, atrás das costas.

— Espertinho — disse um policial, um sargento, pegando o clipe de papel em seu bolso. Mas havia admiração na voz do sargento: o clipe de papel seria para sempre uma história.

O equilibrista passou pelo corredor polonês atravessando a praça. O carro-patrulha estava esperando no final das escadas. Era estranho revisitar outra vez o mundo: o bater dos passos, o chamado do homem dos cachorros-quentes, a campainha de um telefone público soando à distância.

Ele parou e se virou para olhar as torres. Ainda podia ver o cabo: estava sendo puxado, devagar, com cuidado, preso em uma corrente, em uma corda, em uma linha de anzol. Era como observar uma Tela Mágica de uma criança vendo o céu se limpar: a linha desaparecia pixel a pixel. No final, não haveria nada ali, só a brisa.

Eles estavam se juntando a sua volta, gritando para saber seu nome, seus motivos, pedindo seu autógrafo. Ele ficou parado, olhando para o alto, imaginando como as pessoas o teriam visto: que linha do céu havia sido interrompida para eles. Um repórter de chapéu branco achatado gritou: "Por quê?" Mas a palavra não fazia sentido para ele. Não gostava da ideia de por quê. As torres estavam lá. Isso era o suficiente. Ele quis perguntar ao repórter por que ele estava lhe perguntando por quê. Um versinho infantil passou por sua cabeça, um embaralhado de porquês, adeus, adeus, adeus.

Sentiu um empurrão gentil nas costas e um puxão no braço. Afastou os olhos das torres e foi guiado para o carro. O policial pôs a mão no alto de sua cabeça: "Para dentro, amigo." Ele foi abaixado para os assentos duros de couro, algemado.

Os fotógrafos colocaram suas lentes na janela do carro. Uma erupção de luzes contra o vidro. Por um breve instante, o cegaram. Ele virou o rosto para o outro lado do carro. Mais câmeras. Olhou para a frente.

As sirenes foram ligadas.

Tudo era vermelho e azul e gemia.

LIVRO TRÊS

PARTE DAS PARTES

A encenação começou pouco depois do almoço. Seus colegas — juízes, meirinhos, escrivães, e mesmo as estenógrafas — já falavam no assunto, como se fosse outra daquelas coisas que só aconteciam na cidade. Um daqueles dias inesperados que davam sentido à modorra dos dias comuns. Nova York tinha a receita. De vez em quando a cidade se revelava. Ela surpreendia com uma imagem, ou um dia, ou um crime, ou um terror, ou uma beleza tão difícil de apreender que só restava balançar a cabeça em sinal de incredulidade.

Ele tinha uma teoria sobre o fato. Isso acontecia e tornava a acontecer porque Nova York era uma cidade sem interesse pela história. Coisas estranhas aconteciam precisamente porque não havia a consideração necessária com o passado. A cidade vivia em uma espécie de presente constante. Não tinha necessidade de acreditar em si mesma como uma Londres, ou uma Atenas, ou mesmo uma contadora de vantagens do Novo Mundo, como uma Sydney, ou uma Los Angeles. Não, a cidade não poderia se importar menos com a sua posição. Ele vira uma vez uma camiseta que dizia: NOVA YORK: CIDADE DO CARALHO. Como se fosse o único lugar que existia e o único que sempre existiria.

Nova York continuava seguindo em frente justamente porque não dava a mínima para o que tinha deixado para trás. Era como a cidade que Ló abandonou, e se dissolveria se alguma vez começasse a olhar para trás. Duas estátuas de sal. Long Island e Nova Jersey.

Ele havia dito muitas vezes à sua esposa que o passado desaparecia na cidade. Era por isso que não havia muitos monumentos por ali. Não era como Londres, onde em cada esquina havia uma figura histórica esculpida em pedra, um memorial de guerra aqui, o busto de um líder acolá. Na verdade, ele só podia identificar umas poucas verdadeiras estátuas pela cidade de Nova York — a maioria delas no Central Park, ao longo da Literary Walk, e seja como for, quem nesse mundo vai ao Central Park hoje em dia? Um homem precisava de uma falange de tanques só para passar por Sir Walter Scott. Em outras esquinas famosas, Broadway ou Wall Street ou ao redor da Gracie Square, ninguém sentia vontade de reivindicar a história. Por que se incomodar? Não dá para comer uma estátua. Não dá para trepar com um monumento. Não dá para tirar um milhão de dólares de uma peça de bronze.

Mesmo ali, na Centre Street, não havia muitas homenagens públicas para si próprios. Nenhuma estátua da Justiça de olhos vendados. Nenhum Grande Pensador com vestes enrolando os corpos. Nenhum Não Escute o Mal, Não Veja o Mal, Não Fale o Mal esculpido no alto das colunas de granito dos tribunais.

Esta foi uma coisa que fez o juiz Soderberg pensar que o homem da corda bamba fora uma sacada tão genial. Um monumento em si mesmo. Ele fizera de si mesmo uma estátua, e a estátua perfeita para Nova York, temporária, nas alturas, pairando sobre a cidade. Uma estátua que não tinha consideração para com o passado. Ele subira no World Trade Center e lançara sua corda entre as duas torres mais altas do mundo. As Torres Gêmeas. Dentre todos os lugares. Tão ousado. Tão frágil. Tão visionário. Claro, os Rockefellers haviam derrubado algumas casas de estilo grego e algumas casas de tijolo clássicas para dar lugar às torres — o que havia chateado Claire quando ela leu a respeito —, mas foram sobretudo lojas de artigos eletrônicos e casas de penhores baratas onde homens de lábios afiados vendiam tudo que havia de inútil sob o sol, descascadores de cenouras, rádios com lanternas e globos de neve musicais. No lugar dos trapaceiros, a Port Authority tinha erguido dois faróis altaneiros que atingiam as nuvens. O vidro refletia o céu, a noite, as cores: progresso, beleza, capitalismo.

Soderberg não era de ficar por aí desvalorizando o que tinha passado. A cidade era maior do que seus edifícios, maior também do que seus habitantes. Tinha suas próprias nuances. Aceitava o que quer encontrasse em seu caminho, o crime e a violência e as pequenas demonstrações de bondade que se destacavam da superfície do cotidiano.

Ele imaginou que o equilibrista deveria ter pensado muito nisso de antemão. Não era apenas um passeio extemporâneo. Ele estava fazendo uma declaração com seu corpo e, se caísse, bem, cairia — mas, se sobrevivesse, se tornaria um monumento, não esculpido em pedra ou forjado em bronze, mas um daqueles monumentos de Nova York que faz você dizer: *Dá pra acreditar?* Com um palavrão. Sempre haveria um palavrão em uma frase em Nova York. Mesmo vinda de um juiz. Soderberg não era chegado ao linguajar baixo, mas reconhecia seu valor no momento certo. Um homem em uma corda bamba, a 110 andares acima, dá pra acreditar numa porra dessa?

O PRÓPRIO SODERBERG HAVIA perdido o espetáculo. Irritava-o pensar nisso mas havia perdido, por questão de minutos, segundos, até. Havia tomado um táxi para o centro. O motorista era um negro mal-humorado com música alta saindo dos alto-falantes. Um cheiro de maconha no táxi. Irritante, realmente, como não se conseguia mais pegar um táxi limpo e decente. Música rastafári a todo volume. O motorista deixou-o atrás do número 100 da Centre Street. Ele passou pelo escritório da Promotoria, parou na porta fechada reforçada nos lados com metal, uma entrada usada apenas pelos juízes, a única concessão que tinham, planejada para que não tivessem que se misturar com os visitantes na porta da frente. Não era uma entrada furtiva, nem mesmo um tipo de privilégio. Eles precisavam ter uma entrada própria, caso algum idiota decidisse resolver as coisas com as próprias mãos. Ainda assim, ela o animava: uma passagem secreta para a casa da justiça.

Na porta, deu uma olhadela por cima dos ombros. Nos andares superiores do prédio vizinho reparou que algumas pessoas se inclinavam nas janelas, olhando em direção oeste, apontando, mas ele as ignorou, supondo que era uma batida de carros ou outra altercação matutina. Destrancou a porta de metal. Se tivesse apenas se virado, prestado atenção, poderia ter ido até lá em cima e visto tudo se mostrando à distância. Mas ele se fechou, apertou o botão do elevador, esperou a porta se abrir como um acordeão e subiu para o quarto andar.

Passou pelo corredor com seus sapatos pretos simples de todos os dias. As paredes escuras com um profundo cheiro de fungos. O rangido de seus sapatos ecoou no silêncio. O lugar tinha saudades do verão. Seu escritório era uma sala de teto alto no fundo do corredor. Quando ele se tornou juiz teve que dividir espaço em uma pequena caixa enfarruscada que não servia sequer para um engraxate. Ficara atônito ao ver como ele e seus colegas eram tratados. Havia cocô de rato nas gavetas da escrivaninha. As paredes precisavam desesperadamente de pintura. Baratas se empoleiravam e se agitavam na beira dos peitoris das janelas, como se também elas só quisessem sair dali. Mas cinco anos tinham transcorrido e ele havia passado de gabinete em gabinete. O dele era agora uma câmara mais nobre, e ele era tratado com módico respeito. Escrivaninha de mogno. Tinteiros de vidro esculpido. Fotos emolduradas de Claire e Joshua no litoral da Flórida. Um lingote magnetizado segurando seus clipes. A bandeira americana em um mastro atrás dele, perto da janela, de maneira que às vezes tremulava com a brisa. Não era o escritório mais luxuoso do mundo, mas era suficiente. Além disso, ele não era homem de fazer reclamações frívolas: mantinha a pólvora seca para quando precisasse dela.

Claire havia comprado para ele uma cadeira giratória novinha, de couro, com um bom estofamento, e ele curtia esse momento, a primeira coisa toda manhã, quando se sentava e girava. Em suas estantes havia fileiras e fileiras de livros. A Jurisprudência da Divisão de Recursos, a Jurisprudência da Corte de Recursos, os "New York Supplements". Tudo de Wallace Stevens, autografado e arrumado em uma fileira especial. O livro do ano de Yale. Na parede leste, cópias de seus diplomas. E o cartum da *New Yorker* com uma moldura elegante perto da porta — Moisés na montanha com os Dez Mandamentos, e dois advogados espiando na multidão: *Estamos com sorte, Sam, nenhuma palavra sobre retroatividade.*

Ele ligou a cafeteira, abriu o *New York Times* na escrivaninha, despejou alguns pacotinhos de creme. Sirenes lá fora. Sempre as sirenes: elas eram as sombras dos fatos de seu dia.

Estava na metade da seção de negócios quando a porta rangeu e outra cabeça reluzente espiou em volta. Não era nada justo, mas boa parte da justiça era careca. Não era apenas uma tendência, mas um fato. Juntos eles eram uma equipe de garotos com carecas brilhantes. Tinha sido um tormento fantasmal desde os primeiros dias, todos eles lentamente recuando: os folículos não são abundantes entre os oráculos.

— Bom-dia, meu velho.

O rosto largo do juiz Pollack estava corado. Seus olhos eram como pequenos anéis reluzentes de metal. Havia alguma coisa nele que lembrava uma cabeça de martelo. Estava falando sobre um cara que tinha esticado uma corda entre as torres. Soderberg primeiro pensou que tinha sido um suicídio, um pulo de uma corda suspensa em uma grua ou algo assim. Tudo que fez foi assentir, virar o jornal, tudo Watergate, e onde estava o pequeno Holandês quando se precisa dele? Fez uma gozação apimentada sobre G. Gordon Liddy ter colocado o dedo no buraco errado dessa vez, mas isso passou zunindo por Pollack, que tinha um pedacinho de cream cheese na frente da toga preta e um pouco de saliva saindo da boca. Ataque aéreo. Soderberg sentou-se ereto na cadeira. Estava prestes a mencionar os restos do café da manhã quando escutou Pollack, mencionar uma vara de equilíbrio e uma corda bamba, e a ficha caiu.

— Como é que é?

O homem sobre quem Pollack estava falando tinha realmente *caminhado* entre as torres. Não apenas isso, mas tinha se deitado no cabo. Tinha dado pulos. Tinha dançado. Tinha praticamente corrido de um lado para o outro.

Soderberg girou a cadeira, um meio giro decidido, suspendeu as persianas e tentou olhar pelo espaço. Pegava a beirada da torre norte, mas o resto da vista ficava obstruída.

— Você perdeu — disse Pollack. — Ele já terminou.
— Oficial, foi?
— Perdão?
— Sancionado? Anunciado?
— Claro que não. O cara invadiu durante a noite. Jogou o cabo para o outro lado e caminhou. Nós ficamos vendo do andar de cima. Os seguranças nos avisaram.
— Ele invadiu o World Trade Center?
— Um maluco, eu diria. Você não? Mande-o para Bellevue.
— Como ele conseguiu jogar o cabo para o outro lado?
— Não tenho ideia.
— Preso? Ele foi preso?
— Claro — disse Pollack com uma risadinha.
— Em que distrito?
— Primeiro, meu velho. Adivinha quem vai pegá-lo?
— Hoje estou com as fianças.

— Sorte sua — disse Pollack. — Violação de propriedade alheia.
— Exposição ao perigo.
— Autoexaltação — disse Pollack com uma piscadela.
— Isso vai animar o dia.
— Dar trabalho para os flashs.
— É preciso certa *garra*.

Soderberg não estava muito certo se a palavra garra era outra maneira de dizer coragem ou estupidez. Pollack lhe deu uma piscadela e um aceno senatorial e fechou a porta com uma batida forte.

— Coragem — Soderberg disse para a porta fechada.

Mas isso iria realmente animar o dia, pensou. O verão tinha sido tão quente e grave e cheio de mortes e traições e punhaladas, e ele precisava de um pouco de diversão.

Havia apenas dois tribunais para audiência de fiança e assim Soderberg tinha cinquenta por cento de chance de pegar o caso. Teria de chegar a tempo. Era possível que eles pudessem empurrar o equilibrista rapidamente pelo sistema — se achassem que daria muita notícia, poderiam fazer qualquer coisa que quisessem. Poderiam enquadrá-lo em questão de horas. Fichado, interrogado, indagado se precisaria de um defensor público, mandado para Albany e todo o resto. Acusado de contravenção. Talvez ele e alguns cúmplices. O que o fez pensar: Como diabos o equilibrista conseguiu colocar o cabo de um lado para o outro? Com certeza a corda bamba era um cabo de aço. Como ele conseguiu atravessá-lo para o outro lado? Não podia ser uma corda, certo? Uma corda jamais sustentaria um homem naquela distância. Como então ele conseguiu cruzá-la de um lado para o outro? Helicóptero? Guindaste? Por uma das janelas, de alguma maneira? Deixou a corda bamba cair e depois a puxou para o outro lado? Soderberg sentiu um estremecimento de prazer. De vez em quando aparecia um bom caso para animar o dia. Um pouco de tempero. Algo que seria comentado nos bastidores da cidade. Mas e se ele não pegasse o caso? E se desse uma voltinha por ali? Talvez pudesse ter uma palavrinha com o promotor-chefe e os funcionários do tribunal, estritamente em segredo, claro. Havia um sistema de favores correndo nos tribunais. *Passe-me o equilibrista e fico te devendo uma.*

Ele apoiou os pés na escrivaninha, tomou seu café e avaliou a pulsação do dia com a perspectiva de um julgamento que não fosse, desta vez, só puro trabalho.

A maioria dos dias, ele tinha de admitir, era medonha. A maré chegava, a maré voltava. E largava seus detritos. Ele já não se incomodava de usar a palavra *escória*. Houve um tempo que não teria ousado. Mas isso era o que a maioria era e lhe doía admitir. Escória. Uma maré suja que chegava às praias e deixava seringas e envoltórios de plástico e camisas manchadas de sangue e camisinhas e crianças de nariz ranhoso. Ele lidava com o pior do pior. Muitas pessoas pensavam que ele vivia em algum tipo de paraíso de mogno, que era um trabalho sofisticado, uma carreira poderosa, mas a verdade da questão era que, fora a reputação, no fim das contas não compensava. Parava na esporádica mesa boa em um restaurante de luxo e agradava muito a família de Claire. Nas festas as pessoas ficavam animadas. Faziam rodinhas em torno dele. Conversavam de modo diferente. Não era grande coisa, mas era melhor que nada. De vez em quando havia a chance de uma promoção, subir os degraus para a Suprema Corte, mas ele ainda não chegara lá. No fim das contas, muito disso era simplesmente futilidade. Uma babá burocrática.

Em Yale, quando era jovem e voluntarioso, ele tinha certeza que um dia estaria no próprio eixo do mundo, que sua vida teria um profundo impacto. Mas todo jovem pensa assim. É condição da juventude, sua própria importância. A marca que você fará no mundo. Mas um homem aprende mais cedo ou mais tarde. Você constrói seu pequeno nicho e toma conta dele. Passa o tempo da melhor maneira que pode. Volta para casa para sua boa esposa e a acalma. Você se senta e elogia os talheres. Você agradece sua boa estrela pela herança dela. Fuma um bom charuto e espera que aconteça o ocasional rolar nos lençóis de seda. Você compra para ela uma linda joia no DeNatale's e a beija no elevador porque ela ainda é bonita e bem conservada, apesar dos anos que passam, bem conservada mesmo. Você lhe dá um beijo de despedida e vai para o centro todos os dias, e logo imagina que sua dor não é nem a metade da dor que todos têm. Você chora por seu filho morto, acorda no meio da noite com sua esposa chorando a seu lado e vai até a cozinha, onde faz um sanduíche de queijo e pensa, "Bom, pelo menos é um sanduíche de queijo na Park Avenue, poderia ser pior, você poderia ter acabado muito pior". Sua recompensa, um suspiro de alívio.

Os advogados sabem a verdade. Os funcionários do tribunal também. E os outros juízes, claro. Centre Street era uma latrina. Era assim mesmo que eles a chamavam: *a latrina*. Quando um encontrava o outro em funções oficiais. *Como estava a latrina hoje, Earl? Deixei minha pasta na latrina.* Eles até a transformaram em verbo: *Você vai latrinar amanhã, Thomas?* Odiava admitir até para si mesmo, mas era a verdade. Ele pensava em si mesmo como no alto de uma escada, um homem bem vestido em uma escada, um homem de privilégio e estilo e aprendizado, com uma toga preta, no tribunal de justiça, usando suas próprias mãos para limpar as folhas podres e os galhos das calhas da latrina.

Não o incomoda nem a metade do que incomodava. O fato é que ele fazia parte de um sistema. Agora sabia disso. Um pequeno pedaço de pele de uma grande e elaborada criatura. Um dente da engrenagem que movia um conjunto de rodas. Talvez fosse apenas o processo de envelhecer. Você deixa a mudança para as gerações que vêm atrás de você. Mas então a geração que vem atrás de você é explodida em pedaços nos cafés vietnamitas e você segue em frente, precisa seguir em frente, porque mesmo se eles se foram, eles ainda são lembrados.

Ele não era o judeu independente que uma vez se propôs a ser; ainda assim Soderberg se recusava a se render. Era uma questão de honra, de verdade, de sobrevivência.

Quando foi chamado, lá atrás, no verão de 1967, pensou que aceitaria o trabalho e seria um modelo de virtude. Não apenas sobreviveria, mas vicejaria. Largou seu emprego e pegou 55 por cento da indenização devida. Não precisava do dinheiro. Ele e Claire já tinham economizado uma boa quantia, suas contas estavam saudáveis, a herança robusta, e Joshua arranjado no Centro de Pesquisas de Palo Alto. Mesmo a ideia de ser um juiz tendo chegado como uma completa surpresa, ele adorou. Havia passado alguns anos iniciais no escritório de Advocacia dos Estados Unidos, claro, e tinha investido um tempo nisso, tinha trabalhado em uma comissão sobre impostos, construiu para si mesmo uma boa reputação, puxou o saco das pessoas certas. Pegou alguns casos difíceis na época, argumentou bem, conseguiu se equilibrar. Tinha escrito um editorial para o *New York Times* questionando os parâmetros legais dos que tentavam escapar do serviço militar e os efeitos psicológicos que isso tinha sobre o país. Havia pesado os aspectos morais e constitucionais e concluído com firmeza a favor da guerra. Em festas na Park Avenue, conhecera o prefeito Lindsay, mas só de vista, e então quando a indicação foi sugerida, ele pensou que era uma brincadeira. Desligou o telefone. Riu. O telefone tocou outra vez. "*Você quer que eu seja o quê?*" Houve conversa sobre uma promoção eventual, primeiro como juiz interino da Suprema Corte de Nova York, e depois, quem sabe — a partir daí qualquer coisa ainda era possível. Muitas promoções tinham sido proteladas quando a cidade começou a falir, mas ele não se importou, ele passaria por tudo. Era um homem que acreditava no absoluto da lei. Seria capaz de pesar e dissecar e ponderar e mudar algo, dar alguma coisa de volta à cidade onde tinha nascido. Sempre se sentiu nas bordas da cidade mas agora, mesmo com uma redução salarial, chegaria a seu cerne. A lei era fundamental para a maneira como a cidade se dava a conhecer e a que grau conteria os excessos da loucura humana. Ele acreditava na noção de que, mesmo quando estavam escritas, elas não deveriam permanecer inalteradas. A lei era trabalho. Estava lá para ser peneirada. Ele estava interessado não apenas no significado do que podia ser, mas também no que deveria ser. Ele estava diante do filão. Um dos importantes mineradores da moralidade da cidade. O Meritíssimo Solomon Soderberg.

Até o nome soava certo. Talvez ele tenha sido usado como um boi de piranha jurídico, um acerto contábil, mas não se importava muito; o bem prevaleceria sobre o mal. Ele seria rabínico, sábio, protetor. Além disso, todo advogado tinha um juiz dentro de si.

Ele havia entrado, em seu primeiríssimo dia, com o coração em chamas. Pela entrada da frente. Queria saborear o dia. Tinha comprado um terno novo em folha de um alfaiate de luxo da Madison Avenue. Uma gravata Gucci. Sapatos finos. Aproximou-se do edifício com o peito inflado de expectativas. Gravada do lado de fora das largas portas coloridas de dourado estavam as palavras O POVO É A BASE DO PODER. Ele parou um momento e inspirou tudo aquilo. Dentro, no saguão, havia um borrão em movimento. Cafetões, repórteres e advogados de porta de cadeia. Homens com sapatos plataforma púrpura. Mulheres arrastando seus filhos atrás. Bêbados dormindo nas alcovas das janelas. Ele sentia seu coração afundar a cada passada. Pareceu, só por um momento, que o prédio ainda podia ter a aura — o teto alto, as antigas balaustradas de madeira, o piso de mármore —, mas, quanto mais ele entrava, mais seu espírito afundava. As salas dos tribunais eram ainda piores do que se lembrava. Caminhou vagarosamente por ali, confuso e desanimado. As paredes do corredor estavam grafitadas. Homens sentavam-se fumando no fundo das salas dos tribunais. Acordos eram firmados nos banheiros. Promotores públicos tinham buracos nos ternos. Policiais velhacos vagavam por ali atrás de propinas. Garotos trocavam apertos de mãos complicados. Pais sentavam-se com filhas drogadas. Mães choravam junto dos filhos cabeludos. Nas portas das salas dos tribunais, o couro vermelho luxuoso estava rasgado. Advogados passavam com pastas de executivo surradas. Como um fantasma, ele passou por todos eles, pegou o elevador para subir, depois puxou uma cadeira em sua nova escrivaninha. Havia um pedaço de chiclete seco sob a gaveta.

Apesar de tudo isso, disse a si mesmo, logo ele teria tudo em ordem. Dominaria a situação. Mudaria as coisas.

Anunciou suas intenções na sala dos juízes uma tarde, na festa de aposentadoria para Kemmerer. Uma risadinha abafada atravessou a sala. *Assim falou Solomon*, disse um velho cínico. *Cortem a criança ao meio, garotos.* Grande hilaridade e tinido de copos. Os outros juízes lhe disseram que no final ele acabaria se acostumando, que veria a luz e ela ainda estaria no túnel. A maior parte da lei era a sabedoria da tolerância. Era preciso aceitar os tolos. Vinha com o trabalho. De vez em quando os faróis tinham que ser abaixados. Ele tinha que aprender a perder. Esse era o preço do sucesso. *Tente*, disseram. *Desafie contra o sistema, Soderberg, e você acabará comendo pizza no Bronx. Tenha cuidado. Entre no jogo. Fique conosco.* E se ele achava que Manhattan era ruim, devia ir para onde a fogueira queimava de verdade, para a própria Hanói Americana, no final do trem 4, onde o pior da cidade se exibia todos os dias.

Por muitos meses ele se recusou a acreditar neles, mas lentamente foi compreendendo que estavam certos — ele foi pego, era só uma parte do sistema, e a palavra era apropriada, uma parte das Partes.

Muitas das denúncias eram simplesmente descartadas. Os garotos confessavam-se culpados para conseguir um acordo, ou ele os condenava pelo tempo que já haviam passado presos, só para poder limpar o atraso. Ele tinha uma cota a cumprir. Tinha que responder aos supervisores no andar de cima. Os delitos graves eram rebaixados para contravenções. Era outra forma de demolição. Você tinha que manejar a bola de demolição. Ele era julgado pela maneira como julgava: quanto menos trabalho dava aos colegas do andar de cima, mais contentes eles ficavam. Noventa por cento dos casos — mesmo contravenções graves — tinham que ser liquidadas. Ele queria a promoção prometida, sim, mas nem isso podia abafar a sensação de que pegara todo o idealismo que uma vez tivera e o metera dentro da toga preta barata, e agora, quando o procurava, não conseguia encontrá-lo nem nas dobras mais escuras.

Ele chegava ao número 100 da Centre Street cinco dias por semana, vestia sua toga, usava seus sapatos mais reluzentes, puxava as meias sobre os tornozelos, e prevalecia quando podia. Tratava-se, ele sabia, de escolher suas lutas. Podia facilmente ter uma dúzia de batalhas campais por dia, mais, se quisesse. Podia enfrentar o sistema todo. Podia dar aos grafiteiros multas de mil dólares que eles nunca seriam capazes de pagar. Ou poderia condenar as gangues de fogueteiros da Mott Street a seis meses. Podia encarcerar os viciados por um ano completo. Prendê-los com uma fiança pesada. Mas tudo isso ricochetearia, ele sabia. Se recusariam a confessar a culpa. E jogariam tudo isso na cara dele por atravancar os tribunais. Os assaltantes de loja, os engraxates, os ladrões de hotéis, a moçada do jogo da memória das calçadas, todos eles tinham o direito de dizer, no final: "Inocente, Meritíssimo." E então a cidade sufocaria. Os esgotos se encheriam. O lodo transbordaria. As calçadas se encheriam. E ele seria o culpado.

Nos piores tempos ele pensava: "Sou o cara da manutenção, sou o guardião, sou o homem da segurança barata." Ele vigiava o desfile entrar e sair de seus tribunais, fosse qual fosse a Parte que ele era naquele dia, e se perguntando como a cidade tinha se tornado uma coisa tão abjeta em sua vigília. Como puxava as crianças pelos cabelos, como estuprava mulheres de 70 anos, como punha fogo nos sofás onde os amantes dormiam, como furtava confeitos, como esmagava costelas, como permitia que os que protestavam contra a guerra cuspissem na cara dos guardas, como os sindicalistas atropelavam seus chefes, como a Máfia controlava os andaimes, como os pais usavam as filhas como cinzeiros, como as brigas de bares se descontrolavam, como respeitáveis homens de negócios acabavam urinando na frente do Woolworth, como armas eram sacadas nas espeluncas de pizza, como famílias inteiras eram explodidas, como os paramédicos terminavam com os crânios esmagados, como viciados injetavam heroína na língua, como rábulas armavam seus esquemas e velhas senhoras perdiam suas economias, como os lojistas davam troco errado, como o prefeito ofegava e engabelava e mentia enquanto a cidade ardia até o talo, aprontando-se para seu próprio pequeno funeral de cinzas, crimes, crimes, crimes.

Não havia uma única coisa ruim na cidade que não passasse pelo observatório das sarjetas de Soderberg. Era como observar a evolução do lodo. Você fica lá tempo o bastante e o esgoto se torna escorregadio, não importa o quanto você batalhe contra isso.

Todos esses idiotas continuavam vindo de seus cabarés vagabundos, espeluncas de strip-tease, shows de aberração, lojas de novidades, cineminhas pornôs, hotéis pulgueiros, e todos pareciam ainda piores depois de passar um tempo nas Tumbas. Uma vez, quando estava no tribunal, viu uma barata literalmente sair do bolso de um réu, rastejar até seu ombro e subir até um lado de sua nuca antes do homem sequer notar. Quando percebeu, o réu apenas espanou-a para fora e continuou sua confissão de culpa. Culpado, culpado, culpado. Quase todos eles confessavam-se culpados e em troca recebiam uma sentença com a qual podiam viver, ou saíam por tempo de prisão, ou desembolsavam uma pequena multa e seguiam em seu caminho feliz, um jeito arrogante de andar, livre no mundo, de tal maneira que podiam apenas se virar e fazer a mesma tolice e voltar a seu tribunal uma ou duas semanas mais tarde. Isso o colocava em um estado de constante agitação. Ele comprou um pequeno aparelho para exercitar a mão, que cabia em seu bolso. Deslizava a mão por baixo da abertura da toga e o pegava no bolso do terno. Era uma coisa de mola com duas alças de madeira que ele apertava sub-repticiamente sob as roupas. Só esperava que não vissem. Poderia, claro, ser mal interpretado, um juiz remexendo debaixo da toga. Mas isso o acalmava enquanto seus casos vinham e iam e sua cota era preenchida. Os heróis do sistema eram os juízes que liquidavam a maioria dos casos o mais rapidamente possível. Abram as represas, deixem sair.

Todos que circulavam por ali, todos que participavam do sistema de alguma maneira, eram engolfados. Os crimes iam para os promotores — os estupros, os homicídios culposos, as punhaladas, os roubos. O jovem assistente do promotor-chefe ficava horrorizado com a enormidade das listas a sua frente. As sentenças iam para os meirinhos, guardas frustrados que às vezes vaiavam quando os juízes eram moles com o crime. As pronúncias iam para o escrivão. Os apelos clamorosos iam para os advogados da Defensoria Pública. As condições das penas iam para o controle das condicionais. Os simplórios vulgares iam para os psicólogos do tribunal. A papelada ia para a polícia. As multas — leves como eram — iam para os criminosos. As fianças baixas iam para os fiadores. Todos estavam na mesma geleia e o trabalho dele era se sentar no meio de tudo, distribuir a justiça e equilibrá-la entre o certo e o errado.

Certo e errado. Esquerda e direita. Acima e abaixo. Ele pensava em si mesmo lá em cima, de pé na beira do precipício, nauseado e tonto, inexplicavelmente olhando para cima.

Soderberg engoliu seu café de um trago. Tinha um gosto ruim com creme.

Ele pegaria o equilibrista hoje — tinha certeza disso.

Levantou seu telefone e discou para o escritório do promotor-chefe, mas o telefone tocou e tocou e tocou e quando ele olhou para seu pequeno relógio de mesa era hora da limpeza da manhã.

Distraído, Soderberg se levantou, então riu para si mesmo enquanto seguia uma linha reta pelo piso.

ELE GOSTAVA DA TOGA PRETA de tecido fino no verão. Estava um pouco gasta nos cotovelos, mas não importava, era jovial e leve. Pegou seu livro-calendário, enfiou-o debaixo do braço, deu uma rápida olhada na imagem rubicunda de si mesmo no espelho, o traçado dos vasos vermelhos em seu rosto, as órbitas afundadas dos olhos. Alisou os últimos fios de cabelos de seu cocuruto, saiu solenemente pelo corredor, passando pelos elevadores. Desceu as escadas, um pequeno salto em suas passadas. Passando pelos guardas da prisão e o pessoal da condicional, entrando pelos fundos do Tribunal Seção 1. A pior parte da jornada. No fundo da sala do tribunal, os prisioneiros ficavam nos xadrezes. O matadouro, eles diziam. As celas de cima preenchiam a metade de um quarteirão. As barras eram pintadas de amarelo cremoso. O ar era repulsivo com o odor dos corpos. Os funcionários do tribunal gastavam quatro garrafas de spray antiodor todos os dias.

Havia muitos policiais e escrivães alinhados ao longo das passagens e os criminosos eram espertos o bastante para ficarem calados enquanto ele passava pela rampa. Passou rapidamente, cabeça baixa, por entre os escrivães.

— Bom-dia, juiz.
— Belos sapatos, Meritíssimo.
— Prazer em vê-lo, senhor.

Um rápido aceno simples a seja quem for que o cumprimentasse. Era importante manter um afastamento democrático. Havia alguns juízes que caçoavam e zombavam e brincavam e se faziam de companheiros, mas não Soderberg. Ele passava rapidamente pela rampa, entrava pela porta de madeira, para a civilidade, ou os resquícios dela, a bancada de madeira escura, o microfone, as luzes fluorescentes, subindo os degraus, para seu banco elevado.

Em Deus Nós Confiamos.

A manhã passou depressa. Um calendário cheio de casos. A chamada usual. Dirigindo com carteira vencida. Ameaça a um policial. Agressão armada. Ato obsceno em público. Uma mulher havia esfaqueado a tia no braço por tíquetes de refeição. Um acordo foi fechado com um rapaz de cabelos descoloridos acusado de roubo de carros. Uma condenação a serviços comunitários para um homem que abrira um furo para olhar o apartamento de baixo — o que o voyeur não sabia era que a mulher também era voyeur e o tinha espiado espiando ela. Um bartender teve uma briga com um cliente. Um assassino de Chinatown foi imediatamente enviado para cima, fiança estabelecida e a questão passada adiante.

Durante toda a manhã ele empurrou e permutou e encrespou e bajulou.

— Tem um mandado de prisão ativo ou não?

— Diga-me, você vai peticionar para libertá-lo ou não?

— A petição para retirada está concedida. Sejam gentis um com o outro daqui em diante.

— Prisão preventiva cumprida!

— Onde é que está a moção, pelo amor de Deus?

— Guarda, por favor, você pode me dizer o que aconteceu aqui? Ele estava o quê? Cozinhando um frango na calçada? Você está brincando comigo?

— Fiança estabelecida com uma garantia de 2 mil dólares. Em dinheiro, 1.250.

— Não, o senhor outra vez, Sr. Ferrario! No bolso de quem você enfiou a mão desta vez?

— Isto aqui é um tribunal, caro, não Shangri-Lá.

— Solte-a com base em sua própria palavra.

— Esta denúncia não caracteriza um crime. Caso encerrado!

— Alguma pessoa aqui já escutou falar de imunidades?

— Não tenho objeção a uma condenação sem prisão.

— Em troca de sua confissão, reduziremos o delito grave a uma contravenção.

— Prisão preventiva cumprida!

— Acho que esta manhã seu cliente foi muito bem servido no departamento de narcisismo, advogado.

— Me deem alguma coisa a mais do que música de elevador, por favor!

— Você chegará ao final até sexta-feira?

— Prisão preventiva cumprida!

— Prisão preventiva cumprida!

— Prisão preventiva cumprida!

Havia muitos truques especiais a aprender. Raras vezes olhe o réu nos olhos. Raras vezes sorria. Tente dar a impressão de ter um problema suave de hemorroidas: isso lhe dará uma expressão preocupada e inviolável. Sente-se em uma cadeira levemente desconfortável, ou pelo menos uma que pareça desconfortável. Fique rabiscando sempre. Pareça um rabino, inclinado sobre seu bloco de anotações. Passe a mão no lado prateado de seu cabelo. Esfregue a calva quando as coisas saírem do controle. Use a folha corrida como guia de caráter. Certifique-se de que não há repórteres na sala. Se tiver, todas as regras são enfatizadas duas vezes. Escute atentamente. A culpa ou a inocência está toda na voz. Não tenha favoritos entre os advogados. Não os deixe jogar com o fato de você ser judeu. Nunca responda ao iídiche. Rejeite imediatamente as lisonjas. Tenha cuidado com seu aparelho para exercitar a mão. Cuidado com as piadas sobre masturbação. Nunca olhe para o traseiro das estenógrafas. Sempre pense em seus rabiscos como obras primas. Certifique-se de que a garrafa da água foi trocada. Irrite-se com manchas de água no vidro. Compre camisas pelo menos um número maior no pescoço para poder respirar.

Os casos veem e vão.

No final da manhã, ele já havia atendido 29 denúncias e perguntou à meirinha — a escrivã de sua sala, com sua blusa branca engomada — se havia alguma novidade sobre o caso do equilibrista. A meirinha lhe disse que eram só rumores, que o equilibrista estava no sistema, parecia, e que provavelmente entraria no final da tarde. Ela não tinha certeza de quais seriam as acusações, possivelmente invasão criminosa e exposição ao perigo. O promotor-chefe já estava mergulhado na discussão com o equilibrista, ela disse. Era provável que ele se declarasse culpado de tudo se lhe fosse dado um bom acordo. O promotor-chefe estava ciente da boa publicidade, parecia. Queria que tudo corresse sem problemas. O único obstáculo seria se o segurassem até o tribunal da noite.

— Então temos uma chance?

— Muito boa, eu diria. Se eles o fizerem passar por tudo rapidamente.

— Excelente. Almoço, então?

— Sim, Meritíssimo.

— Retornaremos às 14h15.

SEMPRE TINHA o Forlini's, ou Sal's, ou Carmine's, ou Sweet's, ou Sloppy Louie's, ou Oscar's Delmonico, mas ele sempre gostara do Harry's. Era o mais distante da Centre Street, mas não importava — o rápido passeio de táxi o relaxava. Desceu na Water Street e caminhou até Hanover Square, parou do lado de fora e pensou: "Este é o meu lugar." Não era por causa dos corretores. Ou dos banqueiros. Ou dos comerciantes. Era pelo próprio Harry, todo grego, bem-educado, braços estendidos. Harry tinha feito seu caminho pelo Sonho Americano e chegara à conclusão de que ele era composto de um bom almoço e um bom vinho tinto que pairasse no ar. Mas Harry podia também fazer um bife cantar, tirar um acorde de trompete de um fio de espaguete. Com frequência ele ficava na cozinha, dando uma de cozinheiro. Depois tirava o avental, colocava o paletó do terno, penteava os cabelos para trás e subia para o restaurante com compostura e estilo. Tinha uma simpatia especial por Soderberg, embora nenhum dos dois soubesse por quê. Harry ficava um momento a mais com ele no bar, ou pegava uma grande garrafa e eles se sentavam sob os murais dos monges, passando o tempo juntos. Talvez porque fossem os únicos do lugar que não estavam envolvidos com negócios de ações. Estranhos ao retinir dos sinos financeiros. Eles podiam dizer como o dia estava indo nos mercados pelos decibéis em torno deles.

Na parede do Harry's, as empresas de corretagem tinham linhas privadas conectadas a uma bateria de telefones na parede. Caras da Kidder, Peabody ali, Dillon, Read, ali, First Boston, mais adiante, Bear Stearns, no final do balcão, L.F. Rothschild, perto dos murais. Era dinheiro grande, o tempo todo. Era elegante também. E de estilo. Um clube de privilégio. Mas não custava uma fortuna. Um homem podia sair com sua alma intacta.

Ele foi até o bar e chamou Harry, contou-lhe sobre o equilibrista, como ele o havia perdido de manhã, como o garoto tinha sido preso e logo passaria pelo sistema.

— Ele invadiu as torres, Har.
— Então... ele é engenhoso.
— Mas e se tivesse caído?
— O chão dificilmente amorteceria a queda, Sol.

Soderberg deu um gole no vinho: o buquê vermelho profundo subiu a seu nariz.

— Meu ponto, Har, é que ele poderia ter matado alguém. Não apenas ele mesmo. Poderia ter feito hambúrguer de alguém...
— Ei, eu preciso de um bom linha de frente. Talvez ele possa trabalhar para mim.
— Ele provavelmente vai ser enquadrado em 12, 13 crimes.
— Com tanto mais razão. Ele poderia ser meu subchefe. Poderia preparar as caldeiras. Despelar as lentilhas. Mergulhar na sopa desde lá de cima.

Harry deu uma boa tragada no charuto e soprou a fumaça para o teto.

— Nem mesmo sei se vou pegá-lo — disse Soderberg. — Podem segurá-lo até o tribunal noturno.

— Bom, se você pegá-lo, passe-lhe meu cartão. Diga a ele que tem carne na casa. E uma garrafa de Château Clos de Sarpe. Grand Cru, 1964.

— Não vai ter como ele andar na corda bamba depois disso.

O rosto de Harry se enrugou na sugestão de um mapa do que se tornaria anos mais tarde: amplo, alegre, generoso.

— O que tem num vinho, Harry?

— O que você quer dizer?

— O que tem nele que nos cura?

— Foi feito para glorificar os deuses. E entorpecer os idiotas. Aqui, tome um pouco mais.

Eles tiniram as taças na luz oblíqua que entrava pelas janelas no alto. Era como se, olhando para fora, eles pudessem ver outra vez a caminhada sendo realizada lá em cima, no alto. Afinal, era a América. O tipo de lugar onde você deveria poder caminhar tão alto quanto quisesse. Mas e se fosse você quem estivesse caminhando lá embaixo? E se o equilibrista realmente tivesse caído? Era perfeitamente possível que tivesse não apenas matado a si mesmo como também a uma dúzia de pessoas abaixo. Imprudência e liberdade — como foi que se tornaram um coquetel? Sempre havia sido o seu dilema. A lei sempre foi um lugar para proteger os impotentes, e também circunscrever os mais poderosos. Mas e se os fracos não merecessem estar caminhando em baixo? Isso às vezes o fazia pensar em Joshua. Não era uma coisa que gostasse de pensar, não na perda pelo menos, a perda terrível. Trazia demasiado sofrimento. Perfurava-o. Ele teve que aprender que seu filho não existia mais. Essa era a extensão da coisa. No final Joshua tinha sido um zelador, um guardião da verdade. Havia se alistado para representar o país e voltou para casa para deixar Claire arrasada pelo sofrimento. E arrasá-lo também. Mas ele não mostrava isso. Nunca poderia. Chorava nos banheiros de todos os lugares, mas só quando a água estava correndo. Solomon, sábio Solomon, homem do silêncio. Havia noites em que abria a torneira e deixava a água correr.

Ele era o filho do seu filho — ele estava aqui, fora deixado para trás.

Coisas pequenas o pegavam. O *mitzvah* de *maakeh*. Construir uma cerca ao redor de seu telhado para ninguém cair dali. Ele se questionava por ter comprado soldados de brinquedo tantos anos atrás. Chateava-se por ter feito Joshua aprender "The Star-Spangled Banner" no piano. Perguntava-se se, quando ensinou o garoto a jogar xadrez, havia de alguma forma instilado nele uma mentalidade de batalha? Ataque pelas diagonais, filho. Nunca permita um xeque-mate vindo do fundo. Deve ter havido algum lugar onde ele conectou o garoto. Ainda assim, a guerra era justa, adequada, correta. Solomon a compreendia em toda sua utilidade. Ela protegia as verdadeiras pedras angulares da liberdade. Era travada pelos verdadeiros ideais que estavam sendo atacados todos os dias em seu tribunal. Era muito simplesmente a maneira como a América se protegia. Um tempo para matar e um tempo para curar. E no entanto às vezes queria concordar com Claire que a guerra era apenas uma fábrica interminável de mortes, ela enriquecia outros homens, e o filho deles, ele próprio um garoto rico, havia sido despachado para abrir os portões. Mas isso não era uma coisa que podia se dar ao luxo de pensar. Ele tinha que ser sólido, firme, um pilar. Raras vezes falava sobre Joshua, mesmo com Claire. Se havia alguém com quem falar, seria Harry, que sabia uma ou duas coisas sobre perder e pertencer, mas não era uma coisa para falar nesse momento. Ele era cuidadoso, Soderberg, sempre cuidadoso. Talvez cuidadoso demais, pensou. Às vezes queria ser capaz de deixar tudo sair: *Eu sou o filho do meu filho, Harry, e meu filho está morto.*

Levantou a taça até o rosto, sentiu o odor do vinho, o aroma profundo e terrestre. Um momento de leveza — era o que desejava. Um bom momento tranquilo. Algo gentil e sem barulho. Enquanto estivesse distante algumas horas com seu bom companheiro. Ou talvez até ligar para dizer que estava doente e folgar o resto do dia, ir para casa, passar uma tarde com Claire, uma dessas tardes quando podiam sentar juntos e ler, um desses puros momentos que ele e sua esposa compartilhavam cada vez mais enquanto o casamento deles seguia. Ele era feliz, de um jeito ou de outro. Tinha sorte, de um jeito ou de outro. Não tinha tudo o que queria, mas tinha bastante. Sim, era isso que ele queria: só uma tarde tranquila de nada. Trinta e poucos anos de casamento não o haviam transformado em uma pedra, não.

Um pouco de silêncio. Um gesto em direção a sua casa. Uma das mãos no pulso de Harry e uma ou duas palavras em seu ouvido: *Meu filho.* Era tudo que precisava dizer, mas por que complicar isso agora?

Levantou a taça e tilintou-a com a de Harry.

— Saúde.

— Para não cair — disse Harry.

— Para ser capaz de voltar a subir.

Soderberg agora estava começando a hesitar sobre querer o equilibrista em seu tribunal: seria muita dor de cabeça, com certeza. Teria preferido apenas deixar o dia passar no balcão comprido do bar, com seu caro amigo, brindando aos deuses e deixando a luz cair.

— TRIBUNAL SEÇÃO 1-A, agora em sessão. Todos de pé.

A escrivã tinha uma voz que o fazia pensar em gaivotas. Tinha um grasnido peculiar, o final de suas palavras dava uma guinada. Mas as palavras exigiam silêncio imediato e o zumbido no fundo da sala se calou.

— Silêncio, por favor. O Meritíssimo juiz Soderberg preside.

Ele soube imediatamente que tinha o caso. Podia ver os repórteres nos bancos no setor de espectadores. Tinham aquela aparência de papada caída. Usavam camisas abertas com o colarinho aberto e calças largas. Barbados, cheirando a uísque. Os sinais mais óbvios eram as cadernetas de capas amarelas aparecendo nos bolsos dos paletós. Esticavam os pescoços para ver quem iria sair da porta atrás dele. Alguns detetives extras estavam sentados no banco da frente para o espetáculo. Alguns funcionários de folga. Alguns homens de negócios, possivelmente até chefões da Port Authority. Alguns outros, talvez um ou dois seguranças. Ele podia ver até um desenhista alto, de cabelo ruivo. E isso significava apenas uma coisa: as câmeras de televisão estariam lá fora.

Podia sentir o vinho nos dedos de seus pés. Não estava bêbado — nem de longe —, mas ainda podia senti-lo silvando nos limites de seu corpo.

— Ordem no tribunal. Silêncio. O tribunal agora está em sessão.

As portas rangeram para abrir atrás dele e uma fila relaxada de nove réus caminhou em direção aos bancos ao longo da parede lateral. O rebotalho usual, um par de trapaceiros, um homem com a sobrancelha cortada, duas prostitutas bem gastas e, atrás deles todos, um sorriso de orelha a orelha, um leve molejo no andar, estava um jovem branco, estranhamente vestido: só podia ser o equilibrista.

Houve um rebuliço na galeria. Os repórteres pegaram seus lápis. Uma onda de ruído, como se um líquido os tivesse borrifado de repente.

O equilibrista era ainda menor do que Soderberg havia imaginado. Travesso. Camisa e calças justas pretas. Estranho, sapatilhas finas de balé nos pés. Alguma coisa até desbotada nele. Era louro, por volta da metade dos vinte anos, o tipo de homem que você pode ver como garçom na zona dos teatros.

E no entanto havia uma confiança que saía dele, uma jactância que agradou Soderberg. Parecia uma versão pequena e espremida de Joshua, como se um fulgor tivesse sido depositado em seu corpo, instalado nele como um dos programas de Joshua, e a única maneira disso se expressar era através da performance.

Era óbvio que o equilibrista nunca havia sido indiciado antes. Os que estavam ali pela primeira vez sempre ficavam aturdidos. Entravam, olhos arregalados, perplexos com tudo aquilo.

O equilibrista parou e olhou de um lado do tribunal para o outro. Momentaneamente assustado e confuso. Como se houvesse um linguajar exagerado naquele lugar. Ele era magro, flexível, com uma qualidade leonina. Tinha olhos rápidos: o olhar terminou na tribuna.

Por uma fração de segundo, os olhares se encontraram. Soderberg quebrou sua própria regra, mas e daí? O equilibrista entendeu e fez um leve aceno de cabeça. Havia algo jubiloso e brincalhão nos olhos dele. O que Soderberg podia fazer com ele? Como ele poderia manipulá-lo? Afinal, era no mínimo exposição a perigo, e isso podia terminar no andar de cima, um delito grave, com a possibilidade de sete anos. E quanto à conduta desordeira? Soderberg no fundo sabia que nunca iria nessa direção. Seria considerado uma infração menor e ele teria que trabalhar isso com o promotor-chefe. Tinha que ser esperto. Tiraria do chapéu alguma coisa fora do comum. Além disso, os repórteres estavam ali, vigiando. O desenhista. As câmeras de TV, do lado de fora do tribunal.

Ele chamou sua meirinha e cochichou no ouvido dela: Quem vem primeiro? Era uma piadinha entre eles, um Abbott e Costello judicial. Ela lhe mostrou o calendário e ele passou os olhos rapidamente sobre os casos, deu uma rápida olhada na cesta dos pecados, suspirou. Não tinha que seguir a ordem, podia misturar as coisas, mas bateu seu lápis no primeiro caso pendente.

— Processo final seis-oito-sete — disse ela. — O Povo *versus* Tillie Henderson e Jazzlyn Henderson. Levantem-se, por favor.

O assistente do promotor-chefe, Paul Concrombie, alisou as dobras do paletó. Do lado oposto a ele, o advogado da defesa alisou o longo cabelo para trás e veio à frente, espalhando as fichas na prateleira. No fundo do tribunal, um dos repórteres deu um gemido audível quando as mulheres se levantavam no banco. A prostituta mais jovem era mais pra mulata, alta, usando saltos amarelos, um maiô neon sob uma camisa preta larga, um colar de bugigangas. A mais velha usava um maiô de uma peça e saltos altos prateados, o rosto, um parque de diversões de maquiagem. Absurdo, ele pensou. Banho de sol nas Tumbas. Ela parecia já estar há um tempão por aí, já ter rodado o suficiente pelo circuito.

— Roubo qualificado de segundo grau. Mandado em aberto emitido em 19 de novembro de 1973.

A prostituta mais velha jogou um beijo por cima do ombro. Um homem branco na galeria se ruborizou e abaixou a cabeça.

— Isto não é um clube noturno, jovem.

— Perdão, Meritíssimo, eu também jogaria um para o senhor só que já estou toda sem fôlego.

Uma gargalhada rápida estalou pelo tribunal.

— Terei decoro no meu tribunal, Srta. Henderson.

Ele tinha quase certeza que escutara a palavra *babaca* insinuando-se para fora da língua dela. Ele sempre se perguntava por que elas criavam esses problemas para si mesmas. Deu uma espiada nas folhas corridas à sua frente. Duas carreiras ilustres. A prostituta mais velha tinha pelo menos sessenta acusações no correr dos anos. A mais nova tinha começado a rápida descida: as acusações haviam começado a aparecer com regularidade e só iriam acelerar daí em diante. Ele já tinha visto isso tudo demasiadas vezes. Era como abrir uma torneira.

Soderberg ajustou seus óculos de leitura, encostou-se um momento na cadeira giratória, dirigiu-se ao assistente do promotor-chefe com olhar desanimado.

— Então. Por que a espera, Sr. Concrombie? Isso aconteceu há quase um ano.

— Tivemos alguns desdobramentos recentes aqui, Meritíssimo. As rés foram presas no Bronx e...

— Isso ainda está como registro de ocorrência?

— Sim, Meritíssimo.

— E o assistente da promotoria está interessado em liquidar este assunto no nível deste tribunal criminal?

— Sim, Meritíssimo.

— Então, o mandado está revogado?

— Sim, Meritíssimo.

Ele estava acertando o ritmo, resolvendo rapidamente as coisas. Tudo um pouco de truque mágico. Gire o manto preto. Sacuda a varinha mágica. Vejam o coelho desaparecer. Ele podia ver a fila de cabeças aprovadoras entre os espectadores, pegos na corrente, sendo levados por ele. Espera que os repórteres estejam acompanhando, vendo o controle que ele tinha em seu tribunal, mesmo com o vinho nos cantos de sua mente.

— E o que faremos agora, Sr. Concrombie?

— Meritíssimo, já discuti isso com o advogado da defensoria, o Sr. Feathers aqui, estamos de acordo com os interesses da justiça e levando tudo em consideração, o Povo está propondo retirar a denúncia contra a filha. Não vamos levar isso adiante, Meritíssimo.

— A filha?

— Jazzlyn Henderson. Sim, lamento, meritíssimo, é um grupo de mãe e filha.

Ele deu uma olhada rápida nas folhas corridas. Estava surpreso de ver que a mãe só tinha 38 anos.

— Então, vocês duas são parentes?

— Tudo em família, Meritíssimo!

— Senhorita, vou lhe pedir para não falar outra vez.

— Mas você me tascou uma pergunta.

— Sr. Feathers, instrua sua cliente, por favor.

— Mas você me tascou.

— Bom, vou lhe *tascar* sim, jovem senhora.

— Oh — disse ela.

— Muito bem, Srta. Henderson. Feche a boca. Você entende isso? Feche. Agora. Sr. Concrombie. Continue.

— Bem, Meritíssimo, depois de examinar a ficha, não acreditamos que o Povo será capaz de sustentar nosso ônus da prova. Além de uma dúvida razoável.

— Por qual razão?

— Bom, a identificação é problemática.

— Sim? Estou esperando.

— A investigação revelou que existe uma questão de identidade equivocada.

— Identificação de quem?

— Bom, nós temos uma confissão, Meritíssimo.

— Está bem. Não me espante com sua certeza sobre isso, Sr. Concrombie. Então, o senhor está retirando a acusação contra a senhorita, hã, senhorita Jazzlyn Henderson?

— Sim, senhor.

— E todas as partes estão de acordo?

Um pequeno espaço de cabeças assentindo no tribunal.

— Certo, caso encerrado.

— Caso encerrado? — disse a jovem. — Acabou?

— Acabou.

— Pronto e enterrado? Ele está me soltando?

No meio de seu suspiro ele teve certeza de escutar ela dizendo: Sairdessaporraaqui?

— O que a senhorita disse, jovem?

— Nada.

O advogado da defensoria inclinou-se e murmurou alguma coisa maldosa em seu ouvido.

— Nada, Meritíssimo. Sinto muito. Eu não disse nada. Obrigada.

— Saia daqui.

— Levantem a cancela! Alguém está saindo!

A prostituta mais jovem se virou para a mãe, beijou-a direto na sobrancelha. Lugar estranho. A mãe, abatida e exausta, aceitou o beijo, afagou o lado do rosto da filha, puxou-a para si. Soderberg observou as duas se abraçando. Que tipo de crueldade terrível, ele se perguntou, permite uma família assim?

No entanto, sempre o surpreendia, o amor que essas pessoas podiam mostrar umas pelas outras. Era uma das poucas coisas que ainda o emocionava no tribunal — esse toque de realidade bruta, a visão de amantes se abraçando depois de baterem um no outro, ou famílias felizes por acolherem de volta o filho ladrão, a surpresa do perdão quando ele brilhava no âmago do seu tribunal. Era raro, mas acontecia, e como todas as coisas, a raridade era necessária.

A jovem prostituta sussurrou no ouvido da mãe e a mãe riu, acenando de novo por sobre o ombro para o homem branco que assistia a sessão.

A cancela não foi aberta. A própria jovem prostituta foi quem a abriu. Requebrava ao andar, como se já estivesse se vendendo. Passou com descaro pelo centro da ala em direção ao homem branco com manchas grisalhas na lateral do cabelo. Tirou a camisa preta enquanto caminhava, de maneira a deixar à mostra somente seu maiô.

Soderberg sentiu os dedos de seus pés se curvarem com a completa ousadia disso.

— Ponha a camisa de volta, agora!

— O mundo é livre, não é? O senhor me soltou. A camisa é dele.

— Ponha a camisa — disse Soderberg, inclinando-se mais perto do microfone.

— Ele quis que eu me vestisse bem para o tribunal. Não foi, Corrie? Ele me mandou a camisa lá nas Tumbas.

O homem branco estava tentando puxá-la pelo cotovelo, murmurando algo urgente em seu ouvido.

— Ponha a camisa ou vou enquadrá-la por desacato... Senhor, você é parente dessa jovem?

— Não exatamente — disse o homem.

— E o que esse *não exatamente* significa?

— Eu sou amigo dela.

Ele e seu sotaque irlandês, esse cafetão grisalho. Ele levantou o queixo como um boxeador fora de moda. Seu rosto era magro e suas bochechas afundadas.

— Bom, amigo, eu quero estar seguro de que ela ficará com a camisa o tempo todo.

— Sim, Meritíssimo. E, Meritíssimo...?

— Apenas faça o que eu disse.

— Mas Meritíssimo...

Soderberg bateu o martelo:

— Basta — disse

Ele viu a jovem prostituta beijar o irlandês no rosto. O homem se afastou, mas então pegou o rosto dela gentilmente nas mãos. Um estranho cafetão. Não do tipo usual. Não importa. Eles vinham em todos os formatos e tamanhos. A verdade era que as mulheres eram vítimas dos homens, sempre foram, sempre seriam. No cerne da questão, eram idiotas como o cafetão que deveriam ser presos. Soderberg suspirou e então se virou para o assistente da Promotoria.

Um levantar de sobrancelha era linguagem suficiente entre os dois. Havia ainda a questão da mãe para tratar, e então ele chegaria à questão central.

Lançou uma olhadela rápida ao equilibrista sentado nos bancos. Um olhar meio tonto no rosto dele. Seu próprio crime tão único que ele certamente não tinha ideia do que estava fazendo aqui.

Soderberg bateu no microfone e todos se agitaram.

— No meu entender, a ré restante, a mãe aqui...

— Tillie, Meritíssimo.

— Não estou falando com você, senhorita Henderson. No meu entender, advogados, esta ainda é uma denúncia de delito grave. Vai ser aceitável tratá-la como uma contravenção?

— Meritíssimo, nós já temos aqui um acordo. Conversei com o Sr. Feathers.

— É verdade, Meritíssimo.

— E...?

— O Povo propõe reduzir a acusação de roubo a apropriação indébita em troca da confissão de culpa da ré.

— É isto o que você quer, Srta. Henderson?

— Hã?

— Você deseja confessar sua culpa neste crime?

— Ele disse que não daria mais que seis meses.

— Doze é o máximo, Srta. Henderson.

— Desde que eu possa ver minhas bebês...

— Perdão?

— Farei qualquer coisa — disse ela.

— Muito bem, em relação a esta admissão de culpa, as acusações pendentes ficam reduzidas a apropriação indébita. Você entende que se eu aceitar sua confissão de culpa de acordo com essa decisão que você tomou, que tenho o poder, que posso condená-la a até um ano de prisão?

Ela se inclinou rapidamente para seu advogado da Defensoria, que balançou a cabeça e pôs a mão no pulso dela e meio que lhe sorriu.

— Sim, eu entendo.

— E você entende que está confessando-se culpada de apropriação indébita?

— Sim, coração.

— Perdão?

Soderberg sentiu uma pontada de dor, em algum lugar entre os olhos e o fundo da garganta. Um momento aturdido? Ela realmente o chamara de *coração*? Não podia ser. Ela estava de pé olhando para ele, meio que sorrindo. Ele podia fingir que não tinha escutado? Deixar passar? Repreendê-la por desacato? Se ele fizesse um estardalhaço, o que iria acontecer?

No silêncio, o tribunal pareceu se encolher por um momento. O advogado a seu lado parecia capaz de arrancar a orelha dela com uma mordida. Ela deu de ombros e sorriu e acenou outra vez por sobre o ombro.

— Estou seguro que não quis dizer isso, Srta. Henderson.

— Dizer o quê, Meritíssimo?
— Vamos continuar.
— Como o senhor quiser, Meritíssimo.
— Cuidado com a língua.
— Legal — ela disse.
— Caso contrário...
— Tá certo.
— Você entende que está desistindo de seu direito a um julgamento?
— Tá.

Os lábios do advogado da defensoria se recolheram quando tocaram, acidentalmente, na orelha da mulher.

— Quero dizer, sim senhor.
— Você discutiu a confissão de culpa com seu advogado e está satisfeita com os serviços dele? Você está confessando-se culpada por sua livre vontade?
— Sim, senhor.
— Compreende que está desistindo de seu direito de ir a julgamento?
— Sim senhor, pode apostar.
— Muito bem, Srta. Henderson, como você se confessa em relação a apropriação indébita?

Outra vez o advogado da defensoria se inclinou para instruí-la.

— Culpada.
— Certo, então muito bem, me conte o que aconteceu aqui.
— Hã?
— Conte o que ocorreu, Srta. Henderson.

Soderberg viu os guardas do tribunal se moverem para substituir o formulário amarelo por um formulário azul por crime de contravenção. Na sessão dos espectadores os repórteres estavam mexendo as espirais das cadernetas. O zumbido no tribunal tinha diminuído um pouco. Soderberg sabia que teria de andar rápido se quisesse mostrar uma boa performance em relação ao equilibrista.

A prostituta ergueu a cabeça. Pela maneira como ela estava parada, ele sabia com certeza que era culpada. Só pela inclinação do corpo, ele sabia. Ele sempre sabia.

— Foi há muito tempo atrás. Então, eu era, tipo, eu não queria ir para o Hell's Kitchen, mas Jazzlyn e eu, bem eu, eu tinha esse encontro no Hell's Kitchen, e ele estava dizendo uma porção de merda sobre mim.
— Está bem, Srta. Henderson.

— Merda como eu ser velha e coisa assim.
— Olhe a linguagem, Srta. Henderson.
— E a carteira dele pulou pra fora na minha frente.
— Obrigado.
— Ainda não acabei.
— Isso é suficiente.
— Não sou tão ruim assim. Sei que você me acha toda ruim.
— Já basta, jovem.
— Tá, papai.

Ele viu um dos guardas do tribunal dar um sorrisinho. Seu rosto se ruborizou. Ergueu os óculos para o alto da cabeça, olhou fixamente para ela. Os olhos dela, de repente, pareceram arregalados e súplices, e ele entendeu por um instante como ela era capaz de atrair um homem, mesmo nos piores momentos: uma camada de beleza e impetuosidade, uma história de amor.

— E você entende que ao confessar sua culpa você não está sendo coagida?

Ela vacilou para mais perto do advogado e então se virou, olhos pesados, para a magistratura.

— Oh, não — disse —, não estou sendo coagida.
— Sr. Feathers, os senhores consentem com uma sentença imediata e renunciam a seu direito de discutir um relatório pré-sentença?
— Sim, renunciamos.
— E, Srta. Henderson, quer fazer alguma declaração antes que eu dê a sentença?
— Eu quero ir para Rikers.
— Você entende, Srta. Henderson, que este tribunal não pode determinar para qual prisão será encaminhada.
— Mas eles disseram que era para Rikers. Foi isso que eles disseram.
— E por que, rogo que me diga, você quer ficar em Rikers? Por que alguém preferiria...
— Por causa das bebês.
— Você tem bebês?
— Jazzlyn tem.

Ela estava apontando por sobre o ombro para a filha, afundada entre os espectadores.

— Muito bem, não existe garantia, mas farei uma anotação para os guardas dos presos levarem isso em consideração. No caso do Povo contra Tillie Henderson, a ré é culpada e eu a sentencio a não mais do que oito meses na prisão.

— Oito meses?
— Correto. Posso dar doze, se você quiser.
Ela abriu a boca em uma lamúria sem som.
— Pensei que ia ser seis.
— Oito meses, jovem senhora. Você quer corrigir sua confissão?
— Merda — disse ela e deu de ombros.

Ele viu o irlandês passar entre espectadores agarrando o braço da prostituta mais jovem. Ele estava tentando abrir caminho pelo tribunal para dizer alguma coisa para Tillie Henderson, mas o guarda dos presos aguilhoou seu peito com um cassetete.

— Ordem no tribunal.
— Posso dizer uma palavra, Meritíssimo?
— Não. Agora. Sente-se.
Soderberg podia sentir os dentes dele rangerem.
— Tillie, vou voltar mais tarde, está bem?
— Sente-se. Caso contrário.

O cafetão parou na passagem e olhou para Soderberg. As pupilas pequenas, os olhos muito azuis. Soderberg sentiu-se exposto, aberto, desvendado. Um manto de silêncio caiu sobre o tribunal.

— Sente-se! Caso contrário...

O cafetão abaixou a cabeça e se retirou. Soderberg deu um alto suspiro de alívio, depois virou-se levemente na cadeira. Pegou o calendário de casos, pôs as mãos sobre o microfone, fez um gesto para o guarda dos presos.

— Muito bem — murmurou. — Faça o equilibrista se levantar.

Soderberg lançou um olhar para Tillie Henderson que saía escoltada pela porta a sua direita. Ela caminhava de cabeça baixa e mesmo assim havia um requebrado aprendido em seu andar. Como se já estivesse do lado de fora, andando na rua. Ela ia segura a cada lado por um guarda. A jaqueta que usava estava amassada e suja. As mangas eram compridas demais. Parecia que duas mulheres podiam caber dentro. Seu rosto parecia estranho e vulnerável, e mesmo assim tinha um toque de sensualidade. Seus olhos eram escuros. As sobrancelhas tiradas finas. Havia um brilho nela, uma irradiação. Era como se ele a estivesse vendo pela primeira vez: de cima para baixo, da maneira que o olho vê primeiro, e então deve corrigir. Algo de terno e esculpido em seu rosto. O nariz comprido que parecia ter sido quebrado algumas vezes. O agitar das narinas.

Ela se virou na porta e tentou olhar por sobre os ombros, mas os guardas a bloquearam.

Ela articulou alguma coisa sem som para sua filha e o cafetão, mas se perdeu e deu um pequeno suspiro para tomar fôlego, como se no começo de uma longa jornada. Por um segundo, seu rosto pareceu quase belo, e então a prostituta se virou e arrastou os pés e a porta se fechou atrás dela, e ela se esvaiu dentro de seu próprio anonimato.

— Que o equilibrista se levante — ele disse outra vez para a meirinha. — Agora.

CENTAVOS

No fim das contas, pelo menos, sempre tem isto: é a manhã de uma quinta-feira. Meu apartamento no primeiro piso. Em uma casa de tábuas. Em uma rua de casas de tábuas. Pela janela, um esvoaçar rápido de preto no céu azul. Para mim, é uma surpresa existir pássaros de algum tipo no Bronx. É verão, portanto não tem escola para Eliana ou Jacobo. Mas eles estão acordados. Posso escutar o som alto da televisão ligada. Nosso antigo aparelho só pega um canal e o único programa que eles assistem é *Vila Sésamo*. Eu viro os lençóis para o lado de Corrigan. É a primeira vez que ele dorme aqui. Não planejamos: apenas aconteceu dessa forma. Ele se mexe no sono. Seus lábios estão secos. Os lençóis brancos se movem com seu corpo. A barba de um homem é um mapa do tempo: um entremeado de luz e escuridão, um agitar grisalho no queixo, um oco escuro sob seus lábios. Me espanta como isso o escurece, essa barba matutina, como ela cresce em tão pouco tempo, mesmo o pequeno salpicado grisalho onde não havia nada na noite anterior.

O lance do amor é que começamos a viver em corpos que não são os nossos.

Um braço da camisa de Corrigan está vestido, o outro não. Em nossa pressa sequer nos despimos adequadamente. Tudo é perdoado. Levanto o peso do braço dele e desabotoo a camisa. Botões de madeira que deslizam pelas casas de pano. Puxo a camisa ao longo do seu braço e para fora. Sua pele é muito branca, cor de maçã recém-fatiada, debaixo do pescoço bronzeado. Beijo seu ombro. A correntinha religiosa em volta de seu pescoço deixou uma marca no bronzeado, mas não a cruz, já que fica debaixo da camisa, e parece que ele usa um colar de carne branca que termina no meio do ar. Ainda alguns roxos em sua pele: a doença do seu sangue.

Ele abre os olhos e pisca um momento, faz um som que vem de algum lugar entre a dor e o espanto. Empurra seus pés para fora do lençol, olha em volta do quarto.

— Oh — diz —, já é de manhã.

— É.

— Como minhas calças foram parar ali?

— Você bebeu muito *vino*.

— *¿De veras?* — ele diz. — E eu virei o quê? Um acrobata?

Do andar de cima, o som de passos, nossos vizinhos acordando. Ele espera pelos sons, o baque dos pés deles nos sapatos.

— As crianças?

— Estão assistindo a *Vila Sésamo*.

— Nós bebemos muito.

— Bebemos.

— Não estou mais acostumado. — Ele passa as mãos sobre os lençóis, chega à curva do meu quadril, afasta-os.

Mais sons chegam de cima, um chuveiro, a queda de algo pesado, o estalido dos saltos altos de uma mulher pelo piso. O meu é o apartamento que pega todos os barulhos, até do porão abaixo. Por 110 dólares ao mês, sinto que vivo dentro de um rádio.

— Eles fazem sempre esse barulho?

— Espere só até os adolescentes acordarem.

Ele geme e olha para o teto. Gostaria de saber o que Corrigan está pensando: lá em cima, seu Deus, mas primeiro, meus vizinhos.

— Doutora, me ajude — ele diz. — Me diga alguma coisa magnífica.

Ele sabe que eu sempre quis ser médica, que vim lá de longe da Guatemala com essa intenção, que não deu pra terminar meu curso médico no meu país, e ele também sabe que não consegui aqui, nunca nem cheguei nos degraus de uma universidade, que provavelmente nunca houve nenhuma chance desde o começo, e ainda assim ele me chama de "doutora".

— Bom, eu acordei esta manhã e diagnostiquei um caso de felicidade no estágio inicial.

— Nunca ouvi falar disso — diz ele.

— É uma doença rara. Eu a peguei pouco antes dos vizinhos acordarem.

— É contagiosa?

— Você ainda não pegou?

Ele beija meus lábios, mas depois vira-se para o outro lado. O peso insuportável das complicações que ele carrega, sua culpa, sua alegria. Ele se apoia no ombro esquerdo, as pernas dobradas, e se vira de costas para mim — parece que quer se agachar e se proteger.

A primeira vez que vi Corrigan, eu estava olhando pela janela da clínica de enfermagem. Ele estava lá, atrás das vidraças sujas, carregando Sheila e Paolo e Albee e os outros. Ele tinha se metido numa briga. Havia cortes e machucados em seu rosto e, à primeira visita, ele parecia exatamente o tipo de homem de quem eu deveria ficar longe. E, no entanto, havia algo nele que era leal — essa a única palavra que tenho, *fidelidad* —, ele parecia ser leal a eles porque talvez soubesse o que era a vida que levavam. Ele colocou pranchas de madeira para empurrar as cadeiras de roda para dentro da van e os amarrou com o cinto. Havia colocado adesivos de paz e justiça em sua van: pensei que ele tinha um sentido de humor para acompanhar sua violência. Descobri mais tarde que os cortes e os machucados tinham sido dados por cafetões — ele aguentou os piores golpes e não revidou. Também era leal com as garotas, e a seu Deus, mas ele mesmo sabia que sua lealdade tinha que ser quebrada em algum lugar.

Após um momento, ele se vira para mim, passa os dedos sobre meus lábios, depois, de repente, diz:

— Perdão.

Nós fomos impetuosos na noite passada. Ele adormeceu antes de mim. Uma mulher pode achar emocionante fazer amor com um homem que nunca antes fez amor em sua vida, e foi o pensamento disso, os movimentos para isso, mas era como se eu estivesse fazendo amor com vários anos perdidos, e a verdade é que ele chorou, ele pôs a cabeça no meu ombro, e não podia sustentar meu olhar, não suportava.

Um homem que cumpre um voto por tanto tempo tem direito a tudo que quiser.

Eu lhe disse que o amava e que sempre o amaria e me senti como uma criança que atira um centavo em uma fonte e então tem que contar a alguém seu desejo extraordinário, mesmo sabendo que o desejo devia permanecer secreto e que, ao contar, provavelmente irá perdê-lo. Ele respondeu que eu não devia me preocupar, que a moeda sairia da fonte outra vez e outra vez e outra vez.

Ele quis repetir a experiência de fazer amor. A cada vez uma nova surpresa e dúvida, como se não confiasse em si mesmo, no que estava acontecendo.

Mas há este momento em que ele acorda — nesse dia do qual me lembraria sempre e sempre —, vira-se para mim e ainda há um sinal de vinho em seu hálito.

— Então — ele diz — você também tirou minha camisa.
— É um truque.
— Dos bons — diz ele.
Minha mão atravessa o lençol para encontrá-lo.
— Temos que cobrir a *mirilla* — digo.
— O quê?
— A *mirilla*, o olho mágico, o visor, seja lá como é chamado.

Tem um olho mágico em toda porta do meu apartamento. O senhorio, parece, conseguiu uma vez um bom negócio com essas portas, e as colocou em todo lugar. Dá pra olhar de um quarto para o outro e a curvatura do vidro estreita ou alarga a visão, dependendo de qual lado você está. Se você olha para minha cozinha, o mundo é pequenino. Se olha para fora, ele se estende. O visor de quarto de dormir vira-se para o lado de dentro, onde Jacobo e Eliana podem me olhar enquanto durmo. Eles a chamam de porta do parque de diversões. Para eles, pela distorção, parece que estou deitada na maior cama do mundo. Eu me inflo nos maiores travesseiros do mundo. As paredes se curvam ao meu redor. No primeiro dia que nos mudamos meus dedos ficaram fora das cobertas. *Mama, seu pé está maior do que sua cabeça! Mi hijo* disse que o mundo dentro do meu quarto parecia esticado. *Mi hija* disse que parecia de chiclete.

Corrigan foi para o lado da cama. Suas costas magras, desnudas, suas pernas compridas. Foi até o armário. Colocou sua camisa preta em um cabide, pendurou a ponta de metal do cabide na brecha entre a porta e a armação. A camisa preta pendurada cobre o olho mágico da porta. Do outro lado, o som da televisão.

— Seria bom trancá-la também — eu disse.
— ¿*Estás segura?*

Essas pequenas frases em espanhol que ele usa soam como pedras em sua boca, seu sotaque tão terrível que me faz rir.

— Eles não vão ficar preocupados?

— Não, se não ficarmos.

Ele volta para a cama, nu, embaraçado, se cobrindo. Desliza para dentro dos lençóis, se aconchega em meu ombro. Cantando. Fora de tom. "Can you tel me how-to-get, how-to-get to Sesame Street?"

Eu já sei que retornarei a esse dia sempre que desejar. Posso mantê-lo vivo. Preservá-lo. Há um ponto imóvel onde o presente, o agora, enrola-se sobre si mesmo, e não se emaranha. O rio não está onde começa ou termina, mas justo no ponto do meio, ancorado pelo que aconteceu e o que chegará. Você pode fechar os olhos e haverá um pouco de neve caindo em Nova York, e segundos mais tarde você está tomando sol em uma rocha em Zacapa, e ainda segundos mais tarde você está surfando pelo Bronx na força de seu próprio desejo. Não há como encontrar uma palavra que se encaixe nesse sentimento. As palavras resistem a ele. As palavras lhe dão um padrão que não é o dele. As palavras o colocam no tempo. Elas imobilizam o que não pode ser parado. Tente descrever o gosto de um pêssego. Tente descrever isso. Sinta a onda de doçura: nós fazemos amor.

Eu nem mesmo escuto as batidas na porta, mas Corrigan para e sorri e me beija, uma beirada de suor no topo de sua testa.

— Deve ser Elmo.

— Eu acho que é Grouchy.

Saio da cama e tiro a camisa do cabide na frente do visor, olho. Vejo os topos das cabeças das crianças: seus olhos parecem minúsculos e confusos. Puxo a camisa de Corrigan e abro a porta. Abaixo até o nível do olho deles. Jacobo segura uma velha manta nas mãos. Eliana um copo de plástico vazio. Estão com fome, dizem, primeiro em inglês e depois em espanhol.

— Só um minuto — eu lhes digo. Sou uma mãe terrível. Não deveria fazer isso. Fecho a porta outra vez, mas a abro quase imediatamente, me apresso até a cozinha, encho duas tigelas com cereais, dois copos de água.

— Agora quietos, *niños*. Prometam.

Volto para o quarto, olho para meus filhos pelo visor da porta, em frente à televisão, derramando cereal no carpete. Atravesso o quarto e pulo na cama. Jogo o lençol no chão, e então caio ao lado de Corrigan, puxo-o para perto. Ele está rindo, seu corpo à vontade.

Nos apressamos, ele e eu. Fazemos amor outra vez. Depois, ele toma uma chuveirada em meu banheiro.

— Me diga alguma coisa magnífica, Corrigan.
— Tipo o quê?
— Vamos, é sua vez.
— Bom, eu acabo de aprender a tocar piano.
— Não tem nenhum piano.
— Exatamente. Eu só me sentei e imediatamente consegui tocar todas as notas.
— Ah!

É verdade. É essa a sensação. Entro no banheiro onde ele está debaixo do chuveiro, puxo as cortinas, beijo seus lábios molhados, depois ponho meu roupão e saio para ver as crianças. Meus pés nus nas ondulações do piso de linóleo. Meus dedos pintados. Tenho a vaga consciência de que cada fibra em mim ainda está fazendo amor com Corrigan. Tudo parece novo, as pontas dos meus dedos vivas a cada toque, a tampa de um fogareiro.

Ele sai do quarto com o cabelo tão molhado que de primeiro penso que o grisalho das têmporas desapareceu. Está usando suas calças escuras e a camisa preta, já que não tem outra roupa para trocar. Fez a barba. Tenho vontade de repreendê-lo por usar meu aparelho de depilação. Sua pele parece lustrosa e nua.

Uma semana mais tarde — depois do acidente —, voltarei para casa e recolherei seus pelos do lado da minha pia, arrumando-os em padrões, obsessivamente, repetidas vezes. Eu os contarei para reconstituí-los. Eu os juntarei no lado da pia e tentarei criar ali seu retrato.

Vi o raios X no hospital. A sombra inchada do coração do rude trauma no peito. O músculo do seu coração espremido pelo sangue e fluido. As veias jugulares, maciçamente alargadas. Seu coração entrou e saiu do galope. O médico enfiou uma agulha em seu peito. Eu conhecia a rotina, de meus anos como enfermeira: drenar o pericárdio. Sangue e fluido foram tirados, mas o coração de Corrigan continuou inchando. Seu irmão orou, repetidas vezes. Eles tiraram outro raio X. As veias jugulares estavam maciças, estavam apertando e fechando. Todo o seu corpo estava frio.

Mas, por enquanto, as crianças só erguem os olhos e dizem "Oi, Corrie", como se fosse a coisa mais natural do mundo. Atrás delas, a televisão continua. *Contem até 7. Cantem comigo. Quando a torta foi aberta os pássaros começaram a cantar.*

— *Niños, apaguen la tele.*
— Mais tarde, mamãe.
Corrigan senta-se à pequena mesa de madeira atrás do aparelho de televisão. Está de costas para mim. Meu coração estremece toda vez que ele se senta perto do retrato do meu marido morto. Ele nunca me pediu para tirar a foto. Nunca pedirá. Ele sabe por que ela está ali. Não importa que meu marido tenha sido um bruto que morreu na guerra nas montanhas perto de Quezaltenango — isso não faz diferença — todas as crianças precisam de um pai. Além disso, é apenas uma foto. Não é o mais importante. Não ameaça Corrigan. Ele conhece minha história. Ela está contida dentro deste momento.

E de repente eu penso, ao olhar do outro lado da mesa para ele, que esses são os dias que serão. Este é o futuro que nós vemos. A guinada e a estática. A confiança e a dúvida. Corrigan me olha de volta e sorri. Ele pega um dos meus livros de medicina. Abre-o em uma página ao acaso e a examina, mas eu sei que ele não está lendo. Figuras de corpos, de ossos, de cartilagem.

Passa pelas páginas como se procurasse mais espaço.
— Realmente — ele diz — é uma boa ideia.
— O quê?
— Ter um piano e aprender a tocar.
— Sim, e colocá-lo onde?
— Em cima do televisor. Certo, Jacobo? Ei, Bo, isso ia dar certo, não ia?
— Não — diz Jacobo.
Corrigan se inclina para o sofá e passa a mão no cabelo escuro do meu filho.
— Talvez a gente consiga um piano com um aparelho de televisão dentro.
— Não.
— Talvez um piano e uma TV e uma máquina de chocolate, tudo uma coisa só.
— Não.
— Televisão — diz Corrigan, sorrindo —, a droga perfeita.
Pela primeira vez em anos, desejo um jardim. Poderíamos sair para o ar fresco e sentar longe das crianças, encontrar nosso próprio espaço, transformar os prédios vizinhos em folhas de grama, fazer os pedreiros esculpir flores a nossos pés. Tenho sonhado com frequência em levá-lo para a Guatemala. Havia um lugar onde meus amigos de infância e eu costumávamos ir, um pequeno bosque de borboletas, seguindo pela estrada de terra para

Zacapa. O caminho entrava pelo mato. As árvores abriam-se no bosque, onde as moitas eram mais baixas. As flores tinham o formato de um sino, vermelhas e abundantes. As meninas aspiravam as flores encantadoras enquanto os meninos despedaçavam as borboletas para ver como elas eram feitas. Algumas asas eram tão coloridas que só poderiam ser venenosas. Quando deixei meu país e cheguei em Nova York, aluguei um pequeno apartamento em Queens e, um dia, perturbada, fiz uma tatuagem no tornozelo, as asas bem abertas. Foi uma das coisas mais estúpidas que eu já fiz. Me odiei depois por minha vulgaridade.

— Você está sonhando — diz Corrigan.

— Estou?

Minha cabeça no ombro dele, Corrigan ri como se o riso quisesse viajar uma boa distância, passando também por meu corpo.

— Corrie?

— Hu-hum?

— Você gosta da minha tatuagem?

Ele me dá uma cotovelada brincalhona.

— Posso viver com ela — diz.

— Diga a verdade.

— Não, eu gosto dela, gosto sim.

— Mentiroso — digo. — Ele enruga a testa. — Brincalhão.

— Não estou brincando. Garotos! Garotos, vocês acham que eu estou brincando?

Nenhum deles disse nada.

— Está vendo? — diz Corrigan. — Eu lhe disse.

Meu desejo por ele é cru e lancinante. Eu me inclino e beijo seus lábios. É a primeira vez que nos beijamos na frente das crianças, mas eles parecem não reparar. Uma faísca gelada em minha nuca.

Há momentos — embora não frequentes — em que eu gostaria de não ter nenhum filho. Simplesmente fazê-los desaparecer, Deus, por uma hora mais ou menos, não mais, só uma hora, só isso. Rápido e longe da minha vista, fazê-los subir em uma nuvem de fumaça e sumir, depois trazê-los absolutamente intactos, como se não tivessem saído. Mas me deixe sozinha, com ele, este homem, Corrigan, por um pouquinho, só eu e ele, juntos.

Deixo minha cabeça no ombro dele. Ele toca meu rosto, distraído. O que pode estar em sua mente? Existem tantas coisas para afastá-lo de mim. Às vezes, acho que ele é feito de ímã. Ele pula e gira no meio do ar a minha volta.

Vou para cozinha e faço café para ele. Ele gosta de café bem forte e quente com três colheres cheias de açúcar. Ele ergue a colher e a lambe, triunfante, como se a colher o tivesse feito passar por uma experiência penosa. Respira na colher e depois a pendura na ponta do nariz, de maneira que ela balança ali, absurda.

Ele se volta para mim.

— O que você acha, Adie?

— Que *payaso*.

— *Gracias* — ele diz com um sotaque horrível.

Ele passa na frente da televisão com a colher ainda balançando na ponta do nariz. Ela cai e ele a pega e então respira nela outra vez, faz seu truque. As crianças explodem numa gargalhada.

— Deixa eu, deixa eu, deixa eu.

Essas são as pequenas coisas que ando aprendendo. Ele é ridículo o bastante para pendurar colheres na ponta do nariz. Isso, e ele gosta de soprar o café para esfriar, três sopros curtos, um longo. Isso, e ele não gosta de cereal. Isso, e que ele é bom para consertar torradeiras.

As crianças voltam ao programa da televisão. Ele senta-se outra vez e termina seu café. Olha para a parede distante. Sei que está outra vez pensando em seu Deus e sua igreja e sua perda se decidir deixar a ordem. É como se sua própria sombra tivesse pulado para pegá-lo. Sei tudo isso porque ele sorri para mim e é um sorriso que contém tudo, inclusive um dar de ombros, e então de repente ele se levanta da mesa, se estica, vai para o sofá e cai por cima no meio das crianças, como se elas pudessem protegê-lo. Envolve-as com os braços, sobre seus ombros. Gosto e desgosto dele por isso, ambas as coisas ao mesmo tempo. Sinto um desejo por ele outra vez, em minha boca agora, penetrante como o sal.

— Você sabe — ele diz — tenho trabalho a fazer.

— Não vá, Corrie. Fique por aqui um pouco. O trabalho pode esperar.

— Sim — ele diz, como se pudesse acreditar nisso.

Puxa as crianças para mais perto, e elas permitem. Quero que ele decida. Quero ouvi-lo dizer que pode ter os dois, Deus e eu, também meus filhos e minha pequena casa de tábua. Quero que ele fique aqui — exatamente aqui — no sofá, sem se mexer.

Eu sempre me perguntarei o que era, o que era aquele momento de beleza, o que ele murmurou para mim, quando o encontramos todo batido no hospital, o que era que ele estava dizendo quando murmurou no escuro que havia visto uma coisa que não poderia esquecer, uma confusão de palavras, um homem, um prédio, eu não pude entender direito. Só posso esperar que no último momento ele tenha tido paz. Pode ter sido um pensamento comum, ou pode ter sido que ele havia se decidido e deixaria a Ordem, e que nada poderia detê-lo agora, e ele voltaria para casa para mim, ou talvez não fosse nada disso, só um simples momento de beleza, alguma coisa pequena que nem merecia ser contada, um encontro ao acaso, ou uma conversa que teve com Jazzlyn ou Tillie, uma piada, ou talvez ele tenha decidido que, sim, ele podia me deixar agora, que podia ficar com sua igreja e fazer seu trabalho, ou talvez não houvesse nada em sua mente, talvez ele apenas estivesse feliz, ou em agonia, e a morfina o tivesse confundido — tem todas essas coisas e tem mais — é impossível saber. Guardo confusa os últimos momentos de sua língua.

Teve um homem andando no ar, ouvi falar disso. E Corrigan passou a noite dormindo na van perto do Tribunal. Ganhou uma multa por causa disso. Na John Street. Talvez ele tenha acordado, saído de sua van de manhã cedo, e tenha visto o homem lá no alto, desafiando Deus, um homem acima da cruz e não abaixo — quem sabe, eu não posso dizer. Ou talvez tenha sido o caso no tribunal, no qual o equilibrista saiu livre, enquanto Tillie foi condenada a oito meses, talvez isso o tenha chateado — essas coisas estão misturadas, não há respostas, talvez ele tenha pensado que ela merecia outra chance, estivesse com raiva, ela não devia ir pra cadeia. Ou talvez outra coisa o tenha impressionado.

Ele me disse uma vez que não havia fé melhor do que uma fé ferida e às vezes eu me pergunto se isso era o que ele estava fazendo o tempo todo — tentando ferir sua fé para testá-la — e eu fui apenas uma outra pedra no caminho para seu Deus.

Nos meus piores momentos me convenço que ele estava se apressando de volta à casa pra dizer adeus, que estava dirigindo rápido demais porque havia decidido, e estava acabado, mas nos melhores, os melhores mesmo, ele chega na porta, sorrindo, com seus braços bem abertos, decidido a ficar.

E então é assim que eu o deixarei, sempre assim, enquanto puder. Era — é — uma quinta de manhã, uma semana antes do acidente, e isso preenche o espaço de cada outra manhã em que desperto. Ele se senta entre Eliana e Jacobo, no sofá, os braços bem abertos, os botões de sua camisa preta abertos, seu olhar direto à frente. Nada nunca vai realmente tirá-lo desse sofá. É apenas uma pequena coisa marrom, com almofadas que não combinam, e um furo no braço onde está bem gasto, algumas moedas de seu bolso caídas nas brechas, e eu agora o levarei comigo para onde for, para Zacapa, ou para a clínica, ou para onde for.

TUDO GLÓRIA E ALELUIA

Eu soube quase imediatamente. Essas duas bebês precisavam ser cuidadas. Foi um sentimento tão profundo que deve ter vindo de muito tempo atrás. Às vezes ficar pensando nas coisas do passado é um erro que nasce do orgulho, mas acho que a gente vive dentro de um momento durante anos, avança com ele e vê como ele cresce e espalha suas raízes até tocar tudo à vista.

Eu cresci no sul de Missouri. A única menina entre cinco irmãos. Eram os anos da Grande Depressão. As coisas estavam desmoronando, mas nós permanecemos unidos do melhor modo que conseguimos. A casa onde morávamos era uma pequena estrutura em V invertido, como a maioria das casas do lado colorido da cidade. As vigas sem pinturas arqueavam ao redor da varanda. De um lado da casa estava a comprida sala de estar, mobiliada com cadeiras de bambu, um sofá púrpura e uma mesa longa, toscamente talhada com o fundo de uma carroça quebrada. Dois grandes carvalhos faziam sombra no outro lado da casa, onde os quartos foram levantados de frente para o leste no nascer do sol. Eu pendurava botões e pregos nos galhos, para tilintar ao vento. Dentro, os assoalhos da casa eram desnivelados. À noite, gotas da chuva caíam no telhado de metal.

Meu pai costumava dizer que gostava de ficar sentado escutando o lugar todo fazer barulho.

Os dias de que mais me recordo eram os mais comuns — brincar de amarelinha na laje de concreto quebrado, ir atrás de meus irmãos pelos campos de milho, arrastar minha pasta da escola pelo chão de terra. Meus irmãos mais velhos e eu líamos um monte de livro nessa época — uma biblioteca-móvel vinha até nossa rua uma vez a cada poucos meses e ficava 15 minutos. Quando o sol virava uma bolha amarela sobre a cerca quebrada, saíamos correndo da casa em direção aos fundos do armazém do Chaucer, para brincar num arroio que agora imagino que devia ser insignificante mas que, na época, era uma torrente de água que tínhamos de enfrentar. Fazíamos navios a vapor navegar por aquele poderoso riacho, e fazíamos o negro Jim gritar com Tom Sawyer até se esgoelar. Não sabíamos muito bem o que fazer com Huck Finn e na maioria das vezes o deixávamos de fora das nossas aventuras. Os barcos de papel dobravam na curva e sumiam.

Na maior parte do tempo meu pai pintava casas, mas a coisa que mais gostava de fazer era pintar à mão os cartazes nas portas das casas comerciais da cidade. Os nomes de homens importantes em vidros foscos. Letras folheadas a ouro e cuidadosos arabescos prateados. Ocasionalmente, ele trabalhava para as companhias comerciais, os moinhos e as agências de detetives da cidadezinha. De vez em quando um museu ou uma igreja evangélica mandava retocar seus cartazes de boas-vindas. Seu negócio era quase todo na parte branca da cidade, mas quando ele trabalhava do nosso lado do rio, íamos com ele para segurar sua escadinha e passar os pincéis e panos. Ele pintava cartazes de madeira que balançavam ao vento para imobiliárias e para mexilhões e sanduíches de beira de rio que custavam um níquel. Era um homem baixo que se vestia impecavelmente para todo serviço, não importa o que fosse. Usava uma camisa vincada de colarinho engomado e um prendedor de gravata de prata. Suas calças tinham bainhas e ele ficava contente em dizer que se procurasse com cuidado podia ver o reflexo de seu trabalho nos sapatos. Nunca mencionava nada sobre dinheiro para nós, ou sua falta, e quando a Depressão bateu pra valer, ele simplesmente circulava por todos os seus trabalhos antigos e retocava a pintura na esperança de que os negócios continuassem vivos, e que eles talvez lhe dessem 1 ou 2 dólares quando os tempos melhorassem.

A falta de dinheiro não incomodava muito minha mãe — ela era uma mulher que havia conhecido os piores e os melhores tempos: tinha idade suficiente para ter escutado todas as histórias de escravos em primeira mão, e sabedoria suficiente para reconhecer o valor de ter saído de seu jugo, ou pelo menos estar tão distante quanto alguém poderia escapar de seu jugo naquela época no sul do Missouri.

Ela havia recebido, como um memento, o recibo de quando minha avó foi vendida, e isso era uma coisa que guardava para se lembrar do lugar de onde tinha vindo, mas quando finalmente teve uma oportunidade de vendê-lo, vendeu — para o curador de um museu que veio de Nova York. Usou o dinheiro para comprar uma máquina de costura de segunda mão. Ela também tinha outros trabalhos, mas trabalhava principalmente como faxineira no escritório do jornal no centro da cidade. Voltava para casa com jornais de vários lugares do país e à noite lia para nós as histórias que achava boas, histórias que abriam as janelas de nossa casa, coisas simples como subir em uma árvore atrás de um gato, ou escoteiros ajudando os bombeiros, ou homens de cor lutando pelo que era bom e justo, o que nossa mãe chamava de *justebom*.

Ela não fazia coro com Marcus Garvey: não tinha nenhum rancor nem desejo de voltar atrás, mas não deixava de pensar que a mulher de cor podia encontrar um lugar melhor no mundo.

Minha mãe tinha o rosto mais bonito que eu conhecia, talvez o mais bonito que já vi: escuro como a escuridão, cheio, perfeitamente oval, com olhos que pareciam ter sido pintados por meu pai, uma boca que tinha um leve traço de tristeza e os dentes branquíssimos, de maneira que quando ela ria eles davam outro relevo a todo seu rosto. Ela lia em uma aguda melopeia africana que eu imagino descender de uma linha muito antiga desde Gana, uma coisa que ela tornou americana e nos ligava a um lar que nunca tínhamos visto.

Até os 8 anos eu podia dormir ao lado dos meus irmãos, mas mesmo depois disso, nossa mãe ainda me colocava na cama ao lado deles e lia para que dormíssemos. Depois, passava seus grandes braços sob mim e me carregava para meu próprio colchão que, devido à planta da casa, ficava no pequeno vestíbulo ao lado do quarto dela. Até hoje ainda consigo escutar meus pais cochichando e rindo antes de dormirem: talvez seja tudo que desejo recordar, talvez nossas histórias devessem parar de repente, talvez as coisas pudessem começar e terminar bem ali, no momento da risada, mas as coisas não começam nem terminam realmente, suponho; elas simplesmente continuam seguindo.

Em uma noite de agosto quando eu tinha 11 anos, meu pai entrou pela porta com um borrão de tinta no sapato. Minha mãe, que estava fazendo pão, simplesmente olhou para ele. Nunca antes, nem mesmo uma vez, ele tinha sujado suas roupas enquanto pintava. Ela deixou a colher de chá cair no chão. Uma pequena mancha de manteiga derretida se espalhou pelo piso. "O que, em nome de Lutero, aconteceu com você?", murmurou. Ele ficou de pé pálido e enrijecido, e agarrou na barra da toalha de mesa xadrez vermelha e branca. Parecia que estava engolindo para firmar a voz. Balbuciou um pouco e seus joelhos curvaram-se. Ela disse: "Oh, Deus, é um ataque", e colocou os braços em volta dele.

O rosto estreito do meu pai nas grandes mãos dela. Os olhos deles passando rápido pelos seus. Minha mãe ergueu o olhar e gritou para mim: "Gloria, vá atrás do doutor."

Atravessei a porta correndo de pés descalços.

Era uma estrada de terra naquela época e posso recordar a textura de cada passada — às vezes parece que ainda estou correndo naquela estrada. O médico estava curando uma ressaca. Sua esposa disse que ele não podia ser perturbado, e me deu duas palmadas, uma de cada lado do rosto, quando tentei passar por ela nas escadas. Mas eu era uma garota com um bom par de pulmões. Berrei com toda força. Ele me surpreendeu quando veio até o topo das escadas, espiou embaixo, e então pegou sua pequena pasta preta. Pela primeira vez andei de automóvel, de volta para nossa casa, onde meu pai ainda estava sentado à mesa da cozinha, apertando os braços. No final, foi apenas um ataque leve de coração, não um infarto, e não mudou muito meu pai, mas tirou a animação de minha mãe. Ela não o deixava sair de vista; tinha medo que ele tivesse um colapso a qualquer momento. Ela perdeu seu emprego no jornal quando insistiu para ele ir com ela e ficar sentado enquanto ela fazia a faxina; os editores não podiam tolerar o pensamento de um homem de cor mexendo em seus papéis, embora não vissem nada de errado em uma mulher fazendo isso.

Uma das coisas mais bonitas que já vi — ainda, até hoje — foi a imagem do meu pai se aprontando para pescar uma tarde com alguns amigos que ele tinha feito na loja da esquina. Ele percorria a casa, desajeitado, juntando as coisas. Minha mãe não queria que ele carregasse nada, nem mesmo a vara e os apetrechos, com medo de que isso pudesse cansá-lo. Ele enfiou mais apetrechos na cesta de piquenique e gritou que levaria toda maldita coisa que quisesse. Ele até encheu a cesta com cerveja extra e sanduíches de atum para seus amigos. Quando um assobio veio do lado de fora, ele se virou e a beijou na porta, deu um tapinha em sua bunda e sussurrou alguma coisa em seu ouvido. Mama jogou a cabeça para trás e riu, e anos mais tarde imaginei que devia ter sido alguma coisa boa e grosseira. Ela o viu sair até quase se perder de vista, para além da esquina, voltou para dentro e se ajoelhou — ela não era uma mulher religiosa, entenda; costumava dizer que o futuro do coração estava numa pá de terra — mas começou a rezar para que chovesse, uma prece absolutamente séria que pudesse trazer rapidamente meu pai de volta para ficar junto dela.

Esse foi o tipo de amor cotidiano que tive de aprender a lidar: se você é criada com ele, é difícil pensar que alguma vez vai conseguir um à altura. Eu costumava pensar que era complicado para os filhos de pais que realmente se amavam, muito difícil se desprender dessa pele porque às vezes ela é tão confortável que você não quer ter de desenvolver a sua.

Enquanto viver nunca me esquecerei do cartaz que eles pintaram para mim alguns anos mais tarde, depois que perdi dois dos meus irmãos na Segunda Guerra Mundial, em Anzio, e depois que as bombas caíram no Japão, depois dos discursos e dos apertos contentes de mão, eu estava de partida para o norte para a faculdade em Syracuse, Nova York, e eles escreveram em um pequeno cartaz com a tinta favorita do meu pai, o dourado precioso que guardava para trabalhos de alta categoria, e o levantaram na rodoviária, o cartaz bem construído como uma pipa em forma de diamante para não balançar ao vento: VOLTE LOGO PARA CASA, GLORIA.

Não voltei logo para casa. Não voltei para casa em momento nenhum. Não na época, pelo menos. Fiquei no norte, não tanto na farra quanto enfiando minha cabeça nos livros, e depois meu coração em um casamento rápido, e depois minha alma em uma tipoia, e depois minha cabeça e coração nos meus três garotinhos, e deixando os anos passarem, como as pessoas fazem, vendo meus tornozelos incharem, e na vez seguinte que realmente voltei para casa, para Missouri, anos mais tarde, eu estava nos ônibus das caravanas da liberdade, escutando histórias sobre a polícia arrastando canhões de água, e podia escutar a voz da minha mãe em meus ouvidos: Gloria, você não fez nada esse tempo todo, nada de nada, onde você esteve, o que você fez, porque não voltou, você não sabia que eu estava rezando para chover?

TENHO UM CORPO AGORA, quase trinta anos mais tarde, que as pessoas pensam que é de ir para a igreja. Tenho vestidos que apertam meus quadris e não deixam meus seios balançar. No ombro esquerdo do meu vestido mais escuro enfiei um broche de ouro. Levo uma bolsa branca com um arco como alça. Uso meias de seda até meus joelhos e às vezes um conjunto de luvas brancas que sobem até meus cotovelos.

Tenho uma voz, também, com um tom de ressaca, então as pessoas me olham e acham que estou prestes a entoar algum cântico dos velhos canaviais, mas a verdade é que não tenho visto Deus desde aqueles primeiros tempos quando deixei Missouri, e prefiro voltar para casa para meu quarto no Bronx, puxar os lençóis e escutar Vivaldi deslizar pelos alto-falantes do estéreo do que escutar qualquer pastor pregando sobre como salvar o mundo.

De qualquer maneira, a essas alturas mal posso me encaixar em um banco de igreja: nunca foi confortável enfiar meu corpo neles e sentar.

Perdi dois casamentos e três filhos. Eles partiram de modos diferentes, todos despedaçando meu coração, mas Deus não está a fim de remendar nada disso. Sei que fiz papel de boba às vezes, e sei que Deus também me fez de boba com a mesma frequência. Eu desisti Dele sem muita culpa. Tentei fazer as coisas certas na maior parte de minha vida, mas isso não acontecia na casa do Senhor. Apesar de tudo, sei que a palavra *carola* é a impressão que terminei passando a meu redor. Eles olham para mim e pensam e acham que vou conduzi-los para o evangelho. Cada um tem sua própria maldição, e suponho — por um tempo pelo menos — que Claire me enquadrou nesse escaninho peculiar.

Ela não era uma mulher com quem eu tivesse algum problema. Parecia perfeitamente bem para mim, tão gentil quanto possível. Não foi como se tentasse me encher a cabeça com suas lágrimas. Elas vieram naturalmente, como as de qualquer uma. Ela também ficou embaraçada, dava pra ver, com suas cortinas, suas porcelanas, seu esposo pintado na parede, a xícara de chá chocalhando no pires. Parecia que ia sair voando pela janela para a Park Avenue a qualquer momento, com sua mecha grisalha no cabelo, seus braços finos e desnudos, seu pescoço comprido com veias azuis. Havia diplomas universitários na parede do corredor, e qualquer um podia ver que ela havia nascido do lado direito do rio. Mantinha sua casa arrumada e esfregada e tinha um pouquinho da cadência sulista na voz, então se havia alguma das mulheres com que eu sentia um parentesco, era ela.

Aquela manhã passou imperceptível, como a maioria das boas manhãs.

Tivemos nossa distração com o equilibrista e depois descemos do telhado e comemos os *donuts* e tomamos nosso chá e as xícaras chocalharam um pouco. A sala de estar estava inundada de luz. A mobília tinha um brilho profundo. O teto era alto e graciosamente adornado. Na estante, um pequeno relógio de quatro pés em uma campânula de vidro. Minhas flores estavam no centro da mesa. Já haviam começado a abrir um pouco com o calor.

As outras estavam atordoadas com a Park Avenue, saltava aos olhos. Quando Claire desapareceu na cozinha, elas ficaram erguendo suas xícaras e examinando o fundo para ver que tipo de desenho havia ali. Janet ergueu até um cinzeiro de cristal. Havia duas pontas de cigarro apagadas nele. Ela o ergueu no ar para ver se podia achar alguma marca, como se ele talvez tivesse vindo da própria rainha Elizabeth. Mal pude conter o sorriso. "Bom, nunca se sabe", disse Janet, com um suspiro agudo. Tinha um jeito de balançar o cabelo de lado quase sem mexer a cabeça. Colocou o cinzeiro de volta na mesa e deu uma fungadinha como se dissesse: *Como ousa!* Arrumou outra vez o cabelo com outro movimento rápido e olhou para Jacqueline. As duas tinham uma conversinha de mulher branca rolando entre elas, já vi isso o bastante para saber, tudo está nos olhos, elas se inclinam um pouco para o lado, mantêm o olhar por um momento, depois olham para o outro lado. Tiveram séculos para praticar — fico surpresa de algumas pessoas não ficarem congeladas nessa pose.

Olhei em direção à cozinha, mas Claire ainda estava atrás da porta de venezianas — eu podia ver seu perfil fino, se azafamando, pegando mais gelo. O estalido de uma forma de gelo. Uma torneira correndo.

— Volto já — ela gritou da cozinha.

Janet se levantou e foi nas pontas dos pés até o quadro na parede. Ele estava retratado muito bem, o esposo, como em uma fotografia, sentado em uma cadeira antiga de paletó e gravata. Era um desses quadros em que mal se nota a pincelada. Ele olhava muito sério para nós. Careca, de nariz fino, uma pequena insinuação de papada sob o queixo. Janet aproximou-se do retrato e fez uma careta.

— Parece que ele está com uma vara no traseiro — murmurou.

Era engraçado, e verdadeiro, suponho, mas não pude evitar sentir um aperto no peito, pensando que Claire podia sair da cozinha a qualquer momento. Disse a mim mesma: *Não diga nada, não diga nada, não diga nada.* Janet estendeu o braço e colocou a mão na moldura do quadro. Marcia tinha um sorriso maldoso no rosto. Jacqueline mordia o lábio. Todas as três estavam a ponto de explodir em gargalhadas.

A mão de Janet passou ao longo da moldura e hesitou sobre as coxas dele. Marcia se atirou de volta ao sofá e pôs a mão na boca como se fosse a coisa mais engraçada que já vira. Jacqueline disse:

— Não excite o coitadinho.

Um silêncio e algumas risadinhas a mais. Eu me perguntei o que poderia acontecer se fosse eu quem tivesse levantado e tocado os joelhos dele, passado a mão por dentro de suas pernas — imagine isso —, mas eu fiquei, claro, enfiada na cadeira.

Escutamos a porta de venezianas sendo empurrada e Claire se aproximou, uma grande jarra de água gelada nas mãos.

Janet se afastou do quadro, Marcia se virou no sofá e fingiu tossir, e Jacqueline acendeu outro cigarro. Claire estendeu a bandeja para mim. Dois bagels e três donuts. Um com calda de açúcar, outro polvilhado, outro simples.

— Se eu comer outro donut, Claire — eu disse —, vou vomitar na rua.

Isso foi como soltar o ar de um balão, deixando-o flutuar pela sala. Não pensei que fosse ser tão engraçado, mas por todos os motivos foi, e deixou a sala respirar profundamente. Logo começamos a falar outra vez com nossos rostos sérios — verdade, foi uma boa conversa, conversa honesta, lembrando os nossos meninos, como e o que eles eram, e pelo que eles foram lutar. O relógio tiquetaqueava na prateleira perto da estante de livros e então Claire nos levou pelo corredor, passando pelos quadros e diplomas universitários, para o quarto do seu filho.

Ela empurrou a porta para abrir como se fosse a primeira vez que fizesse isso em anos. A porta rangeu e balançou nas dobradiças.

O quarto parecia não ter sido tocado. Lápis, apontadores, papéis, cartões de beisebol. Fileiras de livros nas prateleiras. Um armário de carvalho com pernas altas. Um pôster de Mickey Mantle sobre a cama. Uma mancha de vazamento no teto. Um estalo no piso de madeira. Surpreendeu-me um pouco a pequenez do quarto — mal cabíamos todas as cinco. "Deixe-me abrir um pouco a janela", Claire disse. Fui cuidadosa ao me sentar no canto da cama onde tem mais apoio — eu não queria que ela rangesse. Pus minhas mãos no colchão para que não quicasse e me apoiei na parede onde senti o frio da argamassa nas costas. Janet sentou no almofadão — ele quase nem se mexeu — e as outras se sentaram na outra ponta da cama, enquanto a própria Claire se sentou em uma pequena cadeira branca perto da janela por onde a brisa entrava.

— Aqui estamos — disse.

O som de sua voz era como se tivéssemos chegado ao fim de uma jornada muito longa.

— Bom, é encantador.

— É sim — disse Marcia.

O ventilador de teto girava e o pó se assentava como mosquitinhos a nossa volta. Ao longo das prateleiras havia montes de partes de rádio e montagens de geringonças eletrônicas, fios pendurados. Baterias grandes. Três telas, com os fundos abertos e os tubos aparecendo.

— Ele gostava de televisão? — perguntei.

— Oh, isso são pedaços de computadores — disse Claire.

Ela estendeu a mão e pegou uma foto dele em um porta-retrato prateado em sua mesa e o passou. O porta-retrato era pesado e tinha uma marca MADE IN ENGLAND nas costas aveludadas. Na foto, Joshua era um garoto branco pequeno e magro com espinhas no queixo. Óculos escuros e cabelo curto. Olhos que não estavam confortáveis olhando para a câmera. Tampouco estava de uniforme. Ela disse que foi tirada justo antes de sua formatura no ensino médio, quando ele foi orador da turma. Jacqueline revirou os olhos outra vez, mas Claire não percebeu — cada palavra que dizia sobre o filho parecia espalhar o sorriso em seu rosto. Pegou um globo de neve da escrivaninha dele, sacudiu-o para cima e para baixo. O globo era de Miami, e pensei: "Tem alguém com um toque de humor — neve caindo na Flórida." Mas quando ela o virou de cabeça para baixo foi como se houvesse outra gravidade no mundo: ela esperou todo pequeno floco se assentar e então o virou outra vez e nos contou tudo sobre ele, Joshua, onde ele foi à escola, as músicas de que gostava no piano, o que estava fazendo por seu país, como tinha lido todos os livros nas prateleiras, como até fez para si mesmo uma máquina de calcular, foi à faculdade, depois para algum parque em algum lugar — ele era o tipo de garoto que poderia colocar outro homem na lua.

Eu tinha lhe perguntado uma vez se ela achava que Joshua e meus meninos tinham sido amigos, e ela disse que sim, mas eu sabia que provavelmente nada estava mais longe da verdade.

Não me envergonho de dizer que senti uma solidão passando por mim. Por curioso que fosse, todas se empoleiravam em seu próprio mundinho com a necessidade profunda de falar, cada pessoa com sua própria história, começando em algum estranho ponto no meio, depois se esforçando tanto para contar tudo, dar um sentido a tudo, lógico e final.

Tampouco me envergonho de dizer que a deixei continuar, até a encorajei a deixar tudo sair. Anos atrás, quando eu estava na universidade em Syracuse, desenvolvi uma maneira de dizer coisas que deixassem as pessoas felizes, que continuassem falando para que assim eu não tivesse de dizer muita coisa eu mesma, talvez eu dissesse hoje que estava erguendo um muro para me colocar a salvo. Nas salas das pessoas abastadas, aperfeiçoei meu entranhado hábito de sulista de falar Piedade e Senhor e Deus do Céu. Eram as palavras com que me retirava em outra forma de silêncio, as palavras a que sempre recorri, de minha confiança, que têm sido meu último recurso desde não sei quanto tempo. E realmente caí no mesmo fosso na casa de Claire. Ela se lançou em seu próprio mundinho de arames e computadores e engenhocas elétricas, e imediatamente eu me encolhi.

Não que ela tenha notado, ou parecesse notar, em todo caso; ela só me deu uma olhadela sob sua mecha grisalha, e sorriu, como se estivesse surpresa por estar falando e nada pudesse pará-la agora. Era um quadro de pura felicidade, amontoando um pensamento depois do outro, circulando em torno, voltando, explicando outra coisa eletrônica, detalhando outra sobre a época de Joshua na escola, passando para o piano na Flórida, pulando sua própria amarelinha pela vida do garoto.

O quarto ficou quente, todas nós cinco juntas. O ponteiro do relógio no criado-mudo não se mexia mais, talvez as baterias estivessem vencidas, mas ele começou a tiquetaquear em minha cabeça. Eu me senti flutuar. Não queria cair no sono. Tive que morder a parte de dentro do lábio para não me deixar cochilar. Na verdade não era só eu, nós todas estávamos ficando um pouco impacientes, eu percebia, o mexer dos corpos, e o jeito como Jacqueline respirava e a tossezinha que vinha de vez em quando de Janet, e Marcia secando a testa com seu lencinho.

Senti um caso de dormência se aproximando. Fiquei tentando mexer os dedos dos pés e apertar os músculos da panturrilha — imagino que estava fazendo um pouco de careta, mexendo meu corpo, fazendo barulho demais.

Claire sorriu para mim, mas foi um daqueles sorrisos que tem um pequeno zíper nele, um pouco fechado demais nas pontas. Sorri para ela de volta, e me esforcei para que não desse a entender que estava nervosa e constrangida, os dois. Não que ela estivesse me aborrecendo, não tinha absolutamente nada a ver com o que ela estava dizendo, só meu corpo me dificultando a vida. Apertei outra vez os dedos dos pés, mas isso não funcionou, e tão silenciosamente quanto conseguia, comecei a bater meu joelho na beirada da cama, tentando fazer aquela sensação meio desaparecida sair da minha perna. Claire me olhou como se estivesse desapontada, mas não fui eu quem finalmente se levantou; foi Marcia que, por fim, se espreguiçou no ar e deu um bocejo completo — bocejou como uma criança tirando um pedaço de chiclete da boca, como a dizer, "Olhem pra mim, estou aborrecida, vou bocejar e ninguém vai me deter."

— Perdão — ela disse como meia desculpa.

Houve uma paralisação por um momento. Era como ver o ar se despedaçar de tal maneira que dava para reconhecer todas as coisas separadas que se juntam para fazê-lo.

Janet se inclinou e deu um tapinha no joelho de Claire e disse:

— Continue sua história.

— Esqueci o que estava dizendo — disse ela. — O que eu estava dizendo?

Ninguém se mexeu.

— Sei que estava dizendo uma coisa importante — disse ela.

— Era sobre Joshua — disse Jacqueline.

Marcia olhou para o outro lado do quarto.

— Não consigo me lembrar o que era, por nada desse mundo — disse Claire.

Ela sorriu outro daqueles seus sorrisos rápidos de zíper, como se seu cérebro estivesse recusando a aceitar a evidência descarada, e respirou fundo e continuou firme. Logo estava viajando naquele trem expresso do Joshua outra vez — ele estava no ápice de alguma coisa completamente nova, ela disse, o mundo nunca saberia exatamente o que tinha perdido, ele estava levando as máquinas a um lugar onde elas fariam coisas boas para o homem e a humanidade, e algum dia essas máquinas falariam umas com as outras exatamente como as pessoas fazem, até nossas guerras seriam travadas pelas máquinas, pode ser impossível entender, mas acreditem, ela disse, era nessa direção que o mundo estava indo.

Marcia se levantou outra vez e se espreguiçou perto da porta. Seu segundo bocejo não foi tão ruim quanto o primeiro, mas neste ela perguntou: "Alguém tem o horário dos trens?"

Claire parou, gelada.

— Não quis te interromper. Perdão. Eu só não quero pegar a hora do rush — disse Marcia.

— É hora do almoço.

— Eu sei, mas às vezes fica muito cheio.

— Oh, é verdade, fica mesmo — sibilou Janet.
— Às vezes você tem que esperar horas na fila.
— Horas.
— Mesmo nas quartas.
— Podemos encomendar alguma comida — disse Claire. — Tem um novo restaurante chinês na Lexington.
— Na verdade, não. Obrigada.

Eu podia ver o rubor subindo nas bochechas de Claire. Ela tentou sorrir outra vez, um sorriso neutro, e me lembrei daquele dito antigo de um verso, *Um pouco de veneno a ajudou*, de uma antiga canção que minha mãe me ensinou quando eu era criança.

Claire estava puxando o vestido, endireitando-o, certificando-se de que não estava enrugado. Então pegou a foto de seu Joshua do parapeito da janela e se levantou.

— Bom, não posso lhes agradecer o bastante por terem vindo — disse. — Já faz não sei quanto tempo desde que alguém entrou neste quarto.

Seu sorriso poderia quebrar vidros.

Marcia imediatamente sorriu de volta com pesar. Jacqueline limpou a testa como se tivesse passado por uma longa experiência penosa. O quarto se encheu de pigarros e hesitação e pausas e tosses, mas Claire ainda apertava no vestido a foto no porta-retratos. Todo mundo começou a dizer que manhã maravilhosa tinha sido, e muito obrigada por sua hospitalidade, e Joshua era mesmo um bravo rapaz, e sim vamos nos encontrar assim que possível, e não é uma maravilha ele ter sido tão inteligente, e por Deus me dê o endereço da padaria que fez os *donuts*, e todos os outros tipos de palavras para encher linguiça que podíamos achar para preencher o silêncio a nossa volta.

— Não esqueça sua sombrinha, Janet.
— Eu nasci com minha sombrinha na mão.
— Não vai chover, vai?
— É impossível achar um táxi quando chove.

No corredor, Marcia retocou seu batom no espelho e pendurou sua bolsa no pulso.

— Da próxima vez que vier aqui, me lembre de trazer uma tenda.
— Uma o quê?
— Vou acampar bem aqui.
— Eu também — disse Janet. — Realmente é um apartamento glorioso, Claire.

— Uma cobertura — disse Marcia.

Todo tipo de mentiras estavam flutuando pelo ar, indo para frente e para trás, colidindo umas com as outras, e até Marcia estava com receio de ser a primeira a girar a maçaneta da porta. Ela ficou parada perto do cabide de chapéu. Seus ombros encostaram nele. Os pés vacilaram e a maçaneta girou.

— Vou lhe telefonar logo no começo da próxima semana.

— Seria ótimo — disse Claire.

— Começaremos outra vez em minha casa.

— Ótima ideia, mal posso esperar.

— Vamos colocar os balões amarelos — disse Janet. — Lembra deles?

— Tinha balões amarelos?

— Nas árvores.

— Não me lembro — disse Marcia. — Minha memória está acabada. — Então ela se inclinou e sussurrou alguma coisa no ouvido de Janet e as duas riram.

Podíamos escutar o estrépito do elevador subindo e descendo do lado de fora.

— Posso fazer uma pergunta delicada? — disse Marcia. Tinha um olhar culpado no rosto. Ela tocou o braço de Claire.

— Por favor, por favor.

— Devemos dar uma gorjeta para o rapaz do elevador?

— Ah, não, claro que não.

Dei uma última olhada rápida no espelho do corredor, verifiquei o fecho da minha bolsa, quando de repente Claire me pegou pelo cotovelo e me puxou um pouco pelo corredor.

— Você não quer levar um pouco de doce, Gloria? — disse para todas ouvirem.

— Oh, já comi o suficiente — disse eu.

— Fique só um pouco mais — disse ela baixinho.

Havia uma pequena beirada úmida em seus olhos.

— Verdade, Claire, já comi bastante doce.

— Fique um pouco — sussurrou ela.

— Claire — eu disse, tentando me afastar, mas ela estava apertando meu cotovelo como se estivesse agarrando o último pedaço de um cordão.

— Depois que todas saírem?

Eu podia ver o pequeno tremor passando por suas narinas. O rosto dela era daquele tipo que quando você olha de perto pensa que, de repente, ele envelheceu. Havia uma súplica em sua voz. Janet e Jacqueline e Marcia estavam na outra ponta do corredor, se deliciando com um dos quadros na parede.

Claro, eu não queria deixar Claire lá com todos aqueles restos e migalhas no carpete e os cigarros amassados nos cinzeiros e suponho que podia ter ficado sem problemas, enrolado minhas mangas, e começado a lavar a louça e limpar o chão e enfiar os limões nos Tupperware, mas eu não achava que tínhamos marchado pela liberdade anos atrás pra ir limpar apartamentos na Park Avenue, não importa o quanto ela fosse legal, não importa o quanto ela sorrisse. Eu não tinha nada contra ela. Seus olhos eram grandes e abertos e generosos. Eu tinha certeza que podia só ficar sentada no sofá e ela me faria os pés e as mãos, mas nós tampouco tínhamos marchado para isso.

— Piedade — eu disse.

Não deu para evitar.

— Hã-ham — disse Jacqueline da porta da frente, como se estivesse limpando a garganta para discursar.

— Contagem regressiva: dez, nove, oito... — disse Marcia.

Eu podia escutar o bater dos sapatos de Janet no piso de madeira. Jacqueline deu outra tossidinha. Marcia estava arrumando o cabelo no espelho e murmurando alguma coisa baixinho.

Em qualquer outra época da minha vida eu talvez não acreditasse que isso pudesse acontecer mas aí estava — três mulheres brancas me esperando para sair com elas e outra tentando me segurar para ficar. Eu estava no meio de um dilema, amarrada em um cavalo a galope. Meu coração disparou. Havia umidade se juntando nos olhos de Claire e ela estava me olhando como se eu tivesse que decidir rapidamente. Uma escolha era ir com as outras, descer de elevador e sair para a rua, onde poderíamos parar e nos despedir. A outra escolha era ficar com Claire. Eu não queria perder nossas manhãs para brincar de favorita, não importa o quanto ela fosse bondosa, ou como seu apartamento fosse bonito, e então menti descaradamente.

— Bem, eu tenho de ir para casa, Claire, tenho um compromisso na igreja à tarde, no coro.

Eu me senti completamente constrangida por estar mentindo. Ela disse, claro, sim, ela entendia, que tolice dela, e então me beijou gentilmente no rosto. Seus lábios roçaram no lado do meu prendedor de cabelo e ela disse: "Não se preocupe."

Não sei as palavras para a maneira como ela me olhou — existem poucas palavras —, foi como algo brotando, se levantando, se erguendo na superfície da água, foi o tipo da coisa que não pode ser dita. Pareceu por um momento que alguma coisa tinha desfiado em minha espinha, minha pele apertou, mas o que eu poderia dizer? Ela agarrou meu punho e segurou-o, dizendo pela segunda vez que entendia e não queria me afastar do coro. Eu me desvencilhei. Estava terminado, então, eu tinha certeza, felizmente resolvido, e o corredor se abriu para mim e mais alguns sorrisos nos rodearam, e declaramos que nos veríamos na casa da Marcia na vez seguinte — embora eu tenha sentido que provavelmente jamais haveria uma outra vez, essa era a tristeza, eu tinha a firme ideia de que íamos deixar isso de lado, todas nós tínhamos tido nossa oportunidade, tínhamos trazido nossos garotos de volta à vida por um pequeno momento — e então saímos para o saguão, onde Claire apertou o botão para o elevador.

A porta de ferro foi aberta pelo garoto ascensorista. Eu fui a última a entrar, então Claire me puxou pelo cotovelo e me aproximou dela outra vez, uma tristeza tomando todo seu rosto.

Sussurrou:

— *Você sabe, eu ficaria feliz em te pagar, Gloria.*

MINHA AVÓ FOI ESCRAVA. A mãe dela também. Meu bisavô foi um escravo que acabou comprando a si mesmo lá no Missouri. Levava um lembrete com ele para o caso de se esquecer. Eu sei uma ou duas coisas sobre o que as pessoas querem comprar, e como elas acham que podem comprá-las. Conheço as marcas que ficaram nos tornozelos das mulheres. Conheço as cicatrizes que se adquire por ajoelhar nos campos. Escutei histórias sobre o relho descendo nas crianças. Li os livros em que navios ataúdes gemiam. Ouvi falar dos grilhões que colocavam em nossos pulsos. Me contaram o que acontecia na primeira noite que uma garota florescia. Escutei falar da maneira como eles gostavam dos lençóis tão esticados na cama que dava para fazer uma moeda quicar sobre eles. Ouvi falar de homens do sul flanando de camisas brancas engomadas e gravatas. Vi punhos se levantando no ar. Cantei junto as canções. Eu estava nos ônibus onde eles erguiam suas crianças para mostrar os dentes nas janelas. Conheço o cheiro do gás lacrimogêneo e ele não é tão doce quanto algumas pessoas dizem.

Se você começa a esquecer, está perdido.

Claire foi tomada de pânico quando disse isso. Era como se todo o rosto dela tivesse os olhos como sorvedouro. Foi engolida por suas próprias palavras inesperadas. O fundo de suas pálpebras tremeu um segundo. Ela abriu uma palma mole, resignada, e virou essa mão como se para dizer que ela havia desaparecido de si mesma e tudo o que restara era essa mão estranha que ela segurava no ar.

Entrei rapidamente no elevador.

O ascensorista disse:

— Tenha uma boa tarde, Sra. Soderberg.

Pude ver seus olhos enquanto a porta era puxada: a frágil resignação.

A porta se fechou. Marcia suspirou com alívio. Uma risadinha veio de Jacqueline. Janet fez um som para que ficassem em silêncio e olhou para a nuca do garoto ascensorista, mas eu sabia que ela estava segurando o riso. Eu só pensei comigo mesma que não ia cair no jogo delas. Elas queriam sair e cochichar sobre isso. Você sabe, eu ficaria feliz em te pagar, Gloria. Eu tinha certeza que elas haviam escutado, que dissecariam isso até o osso, talvez em um café, ou uma lanchonete, mas eu não suportava o pensamento de outra conversa, outras portas se fechando, outras xícaras chacoalhando. Eu as deixaria, iria caminhar um pouco por essa parte da cidade, clarear minha cabeça, flanar por um momento, pôr um pé em frente do outro, e simplesmente triturar isso em minha cabeça.

Lá embaixo, a luz jorrava clara sobre os azulejos. O porteiro nos parou com uma declaração:

— Desculpem-me, senhoras, mas a Sra. Soderberg interfonou e disse que gostaria de vê-las outra vez por um momento.

Marcia deu um de seus longos suspiros, e Jacqueline disse que talvez ela estivesse nos trazendo algumas sobras, como se isso fosse a coisa mais engraçada do mundo, e senti o coração pulsar nas faces.

— Eu tenho que ir — eu disse.

— Ooh, alguém não gostou da história — disse Marcia. Ela havia se colocado ao meu lado e pôs a mão no meu antebraço.

— Tenho ensaio do coro.

— Senhor — disse ela, os olhos reduzidos a uma fenda.

Olhei direto pra ela, depois saí pela porta, seguindo pela avenida, seus olhos queimando em minhas costas.

— Gloria — chamaram. — Glo-ri-a.

Por toda a minha volta, as pessoas caminhavam com confiança e brilho pela rua. Homens de negócios e doutores e senhoras bem-vestidas a caminho do almoço. Os táxis passavam todos com suas luzes de repente apagadas para a mulher de cor, já que não queriam me pegar, mesmo com meu melhor vestido, em plena tarde, no calor do verão. Talvez eu os levasse para o caminho errado, fora da cidade onde estavam o dinheiro e os quadros, até o Bronx, onde não estavam o dinheiro nem os quadros. De qualquer maneira, todos sabiam que os motoristas de táxis detestavam uma mulher negra — ela não dava gorjeta, ou no melhor dos casos dava só moedas, esse era o pensamento, e não havia jeito de mudar isso, nenhuma quantidade de marchas pela liberdade jamais vai mudar isso. Então eu só continuo colocando um pé na frente do outro. São meus melhores sapatos, meus sapatos de couro de ir à ópera, e no começo eram confortáveis, não eram muito ordinários, e eu achava que a caminhada poderia disfarçar a solidão.

— Gloria. — Escutei outra vez, como se meu próprio nome estivesse se distanciando de mim.

Não olhei para trás. Tinha certeza que Claire viria correndo atrás de mim, e fiquei me perguntando se tinha feito a coisa certa, deixando-a para trás, com peças do rádio espalhadas pelo quarto do filho, os livros, os lápis, os cartões de beisebol, os globos de neve, os apontadores, todos arrumadinhos nas prateleiras. O rosto dela retornou a mim, a tristeza escorrendo de seus olhos.

Siga, não siga.

Eu queria claramente voltar para casa e me enrolar, ser enterrada no meu apartamento, longe dos sinais de trânsito. Não queria a vergonha, ou a raiva, ou a inveja, até — só queria voltar para casa, portas fechadas, estéreo ligado, algum libreto tocando a minha volta, sentar no sofá de espaldar quebrado, afogar tudo o mais até tudo ficar invisível.

Siga, não siga.

Então, outra vez, eu estava pensando que não deveria ter agido assim, talvez eu estivesse entendendo tudo errado, talvez a verdade é que ela era só uma mulher branca solitária morando na Park Avenue, seu filho perdido exatamente da mesma maneira que perdi os meus três, me tratou bem, não pediu nada, me levou para sua casa, beijou-me no rosto, verificou se minha xícara de chá estava cheia, e apenas cometeu um grande erro deixando sua boca fazer uma pequena afirmação que eu estava deixando estragar tudo. Eu tinha gostado dela quando ela estava toda sem jeito ao nosso redor, e ela não fez por mal, talvez só estivesse nervosa. As pessoas são boas ou meio boas ou um quarto boas, e isso muda o tempo todo — mas até nos melhores dias ninguém é perfeito.

Eu podia imaginá-la lá, olhando para o elevador, observando os números diminuírem, mordendo os dedos, observando o elevador passar por todos os andares. Repreendendo a si mesma por meter os pés pelas mãos. Correndo até o interfone e nos implorando para ficar só mais um minuto.

Depois de quase dez quarteirões senti uma pequena punhalada no estômago, uma pontada. Encostei-me na porta do escritório de um médico na rua 85th Street, debaixo do toldo, respirando pesadamente, e pesando tudo em minha mente, mas então pensei, Não, eu não vou voltar, não agora, vou continuar seguindo em frente, isso é o que devo fazer e ninguém vai me parar.

Às vezes você fica com uma ideia fixa na cabeça. Vou destrinchar tudo isso no caminho de casa mesmo se for preciso uma semana, pensei, vou continuar caminhando cada centímetro do caminho, meu Deus, é isso que tenho que fazer, não importa o quê, voltar para o Bronx.

Marcia, Janet, Jacqueline não estavam mais chamando por mim. Uma parte de mim estava aliviada por elas terem me deixado ir, que eu não tivesse me rendido a elas, não tivesse voltado. Não tinha certeza de que tipo de resposta eu teria deixado sair se elas tivessem vindo atrás de mim. Mas outra parte de mim pensava que Claire deveria ao menos ter vindo atrás, eu merecia isso, eu queria que ela viesse me dar um tapinha no ombro e me implorasse uma segunda vez, pois assim eu saberia que eu importava, como nossos garotos importavam. E eu não queria que fosse o fim das coisas para os meus garotos.

Olhei para a avenida. A Park era cinzenta e larga e havia a ladeira de um morrinho adiante, um pedestal de faróis de trânsito. Preparei meus sapatos e pisei na faixa de pedestres.

QUANDO SAÍ DO MISSOURI, eu tinha 17 anos, e abri meu caminho para Syracuse, onde sobrevivi com uma bolsa escolar. Passei muito bem, ainda que seja eu mesma a dizer isso. Tinha talento para juntar umas frases bonitas, e podia brincar com uma boa fatia da história americana e assim — como algumas mulheres negras da minha idade — éramos convidadas a salões elegantes, lugares com painéis de madeira e candelabros bruxuleantes, e taças finas de cristal, e nos pediam para dar opiniões sobre o que tinha acontecido com nossos garotos em Anzio, e quem era W.E.B. Du Bois, e o que realmente significava ser emancipada, e como apareceram os Tuskegee Airmen, os primeiros aviadores negros, e o que Lincoln pensaria de nossas conquistas. As pessoas escutavam nossas respostas com olhares fixos. Era como se realmente quisessem acreditar no que estava sendo dito na presença deles, mas não pudessem acreditar que eles estivessem ali.

No final da noite, eu tocava piano sufocada, mas era como se eles quisessem que o jazz pulasse de meus dedos. Esse não era o Negro que esperavam. Às vezes erguiam os olhos, surpresos, como se acabassem de despertar, frios, de um sonho.

Éramos levadas até a porta pelo decano de uma faculdade ou outra. Eu podia dizer que as festas só começavam realmente depois que a porta fechava e nós íamos embora.

Depois de visitar essas casas magníficas, eu não queria mais voltar para meu pequeno quarto no dormitório. Caminhava pela cidade até o Thornden Park ou os jardins da White Chapel, às vezes até a aurora azul aparecer, fazendo buracos nos meus sapatos.

A maioria do resto dos meus dias na faculdade eram gastos apertando minha sacola escolar no peito e tentando não escutar as sugestões dos rapazes da fraternidade que não se importavam de ter uma mulher de cor como troféu: tinham o espírito do safári.

Claro, eu sentia falta dos caminhos de minha cidade natal no Missouri, mas abandonar uma bolsa escolar seria um fracasso para meus pais, que não tinham ideia do que isso me custava — acreditavam que a filhinha deles estava no norte aprendendo a verdade da América no tipo de lugar onde uma jovem poderia atravessar a soleira da porta dos ricos. Eles me diziam que meu charme sulista me faria chegar lá. Meu pai escrevia cartas que começavam: *Minha Pequena Gloriosa*. Eu respondia em formulários de carta aérea. Contava-lhes sobre o quanto gostava de minhas aulas de história, o que era verdade. Contava-lhes que amava caminhar pelo bosque, também verdade. Contava-lhes que sempre tinha roupas de cama limpas em meu quarto, verdade também.

Dizia a eles tudo que era verdade mas nada de sinceridade.

Ainda assim, me graduei com honra. Fui uma das primeiras mulheres de cor em Syracuse a conseguir isso. Subi os degraus, olhei para baixo para a multidão de becas e chapéus, emergi em um aplauso perplexo. Uma chuva leve caía sobre o pátio da faculdade. Passei pelos meus colegas, aterrorizada.

Minha mãe e meu pai, vindos do Missouri, me abraçaram. Eles estavam velhos e acabados, seguravam a mão um do outro como se fossem uma peça só. Fomos comemorar em um Denny's. Minha mãe disse que tínhamos percorrido um longo caminho, nós e nosso povo. Eu me encolhi na cadeira. Eles haviam colocado as malas no carro de maneira que houvesse um espaço para mim lá atrás. Não, eu lhes disse. Preferia ficar um pouco mais, desde que eles não se importassem, eu ainda não estava pronta para voltar. "Oh", eles disseram, em uníssono, com um meio sorriso, "você agora é uma Yankee?". Era um sorriso que controlava a dor — suponho que poderia ser chamado de esgar.

Minha mãe, no banco do passageiro, ajustou o espelho retrovisor enquanto eles partiam: ela me viu caminhando e acenou da janela e gritou para que eu voltasse logo para casa.

Entrei no meu primeiro casamento, ignorante dos esquemas do amor. Meu noivo era de uma família de Des Moines. Era estudante de engenharia e um palestrante bem conhecido no circuito de palestras dos negros: dominava qualquer assunto na palma da mão. Tinha a pele ruim e um bonito nariz curvo. Seu cabelo era cortado em estilo afro conservador, com um matiz de canela nas bordas. Era o tipo de homem que ajustava com precisão os óculos com o dedo médio. Eu o conheci na noite em que ele disse que o que a América não compreendia era que sempre foi censurada, sempre seria, a menos que os *direitos comuns* fossem mudados. Essas eram as palavras que ele usava em vez de direitos civis: direitos comuns. Isso fez o salão ficar em silêncio. Meu desejo por ele apertou minha garganta. Ele olhou para o salão, para mim. Parecia um menino magro, de boca grossa. Namoramos durante seis semanas, depois demos o salto. Meus pais e dois irmãos restantes foram de carro para o norte para o nosso casamento. A festa foi realizada em um salão desmantelado nos arredores da cidade. Dançamos até a meia-noite e então a banda foi embora, arrastando seus trombones. Procuramos nossos casacos. Meu pai tinha ficado em silêncio a maior parte do tempo. Me beijou na face. Ele disse que já não havia muita gente querendo cartazes pintados à mão, que estavam todos preferindo o neon, mas se tivesse um cartaz que ele pudesse colocar no mundo nele estaria escrito que ele era o pai de Gloria.

Minha mãe me deu conselhos — eu ainda não consigo me lembrar de uma única coisa que ela disse — e então meu novo marido me levou.

Eu olhei para ele e sorri e ele me olhou de volta, e nós dois soubemos instantaneamente que havíamos cometido um erro.

Algumas pessoas acham que o amor é o fim do caminho, e se você tem sorte o suficiente para encontrá-lo, você fica lá. Outras pessoas dizem que o amor simplesmente se transforma em um penhasco do qual se cai, mas a maioria que está há um tempo por aí sabe que é apenas uma coisa que muda dia a dia, e dependendo do quanto você luta, você o consegue, ou o segura, ou o perde, mas às vezes, para começo de conversa, ele nem sequer está lá.

Nossa lua de mel foi um desastre. A luz fria do sol entrava oblíqua pela janela de uma pensão em uma pequena cidade do norte de Nova York. Eu tinha escutado dizer que havia um monte de esposas que passavam suas noites de núpcias distante dos maridos. Isso não me alarmou no começo. Eu o vi curvado, insone, no sofá, tremendo como se tivesse febre. Eu podia lhe dar um tempo. Ele insistiu que estava cansado e falou seriamente da tensão do dia — anos mais tarde, descobri que havia gastado absolutamente todas as economias de sua família na cerimônia de casamento. Eu ainda sentia um forte resíduo de desejo por ele quando o ouvia falar, ou quando ele me chamava pelo telefone para dizer que voltaria tarde para casa — parecia que as palavras tinham afeto por ele, o modo como falava era mágico, mas depois de um tempo até sua voz começou a me irritar e ele começou a me lembrar das cores das paredes dos quartos de hotéis nos quais ficava: as cores o dissolviam e o dominavam.

Depois de um tempo ele sequer parecia ter um nome.

E então ele disse — em 1947, 11 meses depois do casamento — que estava procurando outra caixa vazia na qual se encaixar. Esse era o garoto que fora a estrela da equipe de debatedores negros. Outra caixa vazia. Tive a sensação de que meu crânio estava sendo arrancado de minha carne. Eu o deixei.

Evitei voltar para casa. Inventei desculpas, mentiras elaboradas. Meus pais ainda estavam unidos — que utilidade teria magoá-los? O pensamento deles sabendo que eu havia falhado se enroscava em mim. Eu não podia tolerá-lo. Nem mesmo contei que havia me divorciado. Eu telefonava para minha mãe e dizia que meu esposo estava no banho, ou nas quadras de basquete, ou em alguma entrevista para um grande emprego em uma firma de engenharia de Boston. Esticava o telefone até a porta, apertava a campainha e dizia: "Oh, tenho que ir, mamãe — um amigo do Thomas chegou."

Agora que ele fora embora voltara a ter um nome. Thomas. Eu o escrevi com um delineador azul no espelho do meu banheiro. Olhava por ele, para além, para mim mesma.

Eu deveria ter voltado para o Missouri, encontrado um bom trabalho, me estabelecido lá com meus pais, talvez até descoberto um marido que não tivesse medo do mundo, mas não voltei; continuei fingindo que voltaria, e logo meus pais faleceram. Minha mãe primeiro, meu pai, um homem ferido, apenas uma semana mais tarde. Lembro de ter pensado que eles haviam morrido como amantes. Não podiam sobreviver um sem o outro. Era como se tivessem passado a vida respirando a respiração um do outro.

Agora havia uma perda acesa em mim, e uma raiva, e eu queria ver Nova York. Havia escutado dizer que era uma cidade que dançava. Cheguei à rodoviária com duas malas modernas, saltos altos e um chapéu. Os homens queriam carregar minhas malas mas eu segui em frente, cabeça pra cima, pela Eighth Avenue. Achei uma pensão e me inscrevi para uma bolsa de estudos em uma fundação, mas não tive resposta e peguei o primeiro trabalho que pude encontrar: como escriturária de uma companhia de apostas na pista de corridas de Belmont. Eu era uma garota do guichê. Às vezes a gente entra em uma coisa que não é de jeito nenhum para nós. Fingimos que é. Pensamos que podemos tirá-la fora como um casaco, mas não é um casaco de maneira nenhuma, é mais como outra pele. Eu era mais do que superqualificada, mas aceitei de qualquer maneira. Ia para a pista de corridas todas os dias. Achei que fosse sair do emprego em questão de semanas, que era só um momento, um pouquinho de prazer para uma garota que sabia o que era o prazer mas não o havia experimentado. Eu tinha 22 anos. Tudo que eu queria era ter uma vida emocionante por um tempo: pegar os objetos comuns de meus dias e fazer um argumento diferente com eles, sem obrigações com meu passado. Além disso, eu amava o som do galope. Nas manhãs, antes das corridas, eu caminhava pelas estrebarias e sentia todo aquele cheiro de forragem e de sabão e de couro da sela.

Tem uma parte em mim que pensa que talvez continuemos existindo em um lugar, mesmo depois de termos partido. Em Nova York, nas pistas de corrida, eu amava ver os cavalos de perto. O flanco deles parecia tão azul quanto asas de inseto. Eles sacudiam as crinas no ar. Para mim, eram como o Missouri. Tinham o cheiro de casa, dos campos, das margens dos riachos.

Um homem apareceu de um canto com uma escova de cavalo na mão. Era alto, preto, elegante. Usava avental. Seu sorriso era todo amplo e branco.

Meu segundo e último casamento foi o que me deixou no décimo primeiro piso de um conjunto habitacional do Bronx com meus três filhos — e suponho, de certa forma, com aquelas duas bebês.

Às vezes você tem que subir até um piso muito alto para ver o que o passado fez com o presente.

FUI DIRETO pela Park e cheguei a 116th Street, em uma pista de pedestre, e comecei a pensar como exatamente eu ia passar para o outro lado do rio. Sempre havia as pontes, mas meus pés tinham começado a inchar e os sapatos estavam cortando meus calcanhares. Os sapatos eram meio número maiores. Eu os comprava assim de propósito para a ópera aos domingos, quando gostava de me encostar para trás e tranquilamente fazê-los deslizar dos meus pés, deixando o frio entrar. Mas agora eles subiam a cada passo e faziam um pequeno corte em meu calcanhar. Tentei ajustar minha passada, mas minha pele estava começando a sair. A cada passada enfiava um pouco mais. Eu tinha dez centavos para o ônibus e uma moeda de metrô, mas havia insistido comigo mesma que poderia andar, que voltaria para casa com meu próprio esforço, um pé depois do outro. Assim, continuei para o norte.

As ruas do Harlem pareciam estar sob cerco — grades e rampas e arame farpado, rádios nas janelas, crianças nas calçadas. No alto das janelas mais altas, as mulheres se inclinavam nos cotovelos como se estivessem olhando para trás, para uma década melhor. Embaixo, mendigos de cadeiras de roda e barbas malcuidadas apostavam corrida um com o outro até os carros parados nos faróis: levavam a sério o duelo de coches e o vencedor mergulhava para apanhar a moeda de dez centavos no chão.

Tive alguns vislumbres dos quartos das pessoas: um jarro esmaltado branco no peitoril de uma janela, uma mesa de madeira redonda com um jornal aberto, um abajur pregueado sobre um sofá verde. Quais seriam, me perguntei, os sons que enchiam esses quartos? Nunca havia me ocorrido antes, mas tudo em Nova York é construído por sobre outra coisa, nada é completamente si mesmo, cada coisa tão estranha quanto a última, e relacionada.

Uma pequena pontada de dor me atravessava a cada vez que pisava, mas dava para aguentar — havia coisas piores do que um par de calcanhares machucados. Uma canção pop passou por minha memória. Nancy Sinatra cantando sobre suas botas feitas para andar. Tive o pensamento de que quanto mais a cantarolasse, menos meus pés doeriam. *One of these days these boots are gonna walk all over you.* De uma esquina a outra. Mais uma calçada rachada. É assim que todos caminhamos: quanto mais pudermos ocupar nossas cabeças, melhor. Comecei a cantarolar mais alto, sem dar a mínima para quem me visse ou escutasse. Outra esquina, outra música. Quando era criança, eu caminhava pelos campos para ir para casa, minhas meias desaparecendo dentro dos meus sapatos.

O sol ainda estava alto. Eu estava caminhando devagar, duas horas ou mais.

A água corria por um dreno: mais à frente, alguns meninos tinham aberto um hidrante e estavam dançando no jato de água com roupas de baixo. Seus pequenos corpos brilhantes eram bonitos e escuros. Os meninos mais velhos estavam nos alpendres vendo seus irmãos e irmãs com as roupas de baixo molhadas, talvez desejando poder ser tão jovens outra vez.

Atravessei para o lado iluminado da rua.

Nesses anos todos, em Nova York, fui assaltada sete vezes. Há uma inevitabilidade nisso. Você pode sentir que vai acontecer, mesmo por trás. Uma encrespação no ar. Uma pulsação na luz. Uma intenção. A distância, esperando você, em uma lata de lixo na rua. Sob um chapéu, ou um blusão de moletom. O olho move rapidamente. O olhar se volta outra vez. Por um milésimo de segundo, quando acontece, você sequer está no mundo. Você está na sua bolsa e ela está se mexendo. É assim que parece. Aí vai minha vida pela rua, sendo levada por um par de sapatos escapulindo.

Desta vez, uma jovem, de Porto Rico, saiu de um portal na 127th. Sozinha. Um andar petulante. Sombras de uma escada de incêndio riscando-a com linhas cruzadas. Ela segurava uma faca debaixo do próprio queixo. Um brilho de droga em seus olhos. Eu já tinha visto esse olhar antes: se ela não me fatiasse fatiaria a si própria. Suas pálpebras estavam pintadas de prata brilhante.

— O mundo é ruim o suficiente — eu lhe disse, usando meu tom da igreja, mas ela apenas apontou a lâmina da faca para mim.

— Me dê a porra da sua bolsa.

— É um pecado fazer o mundo pior do que ele já é.

Ela alçou a bolsa com a ponta da faca.

— Bolsos — disse ela.

— Você não precisa fazer isso.

— Ah, cala a boca, caralho — disse, e puxou a bolsa para o alto do braço. Era como se já soubesse pelo peso que não havia nada dentro exceto um lenço e algumas fotos. Então, rapidamente, ela se inclinou e, com a faca, cortou o bolso do lado do meu vestido. A lâmina da faca roçou meu quadril. Minha bolsa, minha carteira de motorista e mais duas fotos dos meus garotos estavam guardadas dentro do bolso. Ela abriu com a faca o outro lado.

— Puta gorda — disse enquanto dobrava a esquina.

A rua latejava a minha volta. Não foi culpa de ninguém senão minha. O latido de um cachorro passou. Pensei que não tinha mais nada a perder, que deveria ir atrás dela, puxar minha bolsa vazia, resgatar meu antigo eu. Eram as fotos que me incomodavam mais. Fui até a esquina. Ela já estava bem longe na rua. As fotos estavam espalhadas em uma linha na calçada. Me abaixei e peguei o que restava dos meus garotos. Vi uma mulher, mais velha do que eu, me espiando de uma janela. Ela estava enquadrada pela madeira apodrecida. No peitoril estavam alinhados santos de gesso e flores artificiais. Eu teria trocado minha vida com a dela naquele momento, mas ela fechou a janela e se virou. Eu me apoiei na bolsa branca vazia para me levantar, mas não a peguei. Ela podia ficar com a bolsa. Ficar com tudo, menos com as fotos.

Levantei minha mão e um táxi clandestino parou imediatamente. Me enfiei no banco de trás. Ele ajustou o espelho retrovisor.

— Sim? — disse, tamborilando na direção.

Tente pesar alguns dias em uma balança.

— Ei, senhora — gritou ele. — Aonde vai?

Tente pesá-los.

— 76th com a Park.

Eu não sabia por quê. Não temos como explicar algumas coisas. Eu poderia perfeitamente ter voltado para casa; tinha dinheiro suficiente enfiado no meu colchão para pagar dez vezes a conta do táxi. E o Bronx estava mais perto do que a casa de Claire, isso eu sabia. Mas nós nos enfiamos pelo trânsito. Não pedi ao motorista para virar de volta. O pavor cresceu dentro de mim enquanto as ruas crepitavam do lado de fora.

O porteiro interfonou e ela desceu correndo pelas escadas, saiu direto e pagou o motorista. Olhou para meus pés — uma pequena barreira de sangue tinha se acumulado na beirada do meu calcanhar, e os bolsos do meu vestido estavam rasgados — e alguma coisa se ligou dentro dela, alguma chave, seu rosto ficou suave. Ela disse meu nome e me constrangeu por um momento. Passou o braço a minha volta e me levou direto para cima no elevador, pelo corredor em direção ao quarto dela. As cortinas estavam puxadas. Um cheiro forte de cigarro vinha dela, misturado com um perfume recente. "Aqui", ela disse, como se fosse o único lugar no mundo. Eu me sentei na roupa de cama limpa e sem dobras enquanto ela enchia a banheira. O espadanar da água. "Pobrezinha", disse. Havia um perfume de sais de banho no ar.

Eu podia ver meu reflexo no espelho do quarto. Meu rosto parecia inchado e gasto. Ela estava dizendo alguma coisa, mas sua voz ficou presa no barulho da água.

O outro lado da cama estava amassado. Então, ela tinha se deitado, talvez chorado. Tive vontade de cair pesadamente sobre a marca dela, tornando seu tamanho três vezes maior. A porta se abriu devagar. Claire estava lá, sorrindo.

— Vamos dar um jeito em você — disse.

Veio até a beira da cama, pegou meu cotovelo, me levou para o banheiro, me fez sentar em um banquinho de madeira ao lado da banheira. Ela se inclinou e testou a temperatura da água com os dedos. Eu tirei as meias de seda de minhas pernas. Pedaços de pele saíram de meus pés. Eu me sentei na beirada da banheira e enfiei minhas pernas. A água ardeu. O sangue escorreu de meus pés. Um pôr do sol sumindo, o brilho vermelho dispersando-se na água.

Claire deixou uma toalha branca no meio do piso do banheiro, a meus pés. Passou em mim um curativo pegajoso, o papel protetor já tirado. Não pude evitar pensar que ela gostaria de secar meus pés com seu cabelo.

— Estou bem, Claire — eu lhe disse.

— O que eles roubaram?

— Só minha bolsa.

Senti um ataque de pavor: ela podia pensar que eu só queria o dinheiro que ela havia me oferecido antes para ficar, pegar meu prêmio, minha coleta de escrava.

— Não tinha dinheiro nela.

— De qualquer maneira, vamos chamar a polícia.

— A polícia?

— Por que não?

— Claire...

Ela me olhou perplexa e então uma compreensão atravessou seus olhos. As pessoas pensam que sabem o mistério de viver em sua pele. Não sabem. Ninguém sabe exceto a pessoa que a carrega em volta de si mesma.

Eu me inclinei e pus os curativos nos meus calcanhares. Eles não eram grandes o suficiente para o corte. Já sentia a ferroada forte ao ter de tirá-los mais tarde.

— Sabe o que é o pior? — eu disse.

— O quê?

— Ela me chamou de gorda.
— Oh, Gloria. Sinto muito.
— É culpa sua, Claire.
— Como assim?
— É culpa sua.
— Oh — disse ela, um tremor de nervos na voz.
— Eu lhe disse que não devia comer mais donuts.
— Oh!

Ela jogou a cabeça para trás até seu pescoço retesar e estendeu a mão para tocar a minha.

— Gloria — disse ela. — Da próxima vez será pão e água.
— Talvez um pastelzinho.

Eu me abaixei para enxugar os dedos. Sua mão se dirigiu para meu ombro, mas então ela se ergueu e disse:

— Você precisa de chinelos.

Procurou no closet um par de chinelos para mim e um penhoar que devia pertencer a seu marido já que o dela não caberia. Balancei minha cabeça e pendurei o penhoar em um gancho na porta.

— Não é preciso — eu disse

Eu poderia viver com meu vestido cortado. Ela me levou até a sala de estar. Nenhum dos pratos ou xícaras de antes tinha sido lavado. Uma garrafa de gim estava no centro da mesa. Maior solidão que a do gim na garrafa. O gelo derretia em uma tigela. Claire estava usando os limões que havíamos cortado e não lima-da-pérsia. Levantou a garrafa alto no ar e deu de ombros. Sem perguntar, pegou um segundo copo.

— Desculpe-me por pegar com a mão — disse, enquanto colocava gelo no copo.

Havia anos que eu não bebia. Senti um frio no fundo da minha garganta. Nada importava a não ser o gosto momentâneo.

— Deus, isso é bom.
— Algumas vezes é uma cura — disse ela.

A luz do sol brilhou no copo de Claire. Pegou a cor do limão e ela virou o copo nas mãos. Parecia estar sopesando o mundo. Inclinou para trás no branco do sofá e disse:

— Gloria?
— Hã-hã.

Ela olhou por cima da minha cabeça, para um quadro no canto da sala.

— A verdade?

— A verdade.

— Normalmente não bebo, sabe. Só hoje, com, sabe, toda aquela conversa. Acho que fiz um pouco papel de boba.

— Você estava bem.

— Eu não fui idiota?

— Você estava bem, Claire.

— Detesto fazer papel de boba.

— Você não fez.

— Tem certeza?

— Claro que tenho certeza.

— A verdade não é uma tolice — disse ela.

Ela estava girando o copo e observando o gim formar círculos, um ciclone no qual ela queria se afogar.

— Quero dizer, sobre Joshua. Não as outras coisas. Quero dizer, eu me senti muito tola quando disse que pagaria para você ficar. Eu só queria que alguém ficasse um pouco mais. Sabe... comigo. Egoísmo, realmente, e me sinto péssima.

— Isso acontece.

— Eu não queria dizer aquilo. — Ela olhou para o outro lado — E então quando você foi embora, eu gritei seu nome. Queria correr atrás de você.

— Eu precisava caminhar, Claire. Foi só isso.

— As outras estavam rindo de mim.

— Tenho certeza que não.

— Acho que nunca mais as verei.

— Claro que sim.

Ela deu um longo suspiro e engoliu o drinque, colocou outro, mas sobretudo tônica desta vez, não gim.

— Por que você voltou, Gloria?

— Para você me pagar, claro.

— Como assim?

— Uma brincadeira, Claire, brincadeira.

Eu senti o gim funcionando debaixo de minha língua.

— Oh — disse ela. — Estou um pouco lenta esta tarde.

— Realmente, não tenho a menor ideia — eu disse.

— Estou feliz por você ter voltado.

— Não tinha nada melhor pra fazer.
— Você é engraçada.
— Isso não é engraçado.
— Não?
— É a verdade.
— Oh! — disse ela. — Seu coro, eu me esqueci.
— Meu o quê?
— Seu coro. Você disse que tinha um coro.
— Eu não tenho coro, Claire. Nunca tive. Nunca terei. Sinto muito. Nada disso.

Ela pareceu mastigar o pensamento por um momento depois abriu um sorriso.

— Você ficará um tempo, então? Descanse seus pés. Fique para o jantar. Meu marido deve chegar por volta das seis mais ou menos. Você fica?
— Oh, não acho que deveria.
— Vinte dólares a hora? — disse ela com um sorriso.
— Você me convenceu. — Eu ri.

Ficamos sentadas contentes, em silêncio, e ela passava os dedos sobre a borda do seu copo, mas então ergueu o pescoço e disse de repente:

— Fale sobre seus garotos outra vez.

A pergunta dela me exasperou. Eu não queria mais pensar sobre meus filhos. De uma maneira estranha, tudo que eu queria era estar cercada por um outro, ser uma parte da sala de outra pessoa. Peguei um pedaço de limão e o enfiei entre meus dentes e gengiva. O ácido me sacudiu. Imagino que eu queria outro tipo de questão completamente diferente.

— Posso lhe perguntar uma coisa, Claire?
— Claro.
— Podemos escutar um pouco de música?
— O quê?
— Quero dizer, eu suponho que ainda estou um pouco em choque.
— Que tipo de música?
— O que você tiver. A música me faz sentir, não sei, ela me acalma. Eu gostaria de escutar uma orquestra. Você tem alguma ópera?
— Receio que não. Você gosta de ópera?
— Todas as minhas economias. Vou ao Met toda vez que posso. Subo até os deuses. Tiro meus sapatos e vou longe.

Ela se levantou e foi até o toca-discos. Não pude ver a capa do disco que ela pegou. Limpou o vinil com um pano macio amarelo e depois ergueu a agulha. Fazia cada pequena coisa como se fosse extraordinária e necessária. A música encheu a sala. Um piano profundo, forte: as teclas ondulando sobre as cordas.

— Ele é russo — disse ela. — Consegue estender os dedos por 13 notas.

FIQUEI BASTANTE FELIZ no dia em que meu segundo marido encontrou para si mesmo uma versão mais jovem do trem no qual seguia para o esquecimento. De qualquer maneira, seu chapéu sempre foi maior do que sua cabeça. Ele se levantou e me deixou com três garotos e uma vista para a Deegan. Não me importei. Meu último pensamento sobre ele é que ninguém deveria ser tão solitário, partindo. Mas não partiu meu coração fechar a porta para ele, nem mesmo engolir o orgulho de um cheque mensal.

O Bronx era quente demais no verão, frio demais no inverno. Meus garotos usavam bonés marrons de caçador com orelheiras. Mais tarde jogaram fora os bonés e viraram afros. Escondiam lápis nos cabelos. Tivemos nossos dias bons. Me lembro de uma tarde de verão quando todos os quatro fomos ao Foodland e andamos para cima e para baixo nas alas de comida congelada com nosso carrinho de compras para nos refrescar.

Foi o Vietnã que me derrubou. A guerra veio e pegou todos os meus três garotos bem debaixo do meu nariz. Ela os tirou da cama, sacudiu seus lençóis e disse: "Estes aqui são meus."

Um dia perguntei a Clarence porque ele estava indo e ele disse uma ou duas coisas sobre liberdade, mas principalmente ele estava indo porque estava entediado. Brandon e Jason também disseram quase a mesma coisa quando seus cartões de recrutamento foram deixados em nossa caixa do correio. Era a única correspondência que não era roubada das caixas. O carteiro carregava seus grandes sacos de sofrimento. Naqueles anos havia heroína por todo o conjunto e pensei que talvez meus garotos tivessem razão, eles estavam se libertando. Eu tinha visto demasiadas crianças curvadas nos cantos com agulhas nos braços, colherzinhas aparecendo nos bolsos das camisas.

Eu só fiz abrir as janelas e dizer a eles para seguirem felizes seu caminho. Eles se foram. Nenhum deles voltou.

Toda vez que um dos meus galhos chega a um tamanho decente, aquele vento vem e o quebra.

Eu me sentava na cadeira da minha sala de estar, assistindo as novelas da tarde. Imagino que comia. Suponho que era isso que eu fazia. Comia tudo que pudesse. Sozinha. Cercada por pacotes de Velveeta e Saltines, me esforçando ao máximo para não lembrar, mudando de canais e de bolachas e queijos para que as lembranças não me pegassem. Vi meus tornozelos incharem. Toda mulher tem sua própria maldição, e suponho que a minha não foi muito pior do que a maior parte delas.

Tudo cai nas mãos da música no final. A única coisa que sempre me salvou foi escutar uma grande voz. Existem anos acumulados em um som. Comecei a escutar rádio todo domingo e gastar qualquer dinheiro extra do luto que o governo me dava em ingressos para o Metropolitan. Eu me sentia como se tivesse uma sala cheia de vozes. A música jorrando sobre o Bronx. Às vezes punha o estéreo tão alto que os vizinhos se queixavam. Comprei fones de ouvido. Uns enormes que cobriam metade da minha cabeça. Eu nem mesmo me olhava no espelho. Mas havia um remédio nisso.

Naquela tarde, também, eu me sentei na sala de estar de Claire e deixei a música me invadir: não era ópera, era piano, mas era um novo prazer — me emocionou.

Escutamos três ou quatro discos. No final da tarde ou começo da noite, eu não estava bem certa, abri os olhos e ela estava colocando uma manta leve sobre meus joelhos. Ela sentou-se outra vez no branco do sofá, o copo erguido até seus lábios.

— Sabe o que eu gostaria de fazer? — disse Claire.

— O que é?

— Eu gostaria de fumar, aqui, agora, nesta sala.

Procurou o pacote pela mesa.

— Meu esposo odeia quando fumo dentro de casa.

Ela pegou um cigarro. Estava virado do lado errado em sua boca e por um momento pensei que ela ia acendê-lo daquele jeito, mas ela riu e o virou. Os fósforos estavam molhados e se dissolviam ao toque.

Eu me estendi e peguei outra caixa de fósforos na mesa. Ela tocou minha mão.

— Acho que estou um pouco bêbada — disse, mas sua voz estava elegante.

Eu então tive a sensação horrível — bem nesse momento — que ela talvez se inclinasse e tentasse me beijar, ou fizesse alguma aproximação estranha, como a gente lê nas revistas. Às vezes a gente se perde. Senti um buraco dentro de mim e pareceu que um vento frio passou ao longo do meu corpo como uma brisa na rua, mas não era nada do tipo — tudo que ela fez foi se afundar para trás e soprar a fumaça para o teto e deixar a música nos levar.

Um pouco mais tarde ela colocou a mesa para três e aqueceu uma fôrma com torta de galinha. O telefone tocou algumas vezes mas ela não atendeu.

— Acho que ele vai chegar tarde — disse.

No quinto toque ela atendeu. Eu podia escutar a voz dele mas sem entender o que dizia. Ela segurou o bocal bem próximo e pude escutá-la dizer baixinho as palavras *Querido* e *Solly* e *Eu te amo*, mas a conversa foi rápida e brusca, como se ela fosse a única a falar, e fiquei com a estranha sensação de que a resposta na ponta dele da linha era o silêncio.

— Ele está em seu restaurante favorito — ela me disse —, comemorando com o promotor.

Não fazia muita diferença — dificilmente eu teria o desejo de vê-lo descer da parede e ser todo amistoso comigo, mas Claire tinha um olhar distante, como se quisesse que eu lhe perguntasse sobre ele, e então perguntei. Ela se lançou em uma longa história sobre um passeio público, uma caminhada que ela estava fazendo, um homem que veio em sua direção de calças compridas de flanela branca, como ele era o amigo de um poeta famoso, como eles costumavam ir ao Mystic todo final de semana, a um pequeno restaurante onde ele experimentava seus martínis; ela seguiu e seguiu, seus olhos dirigidos para a porta da frente, esperando-o voltar para casa.

O que passava por minha cabeça era como devia parecer pouco usual, se alguém pudesse nos observar do lado de fora, sentadas com a luz diminuindo lá fora, deixando a conversa simples passar por nós.

NÃO POSSO ME LEMBRAR o que foi que me levou ao pequeno anúncio que estava na última página do *Village Voice*. Não era um jornal de que eu particularmente gostasse, mas estava lá um dia, como às vezes acontece, o anúncio da Marcia, pelo acaso mais estranho, logo ela. Eu me sentei para compor uma carta que talvez tenha escrito cinquenta ou sessenta vezes, no pequeno balcão da minha cozinha. Expliquei tudo sobre os meus garotos, repetidas vezes, só Deus sabe quantas vezes, dizendo que era uma mulher de cor, como vivia em um lugar ruim mas o mantinha muito limpo e arrumado, que tive três filhos e passei por dois maridos, que realmente queria voltar para o Missouri mas nunca tive a chance nem a coragem, que ficaria bem e contente encontrando com outras pessoas como eu, que eu me consideraria privilegiada. Toda vez eu rasgava a carta. Não parecia certo. No final, tudo que escrevi foi: *Olá, meu nome é Gloria e eu também gostaria desse encontro.*

DEVIA SER POR VOLTA das dez da noite quando seu marido entrou pela porta. Do corredor ele chamou:

— Querida, cheguei.

Na sala de estar, parou e olhou, como se estivesse no lugar errado. Bateu nos bolsos como se pudesse encontrar um par de chaves diferentes ali.

— Tem alguma coisa errada? — Claire disse.

Ele parecia ter envelhecido um pouco e então saído direto do retrato na parede. Sua gravata estava um pouco torta, mas a camisa estava abotoada até o pescoço. O domo calvo brilhava. Segurava uma pasta de couro com uma fivela prateada. Claire me apresentou. Ele se arrumou e atravessou a sala para me apertar a mão. Um aroma leve de vinho veio dele.

"Prazer em conhecê-la", disse, da forma que significava que ele não tinha nenhuma ideia de por que isso seria um prazer, mas tinha que dizê-lo, de qualquer maneira, estava obrigado a dizer isso por pura educação. Sua mão era gorducha e quente. Ele colocou a pasta no pé da mesa e franziu a testa para o cinzeiro.

— Dia das garotas se encontrarem? — disse.

Claire o beijou no alto, bem na bochecha, perto da pálpebra, e afrouxou a gravata por ele.

— Algumas amigas vieram aqui.

Ele segurou a garrafa de gim vazia contra a luz.

— Venha sentar-se conosco — disse ela.

— Vou correndo para uma chuveirada, querida.

— Venha se juntar a nós, venha.

— Estou apatetado — disse ele — mas, poxa, tenho uma história para te contar.

— Ah, sim?

— Poxa, oh, poxa.

Ele estava desabotoando os botões da camisa e por um momento pensei que ia tirar a camisa na minha frente, de pé no meio da sala como um grande peixe branco e redondo.

— Um cara andou na corda bamba — disse. — World Trade.

— Nós ouvimos falar.
— Ouviram?
— Bem, sim, todo mundo ouviu. O mundo inteiro está falando disso.
— Fui o juiz da acusação.
— Foi mesmo?
— Também encontrei uma sentença perfeita.
— Ele foi preso?
— Primeiro uma chuveirada rápido. Sim, claro. Depois lhe conto tudo.
— Sol — disse ela, puxando sua manga.
— Já vou voltar, contarei tudo.
— Solomon!

Ele olhou para mim.

— Deixe-me refrescar um pouco — disse.
— Não, nos conte, nos conte agora. — Ela se levantou. — Por favor.

Ele deu uma olhadela na minha direção. Eu podia perceber que estava ressentido comigo, só por estar lá, que pensava que eu fosse uma faxineira, ou uma Testemunha de Jeová que de alguma forma tinha entrado em sua casa, perturbado o ritmo, a comemoração que ele queria fazer. Abriu outro botão da camisa. Era como se estivesse abrindo uma porta em seu peito e tentando me tirar.

— A promotoria queria uma boa publicidade — disse ele. — Todos na cidade falando sobre esse cara. Então nós não iríamos prendê-lo ou coisa assim. Além disso, a Port Authority quer encher as torres. Elas estão meio vazias. Qualquer publicidade é uma boa publicidade. Mas nós tínhamos que indiciá-lo, entende? Inventar algo criativo.

— Sim — disse Claire.
— Então ele se confessou culpado e eu o multei com 1 centavo por piso.
— Entendo.
— Um centavo por piso, Claire. Eu o multei com 1 dólar e 10 centavos. Cento e dez andares! Entende? A Promotoria ficou em êxtase. Espere até ver o *New York Times* de amanhã.

Foi até o armário de bebidas, sua camisa três quartos aberta. Eu podia ver a projeção de seu peito flácido. Despejou para si mesmo um copo inteiro de um líquido âmbar, cheirou-o profundamente, e exalou.

— Eu também o sentenciei a outra performance.
— Outra caminhada? — disse Claire.

— Sim, sim. Nós conseguiremos bilhetes para a primeira fila. No Central Park. Para crianças. Espere até ver esse figura, Claire. Ele é extraordinário.

— Ele vai caminhar outra vez?

— Sim, sim, mas em um lugar seguro desta vez.

Os olhos de Claire percorreram rápidos a sala, como se ela estivesse olhando para quadros diferente e tentando juntá-los.

— Nada mal, hein? Um centavo por piso.

Solomon bateu palmas: ele estava se divertindo agora. Claire olhou para o chão, como se pudesse ver tudo até o ferro fundido, o âmago de tudo.

— E adivinhe como ele passou o cabo para o outro lado? — disse Solomon. Pôs uma das mãos na boca e tossiu.

— Oh, eu não sei, Sol.

— Vamos, adivinhe.

— Eu realmente não me importo.

— Adivinhe.

— Ele jogou?

— A coisa pesa quase 100 quilos, Claire. Ele estava me contando tudo a respeito. No tribunal. Vai estar em todos os jornais amanhã. Vamos!

— Usou um guindaste ou algo assim?

— Ele fez a coisa ilegalmente, Claire. Furtivamente, durante a noite.

— Eu realmente não sei, Solomon. Nós tivemos um encontro hoje. Éramos quatro, e eu, e...

— Ele usou um arco e flecha!

— ...ficamos conversando — disse ela.

— Esse cara devia ter sido um boina-verde — disse ele. — Ele estava me contando tudo isso! Seu colega disparou uma linha de pescar primeiro. Arco e flecha. No vento. Avaliou o ângulo absolutamente certo. Atingiu a beirada do edifício. E então eles passaram os fios por ali até ele poder aguentar o peso. Espantoso, não é?

— Sim — disse Claire.

Ele colocou o copo na forma de sino na mesinha de café com um estalo agudo, depois cheirou a manga da camisa.

— Realmente, preciso tomar uma chuveirada.

Caminhou em minha direção. Tomou consciência de sua camisa e a puxou sem abotoar. Um bafo de uísque saiu dele.

— Bom — disse. — Poxa, sinto muito. Realmente não guardei seu nome.

— Gloria.

— Boa-noite, Gloria.

Engoli fundo. O que ele realmente queria dizer era "até logo". Eu não tinha ideia que tipo de resposta ele esperava. Simplesmente apertei sua mão. Ele virou as costas e saiu pelo corredor.

— Prazer em conhecê-la — disse sobre o ombro.

Ele estava cantarolando alguma coisa para si mesmo. Mais cedo ou mais tarde todos eles voltam as costas. Todos partem. Isso está no evangelho. Eu estive lá. Eu vi. Todos eles.

Claire sorriu e deu de ombros. Eu podia ver que ela queria que ele fosse alguém melhor do que era, que devia ter casado com ele por algum motivo, e queria que essa razão estivesse à mostra, mas não estava, e ele havia me dispensado, e era a última coisa que ela queria que ele fizesse. As faces dela estavam vermelhas.

— Desculpe-me um instante — disse.

Saiu pelo corredor. Um murmúrio de vozes em seu quarto. O som fraco de água correndo. As vozes deles se ergueram e desapareceram. Fiquei surpresa quando ele surgiu com ela, poucos momentos depois. Seu rosto estava suavizado: como se só passar um momento com ela o tivesse relaxado, permitido que fosse alguém diferente. Suponho que o casamento é isso, ou era, ou poderia ser. Você tira a máscara. Deixa a fadiga entrar. Você se inclina e beija os anos porque eles são as coisas que importam.

— Sinto muito saber sobre os seus filhos — disse ele.

— Obrigada.

— Eu não queria ser tão brusco.

— Obrigada.

— Você me perdoa? — disse.

Ele se virou e então disse, com seu olhar fixo no chão:

— Eu também sinto falta do meu filho às vezes.

E depois saiu.

Suponho que sempre soube que é difícil ser só uma pessoa. A chave está na porta e ela sempre pode ser aberta.

Claire ficou lá de pé, sorrindo de orelha a orelha.

— Vou levar você para casa — disse ela.

A ideia disso fez uma onda quente passar por mim mas eu disse:

— Não Claire, está bem assim. Eu vou só pegar um táxi. Não se preocupe.

— Vou levar você pra casa — disse ela, com uma clareza repentina. — Por favor, fique com os chinelos. Vou colocar seus sapatos em uma sacola. Nós tivemos um longo dia. Vamos, um motorista nos levará.

Ela mexeu em uma gaveta e puxou uma pequena agenda de telefones. Eu ainda podia escutar o som da água correndo no banheiro. Os canos de água protestavam e um gemido saía das paredes.

ESTAVA ESCURO LÁ FORA. O motorista estava esperando, apoiado, fumando um cigarro, contra o capô do carro. Era um desses antigos motoristas, com um chapéu de ponta e terno escuro e gravata. Subitamente, jogou fora o cigarro e correu para abrir a porta de trás para nós. Claire entrou primeiro. Ela era ágil no banco dos fundos e passou as pernas pela fenda no meio dos bancos. O motorista pegou meu cotovelo e me ajudou a entrar.

— Aí vamos nós — ele disse com uma voz grossa e falsa. Eu me senti um pouco a velha-dama-negra, mas tudo estava bem, ele estava se comportando o melhor que podia, não estava querendo me ofender.

Eu lhe dei o endereço e ele hesitou um momento, assentiu, deu a volta para entrar no carro.

— Senhoras — disse.

Ficamos sentadas em silêncio. Na ponte ela deu uma rápida olhada para a cidade. Tudo era luz — escritórios que pareciam estar pairando no vácuo, as poças ao acaso das lâmpadas dos postes da rua, faróis iluminando nossos rostos. Pálidos pilares de concreto passavam por nós. Vigas com formas estranhas. Colunas desnudas capeadas com traves de metal. O movimento do rio embaixo.

Atravessamos para o Bronx, passando por bodegas fechadas e cachorros na porta. Campos de entulhos. Canos torcidos. Pedaços de alvenaria quebrada. Passamos pelos trilhos da ferrovia e as sombras intermitentes da passagem subterrânea, pela noite incendiada.

Algumas figuras moviam-se entre as latas de lixo e as pilhas de refugos.

Claire encostou-se no banco.

— Nova York — suspirou. — Todas essas pessoas. Alguma vez você se pergunta o que nos faz continuar?

Trocamos um grande sorriso. Algo que sabemos uma da outra, que agora somos amigas, que não há muita coisa que nos possa tirar isso, nós estamos naquele caminho. Eu poderia trazê-la até minha vida e ela provavelmente sobreviveria. E ela poderia me trazer até sua vida e eu daria um jeito. Estendi minha mão e segurei a dela. Eu não tinha medo agora. Podia sentir um gosto de ferro em minha garganta, como se tivesse mordido minha língua e ela estivesse sangrando, mas era agradável. As luzes passavam rápido. Eu me lembrei de como, quando era criança, costumava jogar flores nas grandes latas de tinta. As flores flutuavam na superfície por um momento e então os caules iam atolando, depois as pétalas, e elas floresciam no escuro.

Havia uma comoção na rua quando chegamos. Ninguém nem reparou no nosso carro. Deslizamos pela cerca, sombreados pelo viaduto. As vigas escuras de aço trepidavam sob a luz das lâmpadas do poste. Nenhuma das mulheres da noite estava nas ruas, mas um par de garotas de saias curtas estavam juntas sob a luz da entrada. Uma estava apoiada no ombro da outra e soluçava.

Eu não tinha tempo para elas, as prostitutas, nunca tive. Não tinha nenhuma raiva delas nem morria de pena. Elas tinham seus cafetões e seus homens brancos para sentir por elas. Essa era a vida delas. Elas a escolheram.

— Senhora — disse o motorista.

Eu ainda estava segurando a mão de Claire.

— Boa-noite — eu disse.

Abri a porta, e justo então as vi aparecer, duas queridas menininhas vindo sob os globos da lâmpada de luz.

Eu as conhecia. Já tinha visto as duas antes. Elas eram as filhas de uma prostituta que vivia dois andares acima do meu. Eu tinha me mantido à parte de tudo isso. Anos e anos. Não as deixava chegar perto da minha vida. Tinha visto a mãe delas no elevador, uma criança também, bonita e viciada, e eu ficava olhando direto para os botões.

As meninas estavam sendo levadas pela calçada por um homem e uma mulher. Assistentes sociais, a pele branca reluzindo, um olhar assustado nos rostos.

As meninas estavam usando vestidinhos rosas, com laços altos no peito. Os cabelos estavam penteados com contas. Estavam com sandálias de plástico nos pés. Não tinham mais do que dois ou três anos de idade, como gêmeas, mas não eram gêmeas. As duas estavam sorrindo, o que acho estranho agora quando penso nisso: elas não tinham ideia do que estava acontecendo e pareciam um modelo de saúde.

— Adoráveis — disse Claire, mas eu podia ouvir o terror na voz dela.

Os assistentes sociais estavam com o olhar de camisa de força. Empurravam as crianças, tentando guiá-las por entre o resto das prostitutas. Um carro de polícia estava parado mais distante no bloco. As circundantes tentavam acenar para as pequeninas, inclinar-se e dizer alguma coisa, talvez até pegá-las nos braços, mas os assistentes sociais afastavam as mulheres.

Algumas coisas na vida simplesmente tornam-se muito claras e não precisamos de nenhuma razão para elas: eu soube naquele momento o que tinha que fazer.

— Eles as estão levando embora?
— Suponho que sim.
— Para onde elas vão?
— Para alguma instituição em algum lugar.
— Mas elas são tão pequenas.

As meninas estavam sendo enfiadas no banco de trás do carro. Uma delas começou a chorar. Estava segurando a antena do carro e não soltava. A assistente a puxou, mas a criança não soltou. A mulher foi até o lado do carro e abriu com força os dedos da criança.

Avancei. Eu não parecia estar mais no mesmo corpo. Era ágil. Desci da calçada e atravessei a rua. Ainda estava com os chinelos de Claire.

— Esperem — gritei.

Eu costumava pensar que tudo tinha terminado muito tempo atrás, que tudo tinha sido embrulhado e despachado. Mas nada termina. Se eu viver até os cem anos, ainda estarei naquela rua.

— Esperem.

Janice — ela era a mais velha das duas — soltou os dedos e estendeu as mãos para mim. Nada foi melhor do que aquilo, não há muito tempo. A outra, Jazzlyn, estava morrendo de tanto chorar. Por cima do meu ombro, olhei para Claire, que ainda estava no banco do fundo, seu rosto brilhando sob o domo de luz. Ela parecia assustada e feliz, os dois.

— A senhora conhece essas crianças? — disse o policial.

Acho que eu disse sim.

Foi o que eu finalmente disse, uma mentira tão boa quanto outra qualquer.

— Sim.

LIVRO QUATRO

BRAMINDO EM DIREÇÃO AO MAR, LÁ VOU EU

Outubro 2006

E<small>LA SEMPRE SE PERGUNTA O QUE</small> é que segura o homem tão alto no ar. Que tipo de cola ontológica? Lá no alto, com sua silhueta fantasmagórica, uma coisa escura contra o céu, uma pequena figura cravada no vasto firmamento. O avião no horizonte. O minúsculo fio de corda entre as beiradas dos edifícios. A barra nas mãos dele. A grande extensão de espaço.

A foto foi tirada no mesmo dia em que sua mãe morreu — foi uma das razões que a atraíram em primeiro lugar: o simples fato de tal beleza ter acontecido ao mesmo tempo. Ela a descobriu, amarelando e rasgada, em uma venda de garagem em São Francisco, quatro anos atrás. No fundo de uma caixa de fotos. O mundo revela suas surpresas. Ela a comprou, mandou emoldurar, guardou-a consigo enquanto ia de hotel em hotel.

Um homem lá em cima no ar enquanto um avião parece desaparecer na beirada do edifício. Um pequeno pedaço de história encontrando uma maior. Como se o equilibrista estivesse de algum modo antecipando o que viria mais tarde. A intrusão do tempo e da história. O ponto de colisão das histórias. Esperamos pela explosão mas ela nunca ocorre. O avião passa, o homem da corda bamba chega ao fim do cabo. As coisas não desmoronam.

Ocorre-lhe que esse é um momento duradouro, o homem sozinho contra a escala, ainda capaz do mito a despeito de todas as outras evidências. A foto se tornou uma de suas posses favoritas — sua mala se sentiria mal sem ela, como se estivesse sem um fecho. Quando viaja ela sempre enfia a foto no papel de seda junto com outras lembranças: um conjunto de pérolas, um cacho do cabelo de sua irmã.

Na fila do aeroporto em Little Rock, ela está atrás de um homem alto de jeans e uma jaqueta batida de couro. Bonito naturalmente. No final dos 30 ou começo dos 40 talvez — cinco ou seis anos mais velho do que ela. Um gingado em seus passos enquanto segue a fila. Ela se aproxima um pouco mais dele. Na etiqueta de sua mala está escrito: MÉDICOS SEM FRONTEIRAS.

O guarda de segurança implica e examina o passaporte dele.

— Está levando algum líquido, senhor?

— Só quatro litros.

— Como assim, senhor?

— Quatro litros de sangue. Não acho que vá derramar.

Ele dá um tapinha no peito e ela ri. Ela percebe que ele é italiano: as palavras esticadas com uma ondulação lírica. Ele se vira para ela e sorri, mas o segurança dá um passo atrás, olha para o homem, como se o enquadrasse, e então diz:

— Senhor, preciso que o senhor saia da fila, por favor.

— Perdão?

— Saia da fila, por favor. Agora.

Dois outros guardas se aproximam.

— Escute, estou só brincando — diz o italiano.

— Senhor, siga-nos, por favor.

— Só uma brincadeira — diz ele.

É empurrado por trás, em direção a um escritório.

— Sou médico, estava só fazendo uma brincadeira. Só estou levando quatro litros de sangue, foi tudo. Uma brincadeira. Sem graça. Só isso.

Ele puxa as mãos para pedir, mas seu braço é torcido no alto atrás das costas, e a porta se fecha atrás dele com uma pancada.

O rancor passa pela fila e os outros passageiros na área de segurança. Ela sente um fio gelado ao longo do pescoço quando o guarda de segurança a encara. Ela leva uma garrafa de perfume selada em uma pequena sacola de plástico fechada e a coloca com cuidado na bandeja.

— Por que está trazendo isso na mão, senhorita?
— Tem menos do que 90 mililitros.
— E o propósito de sua visita?
— Pessoal. Ver uma amiga.
— E qual é seu destino final, senhorita?
— Nova York.
— Negócio ou lazer?
— Lazer — diz ela, a palavra pegando no fundo de sua garganta.

Responde com calma, prática, controlada, e quando passa pelo detector de metal automaticamente estende os braços para ser examinada, embora o alarme nem tenha tocado.

O avião está quase vazio. O italiano finalmente se acomoda, quieto, embaraçado, contrito. Tem uma curvatura nos ombros como se não pudesse se adaptar bem à sua altura. O cabelo castanho-claro todo bagunçado. Uma pequena sombra de barba tingida de grisalho em seu queixo. Seu olhar cruza com o dela ao se sentar no banco atrás. Um sorriso viaja entre os dois. Ela pode escutá-lo, atrás dela, enquanto ele tira a jaqueta de couro e suspira sentando-se em seu lugar.

No meio do voo ela pede um gim-tônica e ele estende uma nota de 20 dólares por sobre o banco para pagar pelo drinque dela.

— Eles costumavam não cobrar — diz.
— Você está acostumado a viajar em classe especial?

Fica chateada consigo mesma — não pretendia ser tão lacônica, mas às vezes acontece, as palavras saem como se em ângulo errado, como se ela estivesse na defensiva desde o começo.

— Não, eu não — ele diz. — Classe e eu não combinamos.

Ela pode ver que é verdade, o colarinho largo de sua camisa, uma mancha de tinta no bolso do peito. Parece o tipo de homem que deve cortar seus próprios cabelos. Não um italiano comum, mas afinal o que é um italiano comum? Ela estava cansada das pessoas que lhe diziam que ela não era uma afro-americana comum, como se houvesse só uma grande caixa comum de onde todos tinham que pipocar, os suecos, os poloneses, os mexicanos, e o que queriam dizer, de qualquer maneira, com ela não ser comum, que ela não usava brincos dourados de argola, andava adequadamente, vestia-se adequadamente, mantinha tudo na linha?

— Então — ela diz —, o que eles lhe disseram no aeroporto?
— Para não fazer mais brincadeiras.
— Deus proteja a América.
— Piada do tira durão. Você escutou a do...
— Não, não!
— ...homem que foi ao consultório médico com uma cenoura enfiada no nariz?

Ela já estava rindo. Ele indicou o assento do corredor.

— Sim, por favor.

Ela se surpreende com o conforto imediato que sente, convidando-o a sentar-se, mesmo virando-se para ele, fazendo uma ponte sobre o banco do meio. Ela muitas vezes sente-se nervosa com homens e mulheres de sua própria idade, suas atenções, seus desejos. Uma beleza alta, esbelta, pele de canela, dentes brancos, lábios cheios, sem maquiagem, mas seus olhos escuros sempre parecem querer escapar de sua boa aparência. Eles sublinham uma força estranha a seu redor: as pessoas a consideram inteligente e perigosa, uma estranha de outra terra. Às vezes ela tenta superar o embaraço enfiando suas garras, mas volta atrás, sufocada. É como se sentisse tudo borbulhando dentro, toda aquela ancestralidade selvagem, mas não conseguisse realmente ferver.

No trabalho é conhecida como um dos chefes com gelo nas veias. Se alguma piada é passada por e-mail entre o pessoal do escritório, raras vezes ela está na lista: adoraria estar, mas raras vezes está, mesmo entre seus colegas mais próximos. Na fundação, os voluntários falam sobre ela pelas costas. Quando ela enfia jeans e camiseta para se juntar a eles no campo sempre tem alguma coisa de rígido nisso, seus ombros em postura controlada, seu porte estiloso.

— ...e o doutor diz, eu sei exatamente o que está errado com você.
— O quê?
— Você não está comendo direito.
— Ba da bum — diz ela, levando a cabeça alarmantemente perto do ombro dele.

Quatro garrafinhas de gim sacolejam na mesinha do avião. Ele já está, ela pensa, complicado demais. É de Gênova e divorciado, com dois filhos. Trabalhou na África, na Rússia e no Haiti, e passou dois anos em Nova Orleans, trabalhando como médico no Ninth Ward. Acaba de se mudar para Little Rock, ele diz, onde dirige uma pequena clínica móvel para veteranos de volta pra casa depois das guerras.

— Pino — diz ele, estendendo a mão.

— Jaslyn.

— E você? — pergunta ele.

— Eu?

Um charme nos olhos dele.

— Me conte sobre você.

O que ela pode lhe contar? Que vem de uma longa linhagem de prostitutas, que sua avó morreu em uma cela de prisão, que ela e sua irmã foram adotadas, cresceram em Poughkeepsie, e a mãe delas, Gloria, andava pela casa cantando ópera ruim? Que ela foi para Yale, enquanto a irmã escolheu se alistar no Exército? Que estudava teatro e não conseguiu se formar? Que mudou seu nome de Jazzlyn para Jaslyn? Que não foi por vergonha, de jeito nenhum por vergonha? Que Gloria dizia que não existia uma coisa chamada vergonha, que a vida era se recusar a sentir vergonha?

— Bem, eu sou um tipo de contadora — diz.

— Um tipo de contadora?

— Bem, trabalho em uma pequena fundação. Ajudamos a preparar os impostos. Não é o que pensei que fosse fazer, quero dizer, quando era mais jovem, mas eu gosto. É legal. Vamos pelos acampamentos de trailers e hotéis e casas assim. Depois do Rita e do Katrina e tudo isso. Ajudamos as pessoas a preencher os formulários de impostos e cuidar das coisas. Porque muitas vezes eles não têm mais sequer as carteiras de motorista.

— Grande país.

Ela o olha desconfiada, mas se pergunta se ele fala a sério. Poderia ser — é possível, ela acha —, mesmo nesses tempos, por que não?

Quanto mais ele fala, mais ela nota que seu sotaque inclui um par de continentes, como se tivesse aportado em vários lugares e tirado alguns sons dali. Ele conta a história de como, quando criança em Gênova, costumava ir aos jogos de futebol ajudar a colocar curativos nos feridos que tinham se envolvido nas brigas no estádio.

— Feridas graves — diz. — Especialmente quando o Sampdoria jogava contra o Lazio.

— Como?

— Você não tem ideia do que estou falando, tem?

— Não. — Ela ri.

Ele rompe o pequeno selo de outra garrafa de gim, despeja metade no copo dela, metade no seu. Ela se sente ainda mais à vontade em relação a ele.

— Bem — diz —, uma vez trabalhei no McDonald's.

— Tá brincando.

— Mais ou menos. Tentei ser atriz. Dá no mesmo, realmente. Decore sua fala — você quer fritas acompanhando? Siga a marcação — você quer fritas acompanhando?

— De cinema?

— Teatro.

Ela pegou seu copo, levantou-o, bebeu. É a primeira vez em anos que ela se abre para um estranho. É como se tivesse mordido a pele de um damasco.

— Saúde.

— *Salute* — diz ele em italiano.

O avião avança sobre a cidade. Nuvens de tempestade e chuva se arremessando contra a janela. As luzes de Nova York como sombras de luz, sob as nuvens, fantasmagóricas, amortecidas pela chuva, obscurecidas.

— Então? — diz ele, fazendo um gesto para fora da janela, a teia escura sobre o Kennedy.

— Perdão?

— Nova York. Você vai ficar muito tempo?

— Oh, vou ver uma velha amiga — diz ela.

— Entendo. Que idade?

— Muito velha.

Quando era jovem e não tão tímida, ela amava sair na rua de Poughkeepsie, na frente de sua pequena casa, onde corria com um pé na calçada e outro na rua. Era preciso um pouco de ginástica: tinha que estender uma perna e deixar a outra ligeiramente curvada, correndo quase a toda velocidade.

Claire vinha visitar em um carro de aluguel com chofer. Uma vez ela ficou observando o truque muito tempo, deliciada, e disse que Jaslyn estava fazendo um *entrechat*, meio pra dentro, meio pra fora, meio pra dentro, meio pra fora, meio pra dentro.

Mais tarde, Claire sentou-se com Gloria nas cadeiras de madeira nos jardins dos fundos, ao lado da piscina de plástico, perto da cerca vermelha. Elas eram tão diferentes, Claire com sua saia elegante, Gloria com seu vestido florido, como se andassem em níveis diferentes do pavimento, mas no mesmo corpo, as duas combinavam.

Na esteira das bagagens, Pino espera ao lado dela. Ele não tem mala para pegar. Ela esfrega as mãos, nervosa. Por que ainda tem essa pequena sensação de aperto dentro de si? Nem mesmo dois gins-tônicas funcionaram. Mas ele também está inquieto, ela repara, enquanto troca de pés e ajusta a sacola no ombro. Ela gosta do nervosismo dele — o traz para terra, torna-o sólido. Ele já havia sugerido que podia dividir um táxi com ela até Manhattan, se ela quisesse. Ele está a caminho do Village, quer ouvir um pouco de jazz.

Ela gostaria de lhe dizer que ele não parece um homem de jazz, que tem mais o tipo de folk rock, que se encaixaria bem em uma canção de Bob Dylan, ou talvez fosse surpreendido com os comentários de um disco de Springsteen no bolso, mas jazz não encaixava. Mas ela gostava de complicações. Desejaria ser capaz de se virar e dizer: Gosto de pessoas que me desequilibram.

Tanto do seu tempo passado assim: sonhando com coisas para dizer e nunca ser capaz de dizê-las. Se pelo menos fosse capaz de se virar para Pino e falar que iria com ele esta noite a um clube de jazz, sentar a uma mesa com lâmpadas cobertas, sentir a vibração do saxofone passar por ela, levantar-se e se encaminhar para a minúscula pista de dança e alinhar seu longo corpo no dele, talvez até permitir que ele roçasse os lábios em seu pescoço.

Ela examina a linha de malas tombar da esteira transportadora para a esteira abaixo: nenhuma delas a sua. Um grupo de garotos no outro canto pula para dentro e para fora da esteira, para diversão dos pais. Ela faz um gesto e uma careta para o mais novo, que está empoleirado sobre uma mala vermelha gigante.

— Seus filhos — diz ela ao se virar para Pino. — Você tem fotos?

Uma pergunta tola, embaraçosa, falou sem pensar, inclinada muito próxima a ele, ultrapassou o limite. Mas ele puxa um celular e passa as fotos, mostra-lhe uma jovem adolescente, morena, séria, atraente. Passa fotos outra vez procurando uma do seu filho, quando um guarda de segurança vem direto até ele.

— Telefone celular não é permitido no terminal, senhor.

— Perdão?

— Nem celular, nem câmeras.

— Não é o seu dia — diz ela, sorrindo, enquanto se inclina para pegar sua pequena mala.

— Talvez, talvez não — diz ele.

Do outro lado, um grito alto. As crianças cavalgando nas malas na esteira rolante também tinham se metido em dificuldades com o guarda de segurança. Ela e Pino viram-se um para o outro. De súbito, sente-se muito mais jovem: a excitação do flerte, todo o seu corpo tomado pela leveza.

Ao saírem do terminal, ele diz que pegarão a ponte Queensboro, se ela concordar. Ele a deixará primeiro e depois seguirá para o centro.

Então ele conhece a cidade, ela pensa. Esteve aqui antes. Este lugar também pertence a ele. Outra surpresa. Ela sempre pensou que uma das belezas de Nova York é que você pode ser de qualquer lugar e poucos minutos depois de aterrissar a cidade é sua.

Sabine Pass e Johnson's Bayou, Beauregard e Vermilion, Acadia e New Iberia, Merryville e DeRidder, Thibodaux e Port Bolívar, Napoleonville e Slaughter, Point Cadet e Casino Row, Moss Point e Pass Christian, Escambia e Walton, Diamondhead e Jones Mill, Americus, América.

Nomes em sua cabeça, jorrando.

Chove do lado de fora do terminal. Ele para sob uma marquise, pega um pacote de cigarros do bolso interno. Bate o pacote com a borda da mão, desloca um cigarro, oferece-o. Ela faz que não com a cabeça. Antes fumava, agora não, um velho hábito de sua época em Yale; quase todos do teatro fumavam.

Mas ela gosta do fato de ele acender um e deixar a fumaça soprar em sua direção, de a fumaça passar por seu cabelo, de possuir seu cheiro mais tarde.

O táxi desliza pela chuva. O fim da tempestade passara sobre a cidade, uma cansada saudação final exaurida, um término. Ele lhe entrega um cartão antes que o táxi estacione na frente do toldo na Park Avenue. Rabisca seu nome e o número de seu celular no verso.

— Fantástico — diz, observando a rua.

Ele tira a pequena bagagem dela do porta-malas do carro, inclina-se e a beija em cada face. Ela repara com um sorriso que ele está com um pé no meio-fio, o outro fora.

Ele mexe em seu bolso. Ela olha para o outro lado e escuta um súbito clique. Ele havia tirado sua foto com o celular. Ela não tem muita certeza de como reagir. Apague-a, arquive-a, torne-a seu protetor de tela? Pensa em si mesma, ali, em pixels, junto com os filhos dele, levada no bolso para seu clube de jazz, sua clínica, sua casa.

Ela nunca tinha feito isso com um homem antes, mas tira seu próprio cartão e o enfia no bolso da camisa dele e o fecha com um tapinha. Sente seu rosto se apertar outra vez. Ousada demais. Coquete demais. Fácil demais.

Costumava incomodá-la terrivelmente, quando adolescente, que sua mãe e sua avó tivessem trabalhado nas ruas. Pensava que isso poderia ricochetear sobre ela algum dia, que ela se veria demasiado apaixonada pelo amor. Ou que fosse sujo. Ou que seus amigos descobrissem. Ou, pior, que ela pudesse pedir a algum garoto para lhe pagar. Ela até foi a última de suas amigas de escola a beijar um garoto: um menino na escola uma vez a chamara de a Rainha Africana Relutante. Seu primeiro beijo foi depois da aula de ciências, antes da aula de estudos sociais. Ele tinha um rosto largo e olhos escuros. Segurou-a na soleira da porta e pôs o pé no marco. Só a batida insistente de uma professora na porta os separou. Ela voltou para casa com ele aquele dia, de mãos dadas, pelas ruas de Poughkeepsie. Gloria a viu da varanda de sua pequena casa e sorriu. Ela e o garoto namoraram até o final da faculdade. Ela até pensara em casar com ele, mas ele foi para Chicago para um emprego no comércio. Ela então foi para casa, para Gloria, e chorou o dia todo.

Depois disso, Gloria lhe disse que era necessário amar o silêncio, mas antes de poder amar o silêncio você tinha que ter barulho.

— Então você vai me telefonar? — ela pergunta a ele.

— Vou telefonar, sim.

— Verdade? — ela pergunta com a sobrancelha curvada.

— Claro — ele responde.

Ele estende seu ombro, brincalhão. Ela balança para trás, como se em um desenho animado, os braços abertos, batendo. Ela não sabe exatamente por que faz isso, mas por um momento realmente não se importa — há uma eletricidade nisso que a faz rir.

Ele a beija outra vez, agora nos lábios, rapidamente, destramente. Ela quase deseja que seus colegas de trabalho estivessem aqui, para poderem vê-la dizendo tchau para um italiano, um médico, na Park Avenue, no escuro, no frio, na chuva, no vento, na noite. Como se pudesse haver uma câmera secreta que irradiasse tudo para os escritórios em Little Rock, todos erguendo os olhos dos formulários de impostos para vê-la se despedir, para vê-lo virar seu corpo para o banco de trás do táxi, os braços levantados, uma sombra em seu rosto, um sorriso.

Ela escuta o silvo dos pneus do táxi enquanto o carro se afasta. Então põe as mãos em concha para fora do toldo e passa um pouco de água de chuva pelo cabelo.

O porteiro sorri, embora tenham passado anos desde a última vez que ela o viu. Um galês. Ele costumava cantar nos domingos quando ela, Gloria e sua irmã vinham de visita. Não consegue se lembrar de seu nome. Seu bigode ficou grisalho.

— Senhorita Jaslyn! Por onde esteve?

E então ela recorda: Melvyn. Ele pega a pequena mala e por um momento ela pensa que ele vai dizer o quanto ela cresceu. Mas tudo que ele diz é, de uma maneira agradecida:

— Eles me puseram no turno da noite.

Ela não sabe bem se deve ou não beijá-lo no rosto — esta noite de beijos —, mas ele resolve o dilema se virando.

— Melvyn — ela diz —, você não mudou nem um pouco.

Ele dá um tapinha no estômago, sorri. Ela está cansada de elevadores, gostaria de subir pela escada, mas um rapaz adolescente está lá com seu boné e suas luvas brancas.

— Madame — diz o rapaz do elevador.

— Vai ficar muito tempo, senhorita Jaslyn? — pergunta Melvyn, mas a grade já está fechando.

Ela sorri para ele do fundo do elevador.

— Vou avisar a Sra. Soderberg — ele diz pelas grades —, para que saibam que a senhorita está subindo.

O rapaz do elevador olha direto para a frente. Ele toma muito cuidado com o Otis. Não puxa conversa, sua cabeça virada levemente para o teto e seu corpo como se estivesse contando o ritmo. Ela tem a sensação de que ele estará aqui por dez anos ainda, vinte, trinta. Gostaria de dar um passo à frente e gritar "Bu!" no ouvido dele, mas observa o painel e as pequenas luzes brancas circulares enquanto sobem.

Ele puxa a alavanca, alinha perfeitamente o elevador e o piso. Desliza o pé para fora para testar sua habilidade. Um jovem de precisão.

— Madame — diz. — Primeira porta à direita.

A porta é aberta por um enfermeiro jamaicano alto, um homem. Eles ficam momentaneamente confusos, como se devessem de alguma forma conhecer um ao outro. A troca é rápida. Sou a sobrinha da Sra. Soderberg. Oh, entendo, entre. Não sobrinha, exatamente, mas ela me chama de sobrinha. Por favor, entre. Eu telefonei mais cedo. Sim, sim, ela está dormindo agora. Entre. Como ela está? Bem... ele diz.

E o *bem* é arrastado, uma pausa, não uma afirmação — Claire não está bem de jeito nenhum; ela está no fundo de um poço escuro.

Jaslyn escuta o som de outras vozes: um rádio, talvez?

O apartamento parece ter sido mergulhado em alfazema. Ela e a irmã costumavam ficar aterrorizadas com ele quando crianças, naquelas ocasiões em que vinham à cidade com Gloria, o saguão escuro, os objetos de arte, o cheiro da madeira antiga. Ela e a irmã se davam as mãos enquanto caminhavam pelo corredor. A pior coisa era o quadro do homem morto na parede. A pintura tinha sido feita de tal maneira que os olhos dele pareciam segui-las. Claire falava nele o tempo todo, que Solomon tinha amado isso e Solomon tinha amado aquilo. Ela havia vendido alguns dos outros quadros — mesmo o seu Miró, para ajudar a pagar as despesas —, mas o retrato de Solomon permaneceu.

O enfermeiro pega sua mala e a coloca no canto apoiada na chapeleira.

— Por favor — diz, e a leva em direção à sala de estar.

Ela fica espantada ao ver seis pessoas, a maior parte delas de sua idade, em volta da mesa e do sofá. Estão vestidas informalmente, mas tomando coquetéis. Seu coração dá um salto contra a parede do peito. Eles também se congelam ao vê-la. Bem, bem. As sobrinhas verdadeiras, sobrinhos, primos talvez? Canção de Solomon. Ele está morto há 14 anos, mas ela pode vê-lo no rosto deles. Uma, quase com certeza, é sobrinha de Claire, com uma mecha grisalha no cabelo.

Eles olham para ela. O ar como gelo a seu redor. Ela deseja ter trazido Pino com ela, para que pudesse ajudá-la a se controlar, calmamente, afavelmente, ou pelo menos chamar atenção. Ela ainda sente o beijo em seus lábios. Toca-os com os dedos, como se pudesse conservar a lembrança dele ali.

— Olá, eu sou Jaslyn — diz com um aceno.

Um aceno idiota. Presidencial, quase.

— Olá — diz uma morena alta.

Ela se sente como se estivesse pregada no chão, mas um dos sobrinhos avança pela sala. Ele tem a petulância de um universitário, rosto gorducho, camisa branca, blazer azul, um lenço vermelho no bolso do peito.

— Tom — ele diz. — Encantado em conhecer você, Jaslyn, finalmente.

Ele diz o nome dela como alguma coisa que ele quer tirar de seu sapato, e a palavra *finalmente* se entende como uma repreensão. Então ele sabe sobre ela. Ouviu falar. Provavelmente pensa que ela está aqui para ver se sobra algum. Que seja. Oportunista. A verdade é que ela não dá a mínima para o testamento; se recebesse alguma coisa provavelmente doaria.

— Um drinque?

— Estou bem, obrigada.

— Imaginamos que a titia ia querer que nos divertíssemos mesmo no pior momento. — Ele abaixa a voz: — Estamos fazendo Manhattans.

— Como ela está?

— Está dormindo.

— Está tarde, sinto muito.

— Temos refrigerante também, se você quiser.

— Ela está...?

Ela não consegue terminar a frase. As palavras ficam penduradas no ar entre ela e Tom.

— Ela não está bem — diz ele.

A palavra outra vez. Um eco vazio todo o caminho até o chão. Nenhuma pancada. Uma queda livre constante. Bem bem.

Ela não gosta que estejam bebendo, mas então pensa que deveria se juntar a eles, que não deveria ficar à parte. Trazer Pino de volta, deixá-lo distribuir seu encanto entre eles, deixá-lo levá-la para sair na noite apoiada em seu braço, aconchegada em sua jaqueta de couro.

— Acho que vou tomar um drinque — diz.

— E então — diz Tom —, o que exatamente a traz aqui?

— Como assim?

— Quero dizer, o que exatamente você faz agora? Não estava trabalhando para os democratas ou coisa parecida?

Ela escuta uma leve risadinha do outro lado da sala. Estão olhando para ela, todos eles, observando, como se ela por fim tivesse chegado ao palco.

Ela gosta das pessoas com capacidade de suportar o trabalho duro, aqueles que sabem que o sofrimento é um requisito, não uma maldição. Eles arrumam suas vidas na frente dela, algumas folhas de papel, um comprovante de pagamento, um cheque do seguro, tudo que deixaram. Ela soma os números. Ela conhece os créditos dos impostos, as brechas, as saídas e entradas, os telefonemas que devem ser feitos. Tenta invalidar os pagamentos das hipotecas de uma casa que está flutuando no mar. Evita cobranças do seguro de carros que estão no fundo da baía. Tenta parar as faturas dos pequeninos caixões brancos.

Ela vira outros da fundação de Little Rock fazerem as pessoas se abrir imediatamente, mas nunca foi capaz de chegar a eles tão rapidamente. No começo eles ficam constrangidos com ela, ainda assim ela aprendeu a escutá-los. Depois de mais ou menos meia hora consegue chegar a eles.

É como se estivessem falando consigo mesmos, como se ela fosse um espelho na frente deles, dando-lhes uma outra história de si mesmos.

Ela é atraída pelo lado escuro deles, mas gosta do momento quando eles se voltam outra vez e encontram algum significado que os desloca um pouco: *Eu realmente a amava. Eu soltei sua camisa antes que ele fosse levado pela comporta. Meu marido comprou o fogão a crédito.*

E antes que se dessem conta, seus impostos estavam feitos, as solicitações de seguro planejadas, as companhias hipotecárias notificadas, o documento é deslizado pela mesa para eles assinarem. Às vezes eles levam séculos só para assinar, já que têm uma coisa a mais a dizer — estão longe falando de carros que compraram, dos amores que amaram. Têm uma necessidade profunda de falar, simplesmente contar uma história, por mais curta ou afoita que seja.

Escutar essas pessoas é como escutar as árvores — mais cedo ou mais tarde a árvore é talhada e os anéis revelam sua idade.

Há cerca de nove meses, havia uma velha — estava em um quarto de hotel de Little Rock, vestido amplo, Jaslyn tentando contabilizar pagamentos que a mulher não estava recebendo de seu fundo de pensão.

— Meu menino era carteiro — disse a mulher. — Justo lá na Ninth. Era um bom menino. Vinte e dois anos de idade. Acostumado a trabalhar até tarde se precisasse. E ele trabalhava, não estou mentindo. As pessoas adoravam receber as cartas que ele levava. Ficavam esperando por ele. Gostavam que ele viesse e batesse na porta. Você está escutando?

— Sim, senhora.

— E a tempestade chegou. E ele não voltou. Eu estava esperando. O jantar dele estava pronto. Eu estava morando no terceiro andar na época. Esperando. Só que nada aconteceu. Então eu esperei e esperei. Depois de dois dias saí procurando por ele, desci. Todos aqueles helicópteros estavam voando lá cima, nos ignorando. Eu chapinhei pela rua, a água até meu pescoço, quase me afogando. Não consegui encontrar nenhum sinal dele, nada, até que cheguei lá embaixo perto da loja que desconta cheques e achei o saco do correio flutuando e o peguei. E pensei: Sagrado Coração!

Os dedos da mulher prenderam a mão de Jaslyn, apertando-a.

— Eu tinha certeza que ele viria flutuando na próxima esquina, vivo. Procurei e procurei. Mas nunca vi meu menino. Eu queria ter me afogado bem ali e naquela hora. Duas semanas mais tarde descobri que ele estava preso no alto de uma árvore apodrecendo no calor. Com seu uniforme de carteiro. Imagine só, preso em uma árvore.

A mulher se levantou, foi até o outro lado do quarto do hotel, foi até um armário barato, puxou uma gaveta para abrir.

— Eu ainda estou com suas cartas aqui, está vendo? Você pode levar se quiser.

Jaslyn segurou a sacola nas mãos. Nenhum dos envelopes tinha sido tocado.

— Leve-a, por favor — disse a mulher. — Eu não aguento mais.

Ela levou a sacola de cartas para o lago perto do Natural Steps, nos arredores de Little Rock. Caminhou pela margem, no lusco-fusco, os sapatos se afundando na lama. Aves voavam aos pares, irrompendo para cima e girando no céu com o sol vermelho, batendo as asas encurvadas. Ela não sabia direito o que deveria fazer com as cartas. Sentou-se na grama e as tirou, revistas, folhetos, cartas pessoais a serem devolvidas com um aviso: *Esta carta ficou um tempo perdida. Espero que seja correto enviá-la agora outra vez.*

Ela queimou as cobranças, todas elas. Verizon. Con Ed. The Internal Revenue Service. Esse sofrimento não seria necessário agora, não, não mais.

Ela fica de pé perto da janela, escuro lá embaixo. Uma conversa na sala. Ela se lembra de pássaros brancos, voando. A taça de coquetel que segura parece frágil. Se ela apertar muito, pensa, pode despedaçar.

Ela viera para se hospedar ali, ficar com Claire por um ou dois dias. Dormir no quarto extra. Acompanhar a morte dela, da mesma maneira que acompanhou a morte de Gloria seis anos atrás. A vagarosa viagem de carro até o Missouri. O sorriso no rosto de Gloria. Sua irmã, Janice, no banco da frente, dirigindo. Fazendo jogos com o espelho retrovisor. As duas empurrando Gloria em uma cadeira de rodas pelas margens do rio. *Subindo um rio preguiçoso onde, enquanto remamos, a canção do tordo desperta uma manhã novinha em folha.* Foi uma celebração, aquele dia. Elas haviam enfiado os pés na felicidade e não estavam preparadas para deixá-la passar. Jogaram gravetos em um remoinho e ficaram vendo-os circular. Estenderam uma manta no chão, comeram sanduíches. Depois, à tarde, sua irmã começou a chorar, como uma mudança no clima, por nenhum motivo, exceto o estouro de uma rolha de vinho. Jaslyn lhe passou um lenço de papel. Gloria riu para elas e disse que havia superado o sofrimento muito tempo atrás, que estava cansada de todos querendo ir para o céu, ninguém querendo morrer. A única coisa que valia a pena lamentar, ela disse, era que às vezes havia mais beleza nesta vida do que o mundo podia suportar.

Gloria partiu com um sorriso no rosto. Elas fecharam seus olhos com o brilho do sol ainda neles, empurraram a cadeira de rodas subindo o morro, ficaram um tempo olhando para a paisagem até os insetos noturnos aparecerem.

Elas a enterraram dois dias mais tarde num canteiro de terra perto dos fundos de sua antiga casa. Ela dissera a Jaslyn uma vez que todos sabiam de onde eram quando sabiam onde era que queriam ser enterrados. Uma cerimônia tranquila, só as duas e o pregador. Eles puseram Gloria no chão com um dos antigos cartazes pintados à mão por seu pai e uma lata de costura que ela guardava de sua mãe. Se existe uma boa maneira de partir, essa foi uma boa maneira de partir.

Sim, pensa, ela gostaria de ficar e também estar com Claire, passar alguns momentos, encontrar algum silêncio, deixar os momentos se arrastarem. Até trouxe seus pijamas, sua escova de dentes, seu pente. Mas agora está claro que não é bem-vinda.

Ela havia esquecido que podia haver outros também, que uma vida é vivida de várias maneiras — tantos envelopes não abertos.

— Posso vê-la?
— Acho melhor não perturbá-la.
— Só vou enfiar minha cabeça na porta.
— É um pouco tarde. Ela está dormindo. Você gostaria de outro drinque...?

A voz dele se levanta na pergunta, incompleta, como se buscando o nome dela. Mas ele sabe seu nome. Idiota. Um tolo grosseiro, um traste. Ele quer possuir o sofrimento e fazer uma festa por isso.

— Jaslyn — diz ela e sorri finamente.
— Outro drinque, Jaslyn?
— Obrigada, não — diz —, tenho um quarto no Regis.
— No Regis, fantástico.

É o hotel mais luxuoso em que ela consegue pensar, o lugar mais caro. Não tem sequer ideia de onde é, só que é em algum lugar por perto, mas o nome muda o rosto de Tom — ele sorri e mostra seus dentes muito brancos.

Ela enrola um guardanapo no fundo de sua taça, coloca-a no vidro da mesinha de café.

— Bem, devo me despedir. Foi um prazer.
— Por favor, eu a acompanho até lá embaixo.
— Está bem assim, realmente.
— Não, não, eu insisto.

Ele toca seu cotovelo e ela se encolhe. Resiste à vontade de lhe perguntar se ele já foi presidente de alguma fraternidade.

— Na verdade — ela diz no elevador —, eu posso ir sozinha.

Ele se inclina e a beija no rosto. Ela vira o ombro e lhe dá uma leve cotovelada no queixo.

— Até logo — ela diz com monótona determinação.

No térreo, Melvyn chama um táxi e logo ela está outra vez sozinha, como se nada da noite tivesse acontecido. Checa no bolso se está com o cartão de Pino. Vira-o em seus dedos. É como se pudesse sentir o fone já tocando no bolso dele.

O único quarto no St. Regis custa 425 dólares o pernoite. Ela pensa em tentar encontrar outro hotel, pensa até em telefonar para Pino, mas então desliza seu cartão de crédito pelo balcão. Suas mãos tremem: é quase um mês e meio de aluguel em Little Rock. A moça atrás do balcão pede sua identidade. Não vale a pena discutir, embora não tenham pedido isso ao casal a sua frente.

O quarto é minúsculo. A televisão fica no alto da parede. Ela liga o controle remoto. O fim da tempestade. Nada de furacões este ano. Resultados de beisebol, resultados de futebol, outras seis mortes no Iraque.

Ela cai na cama, braços atrás da cabeça.

Ela foi para a Irlanda logo depois dos ataques no Afeganistão. Supostamente eram férias. Sua irmã fazia parte da equipe que coordenava os voos dos Estados Unidos no aeroporto de Shannon. Elas foram agredidas nas ruas de Galway quando estavam saindo de um restaurante: *Ianques fodidas, voltem pra casa.* Não é tão ruim como ser chamada de negra, o que aconteceu quando elas alugaram um carro e acabaram no lado errado da estrada.

A Irlanda a surpreendeu. Ela havia esperado estradas mais verdes e cercas vivas altas, homens de cabelos escuros cacheados, chalés brancos isolados nos montes. Em vez disso achou viadutos e rampas e preleções de bêbados de rostos carrancudos sobre o significado exato da política internacional. Ela se viu fechando-se em uma concha, incapaz de ouvir. Havia escutado pedaços soltos sobre o homem, Corrigan, que tinha morrido junto com sua mãe. Queria saber mais. Sua irmã era o oposto — Janice não queria nada com o passado. O passado a embaraçava. O passado era um jato que estava voltando do Oriente Médio com cadáveres.

Então foi de carro para Dublin sem a irmã. Não sabia por quê, mas lágrimas vagarosas ficaram presas em seus cílios: teve que apertá-los para restaurar a visão da estrada. Respirou profunda e silenciosamente enquanto avançava pela estrada.

Foi muito fácil encontrar o irmão de Corrigan. Ele era executivo de uma companhia de internet nas altas torres de vidro ao longo do Liffey.

— Venha me ver — disse ele ao telefone.

Dublin era uma cidade que progredia aceleradamente. Neon ao longo do rio. As gaivotas o enfeitavam. Ciaran estava no início dos 60, com uma pequena península de cabelo na testa. Metade de um sotaque americano — seu outro escritório, ele disse, ficava no Vale do Silício. Estava impecavelmente vestido de terno e uma camisa cara de colarinho aberto. Pelos grisalhos do peito aparecendo. Eles se sentaram em seu escritório e ele lhe falou sobre a vida de seu falecido irmão, Corrigan, uma vida que lhe pareceu rara e radical.

Do lado de fora da janela, garças balançavam na linha do horizonte. A luz irlandesa parecia lânguida. Ele a levou para o outro lado do rio, para um pub enfiado num beco, um pub genuíno, todo de madeira de lei e cheiro de cerveja. Uma fileira de barris pequenos prateados no lado de fora. Ela pediu uma *pint* de Guinness.
— Minha mãe era apaixonada por ele?
Ele riu.
— Oh, eu acho que não, não.
— Você tem certeza?
— Naquele dia ele estava dando uma carona para ela de volta pra casa, só isso.
— Entendo.
— Ele estava apaixonado por outra mulher. Da América do Sul — não consigo me lembrar de onde, Colômbia, eu acho, ou Nicarágua.
— Oh.
Ela reconheceu a necessidade de que sua mãe tivesse se apaixonado pelo menos uma vez.
— É uma pena — disse ela, os olhos umedecendo.
Passou a manga pelos olhos. Odiava a visão de lágrimas, a qualquer momento. Exagerada e sentimental, a última coisa que desejava.
Ciaran não tinha ideia do que fazer com ela. Saiu e ligou para a esposa pelo celular. Jaslyn ficou no bar e bebeu outra cerveja, sentindo-se aquecida mas zonza. Talvez Corrigan tenha amado secretamente sua mãe, talvez eles estivessem a caminho de um *rendez-vous*, talvez um grande amor tenha invadido os dois no último instante. Ocorreu a ela que sua mãe teria apenas 45 ou 46 anos se estivesse viva. Elas poderiam ser amigas. Poderiam conversar sobre essas coisas, poderiam sentar em um bar juntas, passar um tempo bebendo uma cerveja. Mas isso era ridículo, realmente. Como sua mãe poderia ter saído daquela vida e começado outra nova? Como poderia ter saído intacta? Com o quê, vassouras na mão, pás de lixo? Aqui vamos nós, querida, pegue minhas botas de salto alto, coloque-as no vagão, vamos para o oeste. Estúpido, ela sabia. Ainda assim. Só por uma noite. Sentar com sua mãe e observar o jeito de ela pintar as unhas, talvez, ou ver seu jeito de encher a xícara de café, ou ver como tirava os sapatos, só uma mostra de um momento comum. Enchendo a banheira. Cantarolando uma música. Cortando a torrada. Qualquer coisa. *Subindo um rio preguiçoso, como poderíamos ser felizes.*

Ciaran entrou rapidamente no pub e lhe disse com um sotaque nitidamente americano:

— Adivinhe quem vem para o jantar?

Ele dirigia um Audi novo em folha. A casa estava na beira do mar, banhada de branco, com rosas no jardim e uma cerca escura de ferro. Era o mesmo lugar onde os irmãos haviam crescido. Uma vez ele a vendera e depois teve de comprá-la de volta por mais de 1 milhão de dólares.

— Dá para acreditar? — disse. — Mais de um milhão.

Sua esposa, Lara, estava trabalhando no jardim, cortando rosas com tesouras de podar. Era suave, esbelta, gentil, seu cabelo grisalho puxado para trás em um coque. Tinha os olhos muito azuis, pareciam pequenas gotas do céu de setembro. Ela tirou suas luvas de jardinagem. Havia borrifos de cor em suas mãos. Puxou Jaslyn para si, abraçou-a por um momento mais longo do que o esperado: ela cheirava a tinta.

Dentro da casa, havia muitos quadros nas paredes. Os três vagaram entre eles, uma taça de vinho branco gelado para cada um.

Ela gostou dos quadros: paisagens radicais de Dublin, traduzidas em linhas, sombras, cor. Lara havia publicado um livro de arte e conseguira vender algumas telas nas exposições ao ar livre na Merrion Square, mas tinha perdido, disse, seu toque americano.

Havia alguma coisa de um belo fracasso em relação a ela.

Eles acabaram outra vez no jardim dos fundos, sentados no pátio, uma faixa de luz branca no céu. Ciaran falava do mercado imobiliário de Dublin; mas na verdade, Jaslyn sentia, eles estavam falando sobre perdas secretas, não de benefícios, todas as coisas que tinham vindo com os anos.

Depois do jantar, os três caminharam juntos pela praia, passando a Martello Tower e depois de volta. As estrelas sobre Dublin pareciam manchas de pintura no céu. A maré havia muito tinha recuado. Uma enorme extensão de areia desaparecia na escuridão.

— Daquele lado é a Inglaterra — disse Ciaran, por nenhum motivo que ela pudesse perceber.

Ele passou sua jaqueta em torno dela e Lara pegou seu cotovelo, caminhando juntos, no meio deles. Ela foi embora tão delicadamente quanto pôde, dirigindo de volta para Limerick assim que acordou na manhã seguinte. O rosto de sua irmã estava brilhando. Janice tinha acabado de conhecer um homem.

Ele estava no seu terceiro engajamento, ela disse — imagine só. Usava botas tamanho 48, acrescentou com uma piscadela.

Sua irmã embarcara para a embaixada de Bagdá havia dois anos. De vez em quando ela ainda recebe um postal. Um deles era a foto de uma mulher de burka: *Diversão ao sol.*

O dia amanhece com o brilho do inverno. De manhã ela descobre que o desjejum não está incluído no preço do quarto. Só pode sorrir. Quatrocentos e vinte e cinco dólares, sem café da manhã.

No quarto, ela pega todos os sabonetes do banheiro, a loção, a flanela de dar brilho no sapato, mas ainda assim deixa uma gorjeta para a camareira.

Caminha pela vizinhança à procura de um café, ao norte da 55th.

O mundo inteiro é um Starbucks, e ela não consegue achar nenhum.

Entra em uma pequena delicatéssen. Creme no café. Um biscoito amanteigado. Dá a volta em direção ao apartamento de Claire, fica parada do lado de fora, ergue os olhos. É um belo edifício, com tijolos e cornijas. Mas ainda é muito cedo para subir, decide. Volta-se e caminha para o leste em direção ao metrô, sua pequena sacola a tiracolo.

Ela ama a vibração latente do Village. É como se todas as guitarras de repente tocassem nas escadas de incêndio. Raios de sol nos tijolos. Vasos com flores nas janelas do alto.

Ela está usando uma blusa aberta e jeans justos. Sente-se à vontade, como se as ruas a liberassem.

Um homem passa por ela com um cachorro dentro da camisa. Ela sorri e os observa passar. O cachorro se ergue no ombro do sujeito e olha de volta para ela, os olhos grandes e ternos. Ela acena, vê o cachorro desaparecer outra vez dentro da camisa do homem.

Encontra Pino em um café na Mercer Street. Foi tão fácil quanto imaginou: ela não sabe por que mas estava convencida de que seria simples encontrá-lo. Podia ter telefonado para o celular dele mas decidiu que não. Melhor procurar e encontrá-lo nesta cidade de milhões. Ele está sozinho e debruçado sobre o café, lendo um exemplar de *La Republica*. Ela sente um medo súbito de alguma mulher estar por perto, talvez até alguma esteja para se encontrar com ele a qualquer momento, mas ela não se importa.

Compra um café e puxa a cadeira, sentando-se com ele à mesa. Ele ergue seus óculos de leitura para o topo da cabeça e se inclina para trás na cadeira, ri.

— Como você me encontrou?
— Meu GPS interno. Como foi seu jazz?
— Oh, foi jazz. Sua velha amiga, como está?
— Não tenho certeza. Ainda.
— Ainda?
— Vou vê-la hoje mais tarde. Diga. Posso perguntar? Só, bem, você sabe. O que o traz aqui? A cidade?
— Você quer mesmo saber? — diz ele.
— Acho que sim, sim.
— Está pronta?
— Como nunca.
— Vou comprar um jogo de xadrez.
— Você o quê?
— É uma coisa feita à mão. Tem um artesão na Thompson Street. Vou pegá-lo. É um pouco uma obsessão minha. Na verdade, é para meu filho. É de uma madeira canadense especial. E o cara é um mestre...
— Você veio desde Little Rock para pegar um jogo de xadrez?
— Acho que precisava dar uma saidinha.
— Não brinca.
— E, bem, vou levar o jogo para meu filho em Frankfurt. Passar alguns dias com ele, me divertir um pouco. Voltar para Little Rock, retornar ao trabalho.
— Como está a mancha de carbono no seu dedo?

Ele sorri, termina o café. Ela já sabe que eles passarão a manhã aqui, que passarão o tempo agradavelmente no Village, almoçarão cedo, ele se inclinará e tocará seu pescoço, ela aconchegará a mão dele ali, eles irão para o hotel dele, farão amor, abrirão as cortinas, contarão histórias, darão risadas, ela dormirá outra vez com sua mão no peito dele, lhe dará um beijo de despedida, e mais tarde, de volta a Arkansas, ele vai deixar uma mensagem em sua secretária eletrônica, e ela deixará o número dele em seu criado-mudo, para decidir.

— Outra pergunta?
— Sim?
— Quantas fotos de mulheres há em seu celular?
— Não muitas — ele diz com um sorriso. — E você? Quantos caras?
— Milhões — ela diz.
— Verdade?
— Bilhões, realmente.

Ela só voltou à Deegan uma vez. Foi há dez anos, quando tinha acabado a faculdade. Queria saber por onde sua mãe e sua avó tinham andado. Alugou um carro no aeroporto JFK, ficou parada no tráfego, para-choque com para-choque. Pelo menos um quilômetro de carros à frente. Pelo retrovisor o tráfego a pregava no lugar. Um sanduíche do Bronx.

Então, ela estava em casa outra vez, mas aquilo não parecia uma volta ao lar.

Ela não vinha ao bairro desde que tinha cinco anos. Recordava os corredores cinza-claro e uma caixa de correio recheada de folhetos: isso era tudo.

Colocou o carro em ponto morto e estava mexendo com o estéreo quando percebeu um vestígio de movimento bem à frente na estrada. Um homem estava se erguendo no topo de uma limusine, estranho e centaurino. Ela viu sua cabeça primeiro, depois seu torso passando pelo teto solar. Depois o giro abrupto de sua cabeça como se ele tivesse recebido um tiro. Ela realmente esperou ver um jato de sangue sobre o capô. Em vez disso, o homem estendeu o braço e apontou como se dirigindo o tráfego. Girou a cabeça outra vez. Cada volta era mais rápida e mais rápida. Era como um estranho maestro, de terno e gravata. A gravata esticada para fora parecia um ponteiro no capô do carro enquanto ele girava. Suas mãos ergueram-se em ambos os lados e ele empurrou todo o seu corpo pelo teto solar e então saiu e ficou de pé no topo da limusine, as pernas bem abertas e os dedos esticados. Rugindo para os motoristas perto.

Ela reparou então que os outros tinham saído e olhavam, os braços dobrados sobre as portas abertas, uma pequena fileira de cabeças virando na mesma direção, como girassóis. Algum segredo entre eles. Uma mulher começou a tocar a buzina, ela escutou gritos, e foi então que viu o coiote trotando entre o tráfego.

O animal parecia totalmente calmo, trotando sob o sol quente, parando e torcendo seu corpo como se estivesse em alguma misteriosa terra das maravilhas para admirar.

O lance era que o coiote estava indo em direção à cidade, não saindo. Ela permaneceu sentada e o observou vir em sua direção. Ele atravessou a faixa dois carros a sua frente, passou ao lado de sua janela. Não levantou a vista, mas ela pôde ver o amarelo de seus olhos.

Pelo retrovisor, ela o viu desaparecer. Queria gritar para que ele virasse, que estava indo na direção errada, precisava voltar pra trás, simplesmente girar e correr livre. Ao longe atrás dela, viu as luzes de sirene virando. Controle de animais. Três homens com redes estavam passando pelo tráfego.

Quando escutou o estalo do tiro do rifle, ela pensou, a princípio, que era só um carro acelerando.

Ela gosta da palavra *mãe* e de todas as complicações que ela traz. Não está interessada em *verdadeira* ou de *nascimento* ou *adotiva* ou qualquer outra série de mães que existam no mundo. Gloria foi sua mãe. Jazzlyn também foi. As duas eram como estranhas em uma varanda, Gloria e Jazzlyn, com o sol da tarde se pondo: elas simplesmente estão sentadas juntas e nenhuma pode dizer o que a outra sabe, então simplesmente ficam caladas e observam o dia se pôr. Uma delas diz boa-noite, enquanto a outra espera.

Eles se descobrem um ao outro vagarosamente, tentativamente, timidamente, se distanciando, se fundindo outra vez, e ela compreende de repente que nunca realmente conheceu o corpo de um outro. Depois ficaram deitados juntos sem falar, seus corpos se tocando levemente, até que ela se levantou e se vestiu rapidamente.

As flores são baratas, ela pensa, no momento em que as compra. Papel encerado, botões delgados, um perfume estranho, como se alguém na deli as tivesse vaporizado com falsa fragrância. Mas ela não consegue achar outra florista. E a luz está diminuindo, a tarde está acabando. Segue em direção oeste, para a Park, seu corpo ainda formigando, a mão fantasma dele em seu quadril.

No elevador, o perfume barato das flores aumenta. Ela deveria ter procurado uma loja melhor, mas agora é tarde demais. Não importa. Ela desce na cobertura, seus sapatos afundando no carpete macio. Tem um jornal no chão, na porta de Claire, a histeria escorregadia da guerra. Dezoito mortos hoje.

Um arrepio em seus braços.

Ela toca a campainha, apoia as flores na armação ao escutar a fechadura abrir.

É outra vez o enfermeiro jamaicano que lhe abre a porta. Seu rosto está aberto e relaxado. Ele usa trancinhas curtas.

— Oh, olá.
— Tem outras pessoas aqui?
— Perdão? — diz ele.
— Só estou querendo saber se tem mais gente na casa.
— O sobrinho dela está no outro quarto. Está cochilando.
— Há quanto tempo ele está aqui?
— Tom? Ele passou a noite. Faz alguns dias que está aqui. Tem recebido pessoas.

Há uma parada como se o enfermeiro estivesse tentando imaginar por que exatamente ela havia voltado, o que ela queria, quanto tempo ficaria. Ele mantém a mão em volta da porta, mas então se inclina um pouco e sussurra conspiratoriamente:

— Ele trouxe um pessoal da imobiliária, para suas festas, sabe.

Jaslyn sorri, balança a cabeça: isso não importa, ela não vai permitir que importe.

— Será que posso vê-la?
— Claro. Você sabe que ela teve um ataque, certo?
— Sim.

Ela para no saguão.

— Ela recebeu meu cartão? Eu mandei um grande cartão engraçado.
— Oh, era seu? — diz o enfermeiro. — Era divertido. Eu gostei.

Ele gira sua mão para o corredor, aponta para o quarto. Ela caminha pela penumbra, como se tirasse um véu. Para, gira a maçaneta de vidro da porta do quarto. A maçaneta estala. A porta abre. Ela se sente como se pisasse para fora de uma saliência. O quarto parece escuro e pesado, um teor denso. Um diminuto triângulo de luz onde as cortinas não se encontram direito.

Fica um momento parada para seus olhos se acostumarem. Jaslyn quer separar a escuridão, afastar as cortinas, abrir a janela, mas Claire está dormindo, pálpebras fechadas. Puxa uma cadeira perto da cama, ao lado de um suporte com soro. O soro não está ligado. Tem um copo no criado-mudo. E um canudinho. E um lápis. E um jornal. E o cartão dela entre outros cartões. Ela dá uma espiada no escuro. *Fique boa logo, sua velha avezinha engraçada.* Agora não tem mais certeza se é mesmo engraçado; talvez devesse ter comprado um bonitinho e recatado. Você nunca sabe. Não dá para saber.

O levantar e abaixar do peito de Claire. O corpo agora uma falência franzina. Os peitos murchos, as pálpebras profundas, o pescoço estriado, a articulação intricada. Sua vida pintada nela, recuando dela. Um breve tremular dos cílios. Jaslyn se inclina mais perto. Um sopro de ar rançoso. Um cílio tremula uma vez mais. Os olhos abrem e encaram. No escuro, os brancos deles. Claire abre os olhos, completamente agora, não sorri nem diz uma palavra.

Um puxão nos lençóis. Jaslyn olha para baixo enquanto Claire mexe a mão esquerda. Os dedos se levantam e abaixam como se tocassem piano. O encrespar da idade. A pessoa que conhecemos no começo, ela pensa, não é a que conhecemos no final.

Um relógio soa.

Quase nada para distrair a atenção da tarde, só o relógio, em um tempo não demasiado distante do tempo presente, e no entanto um tempo não demasiado distante do passado, o desdobrar inexplicável das consequências no tempo do amanhã, as coisas simples, o grão da madeira da cama vivo sob a luz, uma leve lembrança de negror ainda no cabelo da mulher de idade, o vislumbre de umidade no envoltório de vida, a curvatura da pétala de flor bordada, a beirada lascada da moldura de uma foto, a borda de uma caneca, a marca de uma mancha perdida de chá na borda, uma palavra cruzada deixada incompleta, o amarelo de um lápis balançando na beirada da mesinha, uma ponta afiada, a ponta de borracha no meio do ar. Fragmentos de uma ordem humana. Jaslyn vira o lápis por segurança, depois se levanta, rodeia o canto da cama em direção à janela. Suas mãos no parapeito. Separa a cortina um pouco mais, abre o triângulo, levanta a janela um pouquinho, sente a ondulação do ar em sua pele: o cinza, a poeira, a luz agora pressionando a noite para fora das coisas. Seguindo aos tropeços, agora, escoamos a luz da escuridão para fazê-la durar. Ela levanta mais a janela. Os sons do lado de fora, crescendo mais nítidos no silêncio, no começo o tráfego, zumbido de máquinas, guindastes, parques de diversões, crianças, os galhos das árvores embaixo na avenida batendo um no outro.

As cortinas se fecham de novo, mas um corredor iluminado ainda está aberto no carpete. Jaslyn aproxima-se da cama outra vez, tira seus sapatos, deixa-os cair. Claire abre seus lábios sempre tão levemente. Nenhuma palavra, mas uma diferença em sua respiração, um certo grau de graça.

Seguimos aos tropeços, pensa Jaslyn, trazendo um pouco de barulho para dentro do silêncio, encontrando nos outros a continuação de nós mesmos. É quase o suficiente.

Calmamente, Jaslyn se acomoda na beira da cama e então estende os pés, mexe suas pernas lentamente para não agitar o colchão. Ajeita um travesseiro, tira um cabelo da boca de Claire.

Jaslyn pensa outra vez em um damasco — não sabe por quê, mas é isso que ela pensa, a pele do damasco, o sabor, a doçura.

O mundo gira. Nós seguimos tropeçando. É o suficiente.

Ela se deita na cama ao lado de Claire, sobre os lençóis. O travo fraco da respiração da senhora idosa no ar. O relógio. O ventilador. A brisa.

O mundo girando.

NOTA DO AUTOR

PHLIPPE PETIT CAMINHOU POR UM CABO estendido como corda bamba entre as torres do World Trade Center em 7 de agosto de 1974. Usei essa sua caminhada neste romance, mas todos os outros acontecimentos e personagens deste trabalho são ficcionais. Tomei liberdades com a caminhada de Petit ao mesmo tempo que tentava permanecer fiel à textura do momento e seus arredores. Leitores interessados na proeza de Petit devem procurar seu livro *To Reach the Clouds* (Faber and Faber, 2002) para um relato detalhado. A fotografia usada na página é de Vic DeLuca, Rex Images, 7 de agosto de 1974, copyright Rex USA. A ambos os artistas estou profundamente grato.

O título deste livro vem do poema de Alfred, Lord Tennyson, "Locksley Hall". Que, por sua vez, foi bastante influenciado pelo "Mu'allaqat", ou "Os poemas suspensos", sete longos poemas árabes escritos no século VI. O poema de Tennyson menciona "pilotos do crepúsculo púrpura caindo com fardos valiosos" e o "Mu'allaqat" pergunta: "Há alguma esperança dessa desolação me trazer consolo?" A literatura nos lembra que nem toda vida já está escrita: ainda existem inúmeras histórias a ser contadas.

AGRADECIMENTOS

ESTA HISTÓRIA PARTICULAR deve agradecimentos enormes a muitos — aos policiais que me levaram pela cidade; aos médicos que pacientemente responderam a minhas perguntas; aos técnicos de computadores que me guiaram pelo labirinto; e a todos aqueles que me ajudaram durante o processo de escrita e edição. A verdade de tudo é que há muitas mãos digitando no teclado do escritor. Temo esquecer alguns nomes mas estou profundamente grato às seguintes pessoas por todo seu apoio e ajuda: Jay Gold, Roger Hawke, Maria Venegas, John McCormack, Ed Conlon, Joseph Lennon, Justin Dolly, Mario Mola, Dr. James Marion, Terry Cooper, Cenelia Arroyave, Paul Auster, Kathy O'Donnell, Thomas Kelly, Elaina Ganim, Alexandra Pringle, Jennifer Hershey, Millicent Bennett, Giorgio Gonella, Andrew Wylie, Sarah Chalfant, e todos os da Wylie Agency, Caroline Ast e todos da Belfond em Paris. Agradecimentos a Philip Gourevitch e todos da *Paris Review*. A meus alunos e colegas no Hunter College, especialmente Peter Carey e Nathan Englander. E no final ninguém merece mais obrigados do que Allison, Isabella, John Michael e Christian.

Este livro foi composto na tipologia Minion-Regular,
em corpo 11/14,5, impresso em papel off-white 80g/m²
no Sistema Cameron da Divisão Gráfica
da Distribuidora Record.